권별주삶

아가페 주삶

• 주야로 묵상하는 삶 •

마태복음(하)

JN416104

● 주삶의 정신 1

'주삶'은 에티오피아 내시에게
말씀을 해석해 준 빌립 집사의 역할을 하기 원합니다.

말씀을 올바르게 깨닫기 위해서는 빌립과 같은 신령한 조력자가 필요합니다.
이제 주삶은 '객관적이고 정확한 절별 해설'을 통해
그리스도인의 매일 말씀묵상을 돕고자 합니다.

● 주삶의 정신 2

'묵상'은 하루 중 가장 방해받지 않는
귀중한 시간에 하는 것입니다.
그리고 깨달은 말씀을 종일 생각하는 것입니다.

진정한 그리스도인이 되기 위해서는 묵상한 말씀을 늘 되새겨야 합니다.
그것이 주야로 묵상하는 삶이며, '주삶'의 정신입니다.

● 주삶의 정신 3

'오늘 말씀묵상(큐티)을 하지 않으면 밥을 먹지 않겠다.'
참된 성도는 굳은 결심의 소유자여야 합니다.

매일 말씀묵상을 하지 않으면 영혼이 병들고 성장하지 않기 때문입니다.
일주일에 한두 끼만 먹는 사람이
건강한 삶을 살 수 없는 것과 마찬가지 이치입니다.

Contents

해설 집필자 소개

오대환 목사_ 마태복음 개정판, GBS 및 해설서

- 합동신학대학원 졸업 (목회학 M.Div.)
- 영국 Trinity College 졸업 (실천신학 M.A.)
- 미국 San Francisco Theological Seminary (실천신학 D.Min. 과정 이수)
- 온마음교회 담임목사

권별주삶

아가페

주삶

• 주 야 로 묵 상 하 는 삶 •

마태복음 하 개정판

AGAPE
[주]아가페출판사

아가페 주삶 단체 활용법

「권별주삶」의 특징

- 「권별주삶」은 가족, 교회 소그룹, 직장 신우회 등 각종 성경공부 모임에 활용하면 좋습니다.
- 「권별주삶」은 날짜에 구애받지 않는 5일 동안의 개인 묵상과 1일의 주간성경공부(GBS)로 구성되어 있습니다.

「권별주삶」의 단체 활용법

➤ 주중 5일을 개인적으로 묵상하고, 1주일에 1회씩 모여서 GBS 모임을 가지면 좋습니다.

- 주중 1일째부터 5일째까지, 개인 묵상 시간을 통해 말씀을 묵상하고, 6일째는 지난 5일간 주신 메시지를 거듭 기억하고 복습하는 시간을 가집니다.
- 7일째, 주간성경공부 모임에서 한 주 동안 말씀을 삶에 적용하고 변화한 경험과 깨달음을 서로 공유합니다.

➤ 단체 성경공부 모임의 말씀묵상을 하면서 아래의 구체적인 활용법을 따라하세요.

예) 토요일이나 일요일에 GBS 모임을 가지는 경우

1주차 월, 화, 수, 목, 금 01~05회	GBS 1	2주차 월, 화, 수, 목, 금 06~10회	GBS 2	3주차 월, 화, 수, 목, 금 11~15회	GBS 3	…	6주차 월, 화, 수, 목, 금 26~30회	GBS 6

예) 금요일에 GBS 모임을 가지는 경우

1주차 토, 월, 화, 수, 목 01~05회	GBS 1	2주차 토, 월, 화, 수, 목 06~10회	GBS 2	3주차 토, 월, 화, 수, 목 11~15회	GBS 3	…	6주차 토, 월, 화, 수, 목 26~30회	GBS 6

「권별주삶」은 이처럼 각종 성경공부 모임의 계획에 맞춰 차별화된 스케줄 구성을 가능하게 합니다.

아가페

주삶 개인 활용법

「권별주삶」의 특징

- 「권별주삶」은 날짜가 특정되지 않아 순차적으로 깊이 있는 말씀 묵상이 가능합니다.
- 「권별주삶」은 개인별 맞춤 스케줄에 따른 시간을 활용함으로써 하나님의 말씀을 거듭 상고하고 깊이 체험할 수 있게 도와줍니다.

「권별주삶」의 개인 활용법

➤ 아래 「권별주삶」의 개인 활용법을 따라 꾸준히 묵상하면서 하나님과 동행하세요.

- 먼저 묵상을 시작하는 날짜를 기록합니다.
  개인 스케줄에 맞춰 날짜와 관계없이 성경을 이어서 빠짐없이 묵상할 수 있습니다.
- 주중 1일째부터 5일째까지, 개인 묵상 시간을 통해 말씀을 묵상하고,
  6일째는 지난 5일간 주신 메시지를 거듭 기억하고 복습하는 시간을 가집니다.
- 7일째, 주간성경공부 모임에서 한 주 동안 말씀을 삶에 적용하고 변화한 경험과 깨달음을 서로 공유합니다.
- 교훈과 묵상한 것을 메모합니다. 묵상과 적용이 「권별주삶」의 깊이 있는 해설과 곁들여져 말씀을 더욱 쉽게 이해하는 나만의 묵상 노트가 됩니다.
- 「권별 주삶 시리즈」를 권별로 모아두세요. 성경의 문맥을 살려 그 자체로 말씀을 쉽게 이해하게 해주는 훌륭한 성경 해설서로 활용할 수 있습니다.

*** 「권별주삶」을**

나만의 묵상 노트이자 성경 해설서로 만든다는 목표를 가지고 꾸준히 하면,

하나님과의 친밀한 교제 안에서 변화된 자신을 체험할 수 있습니다.

아가페

주삶 활용법

1 날짜 기록

묵상한 날짜를
기록합니다.

2 찬양과 기도

먼저 찬양한 후, 성령님의
도우심을 구하는 기도를
드립니다.

3 본문요약

'본문요약'을 읽고
흐름을 파악합니다.

4 개역개정성경 읽기

성경 본문을 정독합니다.

61

월 일

전통과 말씀

마태복음 15:1-9

새찬송 200장 | 통일 235장

• 먼저 묵상을 위한 기도를 드린 후, 성경 본문을 2번 이상 읽고 묵상하십시오.

본문요약 | 예루살렘에서 온 사람들이 예수님의 제자들이 장로들의 전통을 지키지 않음을 지적한다. 이에 예수님은 저들이 전통을 지킨다는 명분으로 하나님의 계명을 지키지 않음을 말씀하신다. 하나님을 공경하는 척하면서 부모를 저버리는 행위는 헛된 예배에 불과하다.

개역개정

1 그때에 바리새인과 서기관들이 예루살렘
으로부터 예수께 나아와 이르되
2 당신의 제자들이 어찌하여 장로들의 전통
을 범하나이까 떡 먹을 때에 손을 씻지 아
니하나이다
3 대답하여 이르시되 너희는 어찌하여 너희
의 전통으로 하나님의 계명을 범하느냐
4 하나님이 이르셨으되 ㄱ네 부모를 공경하
라 하시고 또 ㄴ아버지나 어머니를 비방하
는 자는 반드시 죽임을 당하리라 하셨거늘
5 너희는 이르되 누구든지 아버지에게나 어
머니에게 말하기를 내가 드려 유익하게
할 것이 하나님께 드림이 되었다고 하기
만 하면
6 그 부모를 공경할 것이 없다 하여 너희의
전통으로 하나님의 말씀을 폐하는도다
7 외식하는 자들아 이사야가 너희에 관하여
잘 예언하였도다 일렀으되
8 ㄷ이 백성이 입술로는 나를 공경하되 마
음은 내게서 멀도다
9 사람의 계명으로 교훈을 삼아 가르치니
나를 헛되이 경배하는도다
하였느니라 하시고

ㄱ. 출 20:12; 신 5:16 ㄴ. 출 21:17; 레 20:9 ㄷ. 사 29:13

10

1. 본문에 나타난 예수님은 어떤 분이십니까?

2. 오늘 하나님께서 나에게 주신 깨달음은 무엇입니까?

3. 말씀을 어떻게 내 삶에 구체적으로 적용해야 합니까?

7 묵상과 적용

'묵상과 적용' 질문을 통해 깨달은 말씀과
적용한 내용을 적습니다.

'말씀묵상'은

말씀과 기도를 통해 날마다 하나님의 음성에 귀 기울이고 그 음성을 따라 살아가고자 하는 그리스도인을 위한 경건의 시간입니다. '말씀묵상'은 하루 중 가장 귀중한 시간에 아무도 방해하지 않는 곳에서 해야 합니다. 그리고 깨달은 말씀을 주야로 묵상하는 것입니다.

절별 해설

1 바리새인과 서기관들이 예루살렘으로부터 예수께 나아와 이르되 당시 예수님은 갈릴리를 중심으로 사역하고 계셨다(14:34). 바리새인과 서기관들이 예루살렘에서 내려온 이유는, 예수님의 소문을 듣고 그 진상을 확인하는 동시에, 본문처럼 예수님을 트집 잡기 위해서였다. 예수님에 대한 당시 종교인들의 반발이 점점 더 심해졌음을 알 수 있다.

2 당신의 제자들이 어찌하여 장로들의 전통을 범하나이까 떡 먹을 때에 손을 씻지 아니하나이다 일반 백성이 음식을 먹기 전에 손을 씻는 규정은 율법에 나타나 있지 않다. 율법에는 제사장들만 회막에 들어갈 때 수족을 씻게 되어 있었으나(출 30:17-21), 이것이 장로들의 전통에 의하여 점차 확대되어 일반인들에게도 적용된 것이다. '장로들의 전통(유전)'은 율법 해석에 관한 전통으로 서기관들에 의해 쌓여 간 것인데, 율법보다 더 자세하고 때로는 첨가되는 내용도 있었다. 이것이 나중에는 율법과 동등한 권위를 얻게 되었다.

3 너희는 어찌하여 너희의 전통으로 하나님의 계명을 범하느냐 앞에서 설명한 것처럼 장로들의 전통은 율법에 직접적 언급이 없는 내용까지 해석함으로써 율법의 내용을 앞서갔다. 원래 이는 율법을 더 세심하게 잘 지키자는 명분으로 시작한 일이었지만, 오히려 율법의 본래 정신을

4-6 아버지에게나 어머니에게 말하기를 … 것이 하나님께 드림이 되었다고 하기만 하면 … 것이 없다 당시에는 '고르반'이라는 … 신이 가진 것을 하나님께 바치면 누… 을 위해서 사용하지 못하게 하는 것… 전통에 의한 것이었다. 그러나 실제… 극적으로는 실천의 의무가 없었다고… 간에 사이가 좋지 못할 때, 자식이 … 돌보지 않는 경우가 생기게 되었다. … 위해 당사자와 제사장들 간에 금품이…

6 그 어떤 것도 하나님 말씀보다 앞… 들어 낸 좋은 전통이라 할지라도 말… 면 절대적인 것은 될 수 없다.

8 진정한 경건은 마음으로부터 시… 로 잘하는 척하는 것으로는 하나님…

쉬운성경

1 그때, 몇몇 바리새파 사람과 율법학자들이 예루살렘으로부터 예수님께 와서 물었습니다.

2 "당신의 제자들은 어째서 장로들이 우리에게 전하여 준 법을 지키지 않습니까? 당신의 제자들은 음식을 먹기 전에 손을 씻지 않습니다!"

3 예수님께서 이들에게 대답하셨습니다. "너희는 어째서 장로들의 전통을 지키려고 하나님의 명령을 지키지 않느냐?

4 하나님께서는 '네 아버지와 어머니를 공경하라'고 말씀하셨다. 또한 '아버지나 어머니를 욕하는 사람은 반드시 죽으리라'고 말씀하셨다.

5 그런데 너희는 '아버지나 어머니에게 드리려던 것을 하나님께 드렸다고 하면,

5 쉬운성경 읽기

쉬운성경을 정독하며 본문을 대조합니다

6 절별 해설

'절별 해설'을 참고하며 읽습니다.

저자의 묵상

인간이 만든 것은 오래되면 본래의 정신을 잃어버리고 잘못된 경향으로 흐르는 경우가 많다. 그것은 인간이 가진 죄성 때문이다. 중세 로마 가톨릭은 성경 말씀보다 교회의 결정과 권위를 더 중시하여 성경에 나오지 않는 마리아 숭배나 성인·성물 숭배 사상을 발전시켰다. 이는 본문이 말하는 전통을 말씀보다 중시한 유대인들의 경우와 일치한다. 역사는 이런 의미에서 반복이다.

그러므로 개혁교회는 끊임없이 주기적으로 자신을 말씀에 비추어 살펴서 삶을 점검하고 하나님이 원하시는 것이 무엇인지를 생각해 보아야 한다. 성도의 경우도 마찬가지다. 삶에서 내가 가지는 열심이 과연 누구를 위한 것인가를 계속 살펴야 한다. 나를 위한 것인지 아니면 남들에게 보이기 위한 열심인지, 진정으로 하나님을 위한 열심인지를 말이다. 잘못된 열심을 가진 교회와 성도는 오히려 하나님 말씀에 더욱 위협적인 공격자가 될 수 있기 때문이다.

무릎 기도 저의 열심으로 주님을 섬기지 않게 하소서. 늘 말씀에 비추어 제 삶을 점검하고 주님이 기뻐하시는 인생이 되게 도와주소서.

9 무릎 기도

'무릎 기도'로 기도합니다.

8 저자의 묵상

절별 해설 집필자가 묵상 후 전하는 메시지입니다.

10 한글과 영어 본문(NLT) 대조를 통해 본문의 바른 뜻을 파악할 수 있습니다.

NLT - Matthew 15

1 Some Pharisees and teachers of religious law now arrived from Jerusalem to see Jesus. They asked him,
2 "Why do your disciples disobey our age-old tradition? For they ignore our tradition of ceremonial hand washing before they eat."
3 Jesus replied, "And why do you, by your traditions, violate the direct commandments of God?
4 For instance, God says, 'Honor your father and mother,'* and 'Anyone who speaks disrespectfully of father or mother must be put to death.'*
5 But you say it is all right for people to say to their parents, 'Sorry, I can't help you. For I have vowed to give to God what I would have given to you.'
6 In this way, you say they don't need to honor their parents.* And so you cancel the word of God for the sake of your own tradition.
7 You hypocrites! Isaiah was right when he prophesied about you, for he wrote,
8 'These people honor me with their lips, but their hearts are far from me.
9 Their worship is a farce, for they teach man-made ideas as commands from God.'*"

*15:4a Exod 20:12; Deut 5:16.
*15:4b Exod 21:17 (Greek version); Lev 20:9 (Greek version).
*15:6 Greek *their father*; other manuscripts read *their father or their mother*.
*15:8-9 Isa 29:13 (Greek version).

1 religious 종교상의 2 disobey 순종하지 않다 age-old 아주 오래된 ignore 무시하다 tradition 전통 ceremonial 의식적인, 의례상의 3 violate 어기다, 위반하다 commandment 명령, 계명 4 disrespectfully 무례하게 be put to death 처형되다 6 cancel 무효로 하다, 취소하다 7 hypocrite 위선자 prophesy 예언하다, 예측하다 9 farce 어리석은 짓, 헛됨

12

“복 있는 사람은 악인들의 꾀를 따르지 아니하며
죄인들의 길에 서지 아니하며
오만한 자들의 자리에 앉지 아니하고
오직 여호와의 율법을 즐거워하여
그의 율법을 주야로 묵상하는도다”

- 시편 1:1-2 -

61~120 days

마태복음을 묵상하기 전에

저자 및 기록시기

예수님의 열두 제자 중 한 사람이었던 마태가 본서의 저자다. 마태는 예수님을 따르기 이전에 세리였으나 예수님의 부르심이 있자 미련 없이 직업을 버리고 예수님을 따랐다(9:9-13). 마태는 레위라는 다른 이름으로도 불린다(막 2:14). 한편, 마태복음의 헬라어 원문 제목은 '마태에 의한'으로 되어 있으며, 그 기록시기는 AD 60-70년 사이의 어느 때로 생각된다. 그 이유는 마태복음의 기록이 로마의 디도 장군에 의한 예루살렘 함락(AD 70년)에 관한 사실을 다루지 않기 때문이다. 그래서 본서는 AD 70년 이전에 기록되었다고 보며, 일반적으로 사도들에 의한 복음서 기록이 이루어진 60년 이후에 기록된 것으로 본다.

수신자

다른 성경과 마찬가지로 수신자를 완전히 한정할 수는 없으나, 마태는 주로 유대인들을 염두에 두고 본서를 기록한 것으로 보인다. 그 근거는 마태복음이 예수 그리스도를 아브라함과 다윗의 자손으로 소개하는 족보로 시작한다는 점과, 예수 그리스도를 소개함에 있어서 많은 구약 말씀을 인용함으로써 그리스도를 구약 예언의 성취로 드러내고 있다는 점이다. 이것은 유대인 독자들에게 보다 익숙해 보이는 전달 방식이다.

기록목적과 역사적 배경

예수님이 AD 30년경에 십자가에서 돌아가시고 승천하신 이후에 초대 교회가 예루살렘을 중심으로 시작되어 본서와 같은 복음서가 기록된 당시에는(AD 60년경) 유대교와 기독교가 분명한 구분을 이루고 있을 때다. 유대인들 가운데 많은 회심자가 나타났으나, 그들은 아직도 자신들의 전통인 율법과 복음 사이에서 갈등하는 경우가 많았다. 이에 마태는 유대인 독자들로 하여금 기독교가 온전한 구약 예언의 성취 결과임을 확신하도록 하려는 목적으로 본서를 기록하였다. 또한 유대교와 기독교 사이에서 갈등하고 있는 유대인들에게도 확신을 주어, 예수 그리스도가 구약에 예언된 바로 그 메시아이심을 강조함으로써 거리낌 없이 기독교에 입문하도록 돕고자 했다.

주요내용

마태복음은 예수 그리스도께서 구약에 약속된 참 메시아이자 다윗의 후손인 왕이심을 드러낸다. 이를 위해 예수 그리스도의 족보로부터 시작하여 탄생, 가르침, 이적을 행하심, 수난, 죽으심, 부활 등의 내용을 자세하게 기록한다. 모든 초점은 예수님이 유대인의 참 왕이시며 약속된 메시아이심을 드러내는 것에 있다.

특징

마태복음은 다른 복음서들과 비교하면 몇 가지 특징을 가진다. 첫째, 구약에 대한 보다 많은 인용을 다룬다. 마가복음, 누가복음, 요한복음과 비교할 때 훨씬 많은 구약의 예언이 인용되었다. 이러한 특징은 마태복음이 유대인들을 향한 복음서임을 드러내 준다. 둘째, 다른 복음서들이 '하나님 나라'라는 용어를 사용한 데 반해 마태복음은 '천국'이라는 단어를 사용한다. 유대인들이 천국이라는 단어에 훨씬 익숙했기 때문이다. 셋째, 율법의 완성에 대한 강조다. 마태는 예수님이 율법을 폐하려 오신 것이 아니라 완성하러 오심을 강조하면서(5:17), 유대인들의 복음과 그리스도에 대한 잘못된 견해를 바로잡고자 노력하였다. 또한 산상수훈을 통하여 율법에 대한 예수님의 본질적인 해석을 소개함으로써 유대교와 기독교의 자연스러운 연결을 시도하였다.

단락 구분

1. 예수 그리스도의 오심(1:1-2:23)
2. 그리스도의 자기 계시 및 선포(3:1-7:29)
3. 그리스도의 능력과 제자의 파송(8:1-11:1)
4. 그리스도와 세상의 대립(11:2-20:34)
5. 그리스도의 예루살렘 입성, 수난, 죽음(21:1-27:66)
6. 그리스도의 부활과 지상 명령(28:1-20)

61

월 일

전통과 말씀

마태복음 15:1-9

새찬송 200장 | 통일 235장

• 먼저 묵상을 위한 기도를 드린 후, 성경 본문을 2번 이상 읽고 묵상하십시오.

본문요약 | 예루살렘에서 온 사람들이 예수님의 제자들이 장로들의 전통을 지키지 않음을 지적한다. 이에 예수님은 저들이 전통을 지킨다는 명분으로 하나님의 계명을 지키지 않음을 말씀하신다. 하나님을 공경하는 척하면서 부모를 저버리는 행위는 헛된 예배에 불과하다.

개역개정

1 그때에 바리새인과 서기관들이 예루살렘
으로부터 예수께 나아와 이르되
2 당신의 제자들이 어찌하여 장로들의 전통
을 범하나이까 떡 먹을 때에 손을 씻지 아
니하나이다
3 대답하여 이르시되 너희는 어찌하여 너희
의 전통으로 하나님의 계명을 범하느냐
4 하나님이 이르셨으되 ㄱ네 부모를 공경하
라 하시고 또 ㄴ아버지나 어머니를 비방하
는 자는 반드시 죽임을 당하리라 하셨거늘
5 너희는 이르되 누구든지 아버지에게나 어
머니에게 말하기를 내가 드려 유익하게
할 것이 하나님께 드림이 되었다고 하기
만 하면
6 그 부모를 공경할 것이 없다 하여 너희의
전통으로 하나님의 말씀을 폐하는도다
7 외식하는 자들아 이사야가 너희에 관하여
잘 예언하였도다 일렀으되
8 ㄷ이 백성이 입술로는 나를 공경하되 마
음은 내게서 멀도다
9 사람의 계명으로 교훈을 삼아 가르치니
나를 헛되이 경배하는도다
하였느니라 하시고

ㄱ. 출 20:12; 신 5:16 ㄴ. 출 21:17; 레 20:9 ㄷ. 사 29:13

1. 본문에 나타난 예수님은 어떤 분이십니까?

2. 오늘 하나님께서 나에게 주신 깨달음은 무엇입니까?

3. 말씀을 어떻게 내 삶에 구체적으로 적용해야 합니까?

절별 해설

1 바리새인과 서기관들이 예루살렘으로부터 예수께 나아와 이르되 당시 예수님은 갈릴리를 중심으로 사역하고 계셨다(14:34). 바리새인과 서기관들이 예루살렘에서 내려온 이유는, 예수님의 소문을 듣고 그 진상을 확인하는 동시에, 본문처럼 예수님을 트집 잡기 위해서였다. 예수님에 대한 당시 종교인들의 반발이 점점 더 심해졌음을 알 수 있다.

2 당신의 제자들이 어찌하여 장로들의 전통을 범하나이까 떡 먹을 때에 손을 씻지 아니하나이다 일반 백성이 음식을 먹기 전에 손을 씻는 규정은 율법에 나타나 있지 않다. 율법에는 제사장들만 회막에 들어갈 때 수족을 씻게 되어 있었으나(출 30:17-21), 이것이 장로들의 전통에 의하여 점차 확대되어 일반인들에게도 적용된 것이다. '장로들의 전통(유전)'은 율법 해석에 관한 전통으로 서기관들에 의해 쌓여 간 것인데, 율법보다 더 자세하고 때로는 첨가되는 내용도 있었다. 이것이 나중에는 율법과 동등한 권위를 얻게 되었다.

3 너희는 어찌하여 너희의 전통으로 하나님의 계명을 범하느냐 앞에서 설명한 것처럼 장로들의 전통은 율법에 직접적 언급이 없는 내용까지 해석함으로써 율법의 내용을 앞서갔다. 원래 이는 율법을 더 세심하게 잘 지키자는 명분으로 시작한 일이었지만, 오히려 율법의 본래 정신을 왜곡하는 결과를 낳았다.

4-6 아버지에게나 어머니에게 말하기를 내가 드려 유익하게 할 것이 하나님께 드림이 되었다고 하기만 하면 그 부모를 공경할 것이 없다 당시에는 '고르반'이라는 제도가 있었는데, 이는 자신이 가진 것을 하나님께 바치면 누구도 그것을 인간적인 목적을 위해서 사용하지 못하게 하는 것이다. 이 역시도 장로들의 전통에 의한 것이었다. 그러나 실제로는 맹세만 이용할 뿐 궁극적으로는 실천의 의무가 없었다고 한다. 이 때문에 부모·자식 간에 사이가 좋지 못할 때, 자식이 이 제도를 악용하여 부모를 돌보지 않는 경우가 생기게 되었다. 심지어 이 선언을 만들기 위해 당사자와 제사장들 간에 금품이 오고 갔다는 주장도 있다.

6 그 어떤 것도 하나님 말씀보다 앞서는 것은 없다. 교회가 만들어 낸 좋은 전통이라 할지라도 말씀에 직접적인 언급이 없다면 절대적인 것은 될 수 없다.

8 진정한 경건은 마음으로부터 시작되어야 한다. 이는 겉으로 잘하는 척하는 것으로는 하나님을 속일 수 없다는 뜻이다.

쉬운성경

1 그때, 몇몇 바리새파 사람과 율법학자들이 예루살렘으로부터 예수님께 와서 물었습니다.

2 "당신의 제자들은 어째서 장로들이 우리에게 전하여 준 법을 지키지 않습니까? 당신의 제자들은 음식을 먹기 전에 손을 씻지 않습니다!"

3 예수님께서 이들에게 대답하셨습니다. "너희는 어째서 장로들의 전통을 지키려고 하나님의 명령을 지키지 않느냐?

4 하나님께서는 '네 아버지와 어머니를 공경하라'고 말씀하셨다. 또한 '아버지나 어머니를 욕하는 사람은 반드시 죽으리라'고 말씀하셨다.

5 그런데 너희는 '아버지나 어머니에게 드리려던 것을 하나님께 드렸다고 하면,

6 자기 부모를 공경하지 않아도 된다' 라고 말하면서, 너희 전통을 빌미로 하나님의 말씀을 무시하고 있다.

7 위선자들아! 이사야가 너희에 대해 예언한 것이 옳다.

8 '이 백성들이 입술로는 나를 공경하나, 마음은 내게서 멀구나.

9 헛되이 내게 예배를 드리고, 사람의 훈계를 교리인 양 가르친다.'*"

*15:8-9 사 29:13에 기록되어 있다.

저자의 묵상

인간이 만든 것은 오래되면 본래의 정신을 잃어버리고 잘못된 경향으로 흐르는 경우가 많다. 그것은 인간이 가진 죄성 때문이다. 중세 로마 가톨릭은 성경 말씀보다 교회의 결정과 권위를 더 중시하여 성경에 나오지 않는 마리아 숭배나 성인·성물 숭배 사상을 발전시켰다. 이는 본문이 말하는 전통을 말씀보다 중시한 유대인들의 경우와 일치한다. 역사는 이런 의미에서 반복이다.

그러므로 개혁교회는 끊임없이 주기적으로 자신을 말씀에 비추어 살펴서 삶을 점검하고 하나님이 원하시는 것이 무엇인지를 생각해 보아야 한다. 성도의 경우도 마찬가지다. 삶에서 내가 가지는 열심이 과연 누구를 위한 것인가를 계속 살펴야 한다. 나를 위한 것인지 아니면 남들에게 보이기 위한 열심인지, 진정으로 하나님을 위한 열심인지를 말이다. 잘못된 열심을 가진 교회와 성도는 오히려 하나님 말씀에 더욱 위협적인 공격자가 될 수 있기 때문이다.

무릎 기도 저의 열심으로 주님을 섬기지 않게 하소서. 늘 말씀에 비추어 제 삶을 점검하고 주님이 기뻐하시는 인생이 되게 도와주소서.

NLT - Matthew 15

1 Some Pharisees and teachers of religious law now arrived from Jerusalem to see Jesus. They asked him,

2 "Why do your disciples disobey our age-old tradition? For they ignore our tradition of ceremonial hand washing before they eat."

3 Jesus replied, "And why do you, by your traditions, violate the direct commandments of God?

4 For instance, God says, 'Honor your father and mother,'* and 'Anyone who speaks disrespectfully of father or mother must be put to death.'*

5 But you say it is all right for people to say to their parents, 'Sorry, I can't help you. For I have vowed to give to God what I would have given to you.'

6 In this way, you say they don't need to honor their parents.* And so you cancel the word of God for the sake of your own tradition.

7 You hypocrites! Isaiah was right when he prophesied about you, for he wrote,

8 'These people honor me with their lips, but their hearts are far from me.

9 Their worship is a farce, for they teach man-made ideas as commands from God.'*"

*15:4a Exod 20:12; Deut 5:16.
*15:4b Exod 21:17 (Greek version); Lev 20:9 (Greek version).
*15:6 Greek *their father;* other manuscripts read *their father or their mother.*
*15:8–9 Isa 29:13 (Greek version).

1 religious 종교상의 2 disobey 순종하지 않다 age-old 아주 오래된 ignore 무시하다 tradition 전통 ceremonial 의식적인, 의례상의 3 violate 어기다, 위반하다 commandment 명령, 계명 4 disrespectfully 무례하게 be put to death 처형되다 6 cancel 무효로 하다, 취소하다 7 hypocrite 위선자 prophesy 예언하다, 예측하다 9 farce 어리석은 짓, 헛됨

62

월 일

입에서 나오는 것이 사람을 더럽힌다는 교훈

마태복음 15:10-20

새찬송 257장 | 통일 189장

• 먼저 묵상을 위한 기도를 드린 후, 성경 본문을 2번 이상 읽고 묵상하십시오.

본문요약 | 예수님은 손 씻는 문제에 대해 말씀하시면서, 입으로 들어가는 것이 아닌 입에서 나오는 것이 사람을 더럽힌다고 교훈하신다. 또다시 베드로가 질문하자, 예수님은 사람의 입을 통해 나오는 마음의 악한 것들이 사람을 더럽히는 본질이라고 말씀하신다.

개역개정

10 무리를 불러 이르시되 듣고 깨달으라
11 입으로 들어가는 것이 사람을 더럽게 하는
것이 아니라 입에서 나오는 그것이 사람을
더럽게 하는 것이니라
12 이에 제자들이 나아와 이르되 바리새인들
이 이 말씀을 듣고 [1]걸림이 된 줄 아시
나이까
13 예수께서 대답하여 이르시되 심은 것마다
내 하늘 아버지께서 심으시지 않은 것은
뽑힐 것이니
14 그냥 두라 그들은 맹인이 되어 맹인을 인
도하는 자로다 만일 맹인이 맹인을 인도
하면 둘이 다 구덩이에 빠지리라 하시니
15 베드로가 대답하여 이르되 이 비유를 우리
에게 설명하여 주옵소서
16 예수께서 이르시되 너희도 아직까지 깨달
음이 없느냐
17 입으로 들어가는 모든 것은 배로 들어가서
뒤로 내버려지는 줄 알지 못하느냐
18 입에서 나오는 것들은 마음에서 나오나
니 이것이야말로 사람을 더럽게 하느니라
19 마음에서 나오는 것은 악한 생각과 살인
과 간음과 음란과 도둑질과 거짓 증언과
비방이니
20 이런 것들이 사람을 더럽게 하는 것이요
씻지 않은 손으로 먹는 것은 사람을 더럽
게 하지 못하느니라

1) 또는 실족

1. 본문에 나타난 예수님은 어떤 분이십니까?

2. 오늘 하나님께서 나에게 주신 깨달음은 무엇입니까?

3. 말씀을 어떻게 내 삶에 구체적으로 적용해야 합니까?

절별 해설

11 본절은 음식을 먹기 전에 손을 씻어야 한다는 주장에 대한(2절) 예수님의 답변이다. 입으로 들어가는 것은 음식을 뜻하며, 입에서 나오는 것은 사람의 말과 생각이다. 인간을 더럽히는 본질이 외적인 것에 있지 않고 인간 내부에 있다는 말씀이다. 바리새인은 진정으로 중요한 것을 간과한 채 상대적으로 덜 중요한 것에 매달리고 있었다.

12 **바리새인들이 이 말씀을 듣고 걸림이 된 줄 아시나이까** 바리새인들은 예수님이 하신 말씀을 듣고 분노하였다. 그 이유는 자신들이 그토록 중요하게 생각하는 장로들의 율법 해석 전통을 예수님이 한마디로 부정하셨기 때문이다. 예수님의 말씀을 듣고 그 진위 여부를 고민하기보다 기존의 질서를 지키기에 급급한 바리새인들의 모습을 볼 수 있다. 또한 잘못된 전통을 회개하기보다 분노하는 인간의 죄성도 볼 수 있다.

13 **심은 것마다 내 하늘 아버지께서 심으시지 않은 것은 뽑힐 것이니** '내 하늘 아버지께서 심으시지 않은 것'은 바리새인과 서기관같이 잘못된 교리를 믿는 지도자들과 그들의 교리 모두를 가리킨다. 하나님이 직접 심으신 사람이나 말씀만이 뽑히지 않는다.

14 본절은 앞을 보지 못하는 인도자(바리새인과 서기관)가 앞을 보지 못하는 사람을(일반 백성) 인도하면 둘 다 망하게 된다는 말씀이다. 이는 제대로 된 지도자를 만나고 구별하는 책임도 백성에게 있음을 간접적으로 말씀하신 것이다.

16 **너희도 아직까지 깨달음이 없느냐** 예수님은 베드로가 아직까지 이해하지 못하는 것을 가볍게 책망하신다. 바리새인들이 예수님의 말씀을 적대시하고 깨닫지 못하는 것이 문제가 아니라 제자들이 아직까지 깨닫지 못한 것을 문제라고 말씀하신 것이다. 이를 통해 성도가 주님의 말씀을 온전히 깨닫지 못하고 실행하지 못하는 것이 문제임을 알 수 있다.

18-19 **악한 생각, 살인, 간음, 음란, 도둑질, 거짓 증언과 비방** 예수님은 마음에서 나오는 것이 사람을 더럽힌다고 하시면서 일곱 가지를 예로 들어 말씀하신다. 대부분 십계명이 금하고 있는 것들로, 인간의 마음에서 선한 것이 나오지 않음을 말씀하신 것이다. 즉, 타락한 인간의 마음에서는 사람을 더럽게 만드는 악한 생각들이 주로 나온다는 사실을 깨닫게 된다.

쉬운성경

10 예수님께서 사람들을 불러 모으시고 말씀하셨습니다. "너희는 듣고 깨달아라.

11 입으로 들어가는 것이 사람을 더럽히는 것이 아니라, 입에서 나오는 것이 사람을 더럽힌다."

12 그때, 제자들이 예수님께 와서 물었습니다. "바리새파 사람들이 이 말씀을 듣고 감정이 상한 것을 아십니까?"

13 예수님께서 대답하셨습니다. "하늘에 계신 나의 아버지께서 직접 심지 않으신 나무는 모두 뿌리 뽑힐 것이다.

14 그들을 내버려 두어라. 이들은 앞못 보는 인도자이다. 보지 못하는 사람이 다른 보지 못하는 사람을 안내하면, 둘 다 구덩이에 빠질 것이다."

15 베드로가 예수님께 말했습니다. "이 비유를 설명해 주십시오."

16 예수님께서 말씀하셨습니다. "아직도 이해하지 못하느냐?

17 입으로 들어가는 것은 모두 배 속으로 들어갔다가, 결국 뒤로 나가는 것을 모르느냐?

18 그러나 입에서 나오는 것은 마음에서 나온다. 이런 것들이 사람을 더럽게 만든다.

19 마음에서는 악한 생각, 살인, 간음, 음행, 도둑질, 거짓말, 그리고 비방이 나온다.

20 이러한 것들이 사람을 더럽게 만드는 것이다. 씻지 않은 손으로 먹는 것이 사람을 더럽히는 것이 아니다."

저자의 묵상

오늘 본문은 음식을 먹을 때 손 씻는 문제로 시비를 건 바리새인들과 서기관들에게 예수님이 본질적인 답변을 하시는 내용이다. 예수님은 음식이 사람을 더럽게 하는 것이 아니라 인간의 마음에서 나오는 사상이 사람을 오염시키고 더럽힌다고 말씀하신다. 특히 하나님을 모르는 인간의 마음에서는 선한 것이 나오지 않는다. 그러므로 인간의 마음이나 그 말을 너무 믿지 말아야 한다.

당시 바리새인들과 서기관들은 본질적이지 않은 것은 지키면서 정작 더 중요한 본질은 잊고 있었다. 이것이 인간이 갖는 또 다른 어리석음이다. 본질이 우선되지 않는 신앙은 형식주의로 빠질 수밖에 없다. 그러므로 우리 신앙에는 이런 것들이 없는지 돌아보자. 복음의 본질을 놓친 채 성공이나 이익만을 위해서 신앙생활하고 있는 면은 없는지 늘 주의 깊게 살펴야 한다.

무릎기도 | 복음의 본질을 놓치고 비본질적인 것을 붙들고 사는 인간의 모습을 보면서 저에게는 이런 모습이 없는지 되돌아봅니다. 성령님께서 깨닫게 해 주시고, 영원한 것을 위해 살게 하소서.

NLT - Matthew 15

10 Then Jesus called to the crowd to come and hear. "Listen," he said, "and try to understand.
11 It's not what goes into your mouth that defiles you; you are defiled by the words that come out of your mouth."
12 Then the disciples came to him and asked, "Do you realize you offended the Pharisees by what you just said?"
13 Jesus replied, "Every plant not planted by my heavenly Father will be uprooted,
14 so ignore them. They are blind guides leading the blind, and if one blind person guides another, they will both fall into a ditch."
15 Then Peter said to Jesus, "Explain to us the parable that says people aren't defiled by what they eat."
16 "Don't you understand yet?" Jesus asked.
17 "Anything you eat passes through the stomach and then goes into the sewer.
18 But the words you speak come from the heart—that's what defiles you.
19 For from the heart come evil thoughts, murder, adultery, all sexual immorality, theft, lying, and slander.
20 These are what defile you. Eating with unwashed hands will never defile you."

11 defile 더럽히다 come out of ~ ~로부터 나오다 12 disciple 제자, 사도 offend 성나게 하다 13 uproot 뿌리째 뽑다 14 blind 눈먼 fall into ~ ~에 빠지다 ditch 도랑, 구덩이 15 explain 설명하다 parable 비유 17 pass through 통과하다, 빠져 나가다 stomach 위, 배 sewer 배설구, 하수구 19 murder 살인 adultery 간음 immorality 음란, 난잡함 theft 도둑질, 절도 slander 비방

63 가나안 여자의 믿음

월 일

마태복음 15:21-31

새찬송 357장 | 통일 397장

• 먼저 묵상을 위한 기도를 드린 후, 성경 본문을 2번 이상 읽고 묵상하십시오.

본문요약 | 예수님이 두로와 시돈 지방에 가셨을 때 가나안 여자가 나아와 귀신 들린 자신의 딸을 고쳐 달라고 한다. 이에 예수님은 떡을 개에게 던져 주는 것이 옳지 않다고 말씀하시나, 여인은 개도 주인의 상에서 떨어지는 음식을 먹는다고 답한다. 이 여인의 믿음은 예수님께 칭찬받는다.

개역개정

21 예수께서 거기서 나가사 두로와 시돈 지방으로 들어가시니

22 가나안 여자 하나가 그 지경에서 나와서 소리 질러 이르되 주 다윗의 자손이여 나를 불쌍히 여기소서 내 딸이 흉악하게 귀신들렸나이다 하되

23 예수는 한 말씀도 대답하지 아니하시니 제자들이 와서 청하여 말하되 그 여자가 우리 뒤에서 소리를 지르오니 그를 보내소서

24 예수께서 대답하여 이르시되 나는 이스라엘 집의 잃어버린 양 외에는 다른 데로 보내심을 받지 아니하였노라 하시니

25 여자가 와서 예수께 절하며 이르되 주여 저를 도우소서

26 대답하여 이르시되 자녀의 떡을 취하여 개들에게 던짐이 마땅하지 아니하니라

27 여자가 이르되 주여 옳소이다마는 개들도 제 주인의 상에서 떨어지는 부스러기를 먹나이다 하니

28 이에 예수께서 대답하여 이르시되 여자여 네 믿음이 크도다 네 소원대로 되리라 하시니 그때로부터 그의 딸이 나으니라

29 예수께서 거기서 떠나사 갈릴리 호숫가에 이르러 산에 올라가 거기 앉으시니

30 큰 무리가 다리 저는 사람과 장애인과 맹인과 말 못하는 사람과 기타 여럿을 데리고 와서 예수의 발 앞에 앉히매 고쳐 주시니

31 말 못하는 사람이 말하고 장애인이 온전하게 되고 다리 저는 사람이 걸으며 맹인이 보는 것을 무리가 보고 놀랍게 여겨 이스라엘의 하나님께 영광을 돌리니라

1. 본문에 나타난 예수님은 어떤 분이십니까?

2. 오늘 하나님께서 나에게 주신 깨달음은 무엇입니까?

3. 말씀을 어떻게 내 삶에 구체적으로 적용해야 합니까?

절별 해설

22 가나안 여자 예수님은 유대인 종교지도자들과의 충돌을 피하여 두로와 시돈 지방으로 가셨다(21절). 그곳은 이방인들이 거주하는 지역으로 페니키아의 두 주요 항구 도시며 현재의 레바논 지역이다. 그곳에서 만난 가나안 여인은 이방 여인으로 수로보니게 족속이었다(막 7:26). 한편, 이방인 여인이 유대인에게 무언가를 요청하는 것은 이례적인 일이었으나, 다윗의 자손이란 표현을 쓴 것으로 보아 여인은 예수님에 대한 소문을 듣고 믿음을 가지고 있었던 것으로 보인다.

23 예수는 한 말씀도 대답하지 아니하시니 예수님은 보통 이런 요청에 응하는 자비로우신 분이지만, 여기서는 여인의 요청을 들으시고도 한 말씀도 하지 않으셨다. 이것은 단순히 이방 여인이라서 무시하려는 의도가 아니었다. 그녀의 믿음을 더욱 간절하게 드러내고 커지게 하기 위한 예수님의 방법이었다(9:28 해설 참조).

24 나는 이스라엘 집의 잃어버린 양 외에는 다른 데로 보내심을 받지 아니하였노라 예수님은 자신이 받은 사명의 한계와 범위를 명확히 인식하고 계셨다. 그 때문에 제자들을 파송하시면서도 이방인의 길로 가지 말고 이스라엘의 잃어버린 양에게로 가라고 하셨다(10:5–6). 그러나 이는 이방인과는 상종치 않겠다는 말씀이 아니다. 이방인들을 향한 주된 사역은 시간적으로 이스라엘에서 행하실 십자가와 구원 사건 이후가 될 것을 인식하고 말씀하신 것이다.

25 주여 저를 도우소서 여인의 간청은 계속된다. 예수님이 이미 한 번 아무 대답도 하지 않으셨고, 이어지는 제자들의 요청에 자신의 입장을 분명히 밝히신 것을 듣고도 여인은 계속 예수님께 도움을 요청한다. 예수님은 낙심하지 말고 우리의 기도와 간구가 계속되어야 함을 가르치셨다(눅 18:1).

27 주여 옳소이다마는 개들도 제 주인의 상에서 떨어지는 부스러기를 먹나이다 당시 유대인들은 손으로 식사를 하였기에 식사를 마치고 손에 음식이 묻었을 때 이를 떡 조각으로 닦아 집에서 기르던 개에게 던져 주었다고 한다. 예수님이 26절에서 여인을 당시 유대인들이 칭하듯이 '개'라고 하시면서 '떡'(축복)은 '자식'(유대인)을 위한 것이라고 말씀하셨으나, 여인은 이에 굴하지 않고 예수님을 주인으로 언급하며 부스러기라도 만족하겠다는 믿음을 보였다. 여인의 믿음은 난관을 헤치고 끝까지 겸손하게 은혜를 구하는 믿음이었다.

31 예수님이 많은 병자를 고치신 사건을 복음서가 계속 기록하는 이유는 그분이 구약이 예언한 메시아임을 밝히기 위해서다(사 35:5–6). 어떤 선지자도 이렇게 대규모로 병자를 고친 경우가 없었다.

쉬운성경

21 예수님께서 그곳을 떠나 두로와 시돈 지방으로 가셨습니다.

22 그런데 그 지역에 사는 어떤 가나안 여자가 예수님께 와서 소리쳤습니다. "주님, 다윗의 자손이여, 저를 불쌍히 생각하시고 도와주세요! 제 딸이 귀신 들려서 매우 고통받고 있습니다."

23 그러나 예수님께서는 그 여자에게 한마디도 대답하지 않으셨습니다. 제자들이 예수님께 와서 청했습니다. "저 여자를 돌려보내십시오. 우리를 따라다니면서 소리 지르고 있습니다."

24 예수님께서 대답하셨습니다. "나는 이스라엘 집의 잃어버린 양에게로만 보냄을 받았다."

25 그때, 그 여자가 예수님께 와서 절을 하고 간청했습니다. "주님, 도와주십시오!"

26 예수님께서 대답하셨습니다. "자기 자식의 빵을 집어서, 개에게 던져 주는 것은 옳지 않다."

27 그 여자가 대답했습니다. "그렇습니다. 주님, 그러나 개라도 주인의 식탁에서 떨어진 음식 부스러기는 먹습니다."

28 그러자 예수님께서 말씀하셨습니다. "여자야, 너의 믿음이 크구나! 네가 원하는 대로 될 것이다." 바로 그때, 그 여자의 딸이 나았습니다.

29 예수님께서는 그곳을 떠나 갈릴리 호숫가로 가셨습니다. 그리고 산 위에 올라가서 앉으셨습니다.

30 그러자 많은 사람들이 예수님께 왔습니다. 다리를 저는 사람, 걷지 못하는 사람, 보지 못하는 사람, 말 못하는 사람, 그밖에 많은 병자들을 데리고 왔습니다. 이들은 병자들을 예수님의 발 앞에 두었고, 예수님께서는 이들을 고쳐 주셨습니다.

31 사람들은 말하지 못하던 사람이 말을 하고, 지체 장애인이 성한 몸을 갖게 되고, 다리를 저는 사람이 다시 걷고, 보지 못하는 사람이 다시 보는 것을 보고 모두 놀랐습니다. 그리고 이스라엘의 하나님께 영광을 돌렸습니다.

저자의 묵상

본문에는 가나안 여인의 믿음이 기록되어 있다. 이 여인은 예수님께로부터 총 세 번에 걸쳐 직접 혹은 간접적으로 거절을 당하나 이에 굴하지 않는다. 오히려 계속해서 예수님께 매달려서 결국에는 응답을 받는다. 이처럼 우리 역시 주님께 기도할 때 몇 번 해 보고 응답되지 않는다고 그만두어서는 안 된다. 하나님이 우리의 기도를 들어주시지 않으려는 의도가 아니라 우리의 믿음 성장을 위해 그렇게 하시는 경우가 있기 때문에 끈질기게 기도해야 한다.

한편, 여인은 자신을 개로 취급하시는 예수님 앞에서도 겸손함을 잃지 않았다. 예수님을 주인으로 언급하며 자신은 식탁에서 떨어지는 부스러기를 취하는 개라고 반응했다. 이처럼 어떤 경우에도 예수님이 내 삶의 주인이심을 인정하고 겸손함을 잃지 않아야 한다.

무릎 기도 | 가나안 여인의 믿음을 기억합니다. 주님이 제 삶에 주인 되심을 잊지 않으며 그런 당신께 지속적으로 도움을 요청하는 믿음을 갖기 원합니다.

NLT - Matthew 15

21 Then Jesus left Galilee and went north to the region of Tyre and Sidon.

22 A Gentile* woman who lived there came to him, pleading, "Have mercy on me, O Lord, Son of David! For my daughter is possessed by a demon that torments her severely."

23 But Jesus gave her no reply, not even a word. Then his disciples urged him to send her away. "Tell her to go away," they said. "She is bothering us with all her begging."

24 Then Jesus said to the woman, "I was sent only to help God's lost sheep—the people of Israel."

25 But she came and worshiped him, pleading again, "Lord, help me!"

26 Jesus responded, "It isn't right to take food from the children and throw it to the dogs."

27 She replied, "That's true, Lord, but even dogs are allowed to eat the scraps that fall beneath their masters' table."

28 "Dear woman," Jesus said to her, "your faith is great. Your request is granted." And her daughter was instantly healed.

29 Jesus returned to the Sea of Galilee and climbed a hill and sat down.

30 A vast crowd brought to him people who were lame, blind, crippled, those who couldn't speak, and many others. They laid them before Jesus, and he healed them all.

31 The crowd was amazed! Those who hadn't been able to speak were talking, the crippled were made well, the lame were walking, and the blind could see again! And they praised the God of Israel.

*15:22 Greek *Canaanite*.

22 gentile 이방인 have mercy on ~ ~을 불쌍히 여기다 be possessed by a demon 악령에 홀리다 torment 고통을 주다 severely 심하게 23 urge 설득하다 send away 멀리 보내다 25 plead 간청하다 27 scrap 남은 음식 beneath ~밑에, 아래에 29 climb 오르다 30 vast 거대한 lame 절름발이의 31 crippled 다리를 저는

64

월 일

사천 명을 먹이신 예수님

마태복음 15:32–39

새찬송 526장 | 통일 316장

• 먼저 묵상을 위한 기도를 드린 후, 성경 본문을 2번 이상 읽고 묵상하십시오.

본문요약 | 많은 사람들이 예수님과 함께 있은 지 삼 일이 지나자 먹을 것이 없게 되었다. 예수님은 주린 사람들이 기진할까 봐 떡 일곱 개와 작은 생선 몇 마리로 모든 사람을 배불리 먹여 주신다. 이에 남자만 사천 명이 먹고도 남은 것이 일곱 광주리나 되었다.

개역개정

32 예수께서 제자들을 불러 이르시되 내가 무리를 불쌍히 여기노라 그들이 나와 함께 있은 지 이미 사흘이매 먹을 것이 없도다 길에서 기진할까 하여 굶겨 보내지 못하겠노라
33 제자들이 이르되 광야에 있어 우리가 어디서 이런 무리가 배부를 만큼 떡을 얻으리이까
34 예수께서 이르시되 너희에게 떡이 몇 개나 있느냐 이르되 일곱 개와 작은 생선 두어 마리가 있나이다 하거늘
35 예수께서 무리에게 명하사 땅에 [1]앉게 하시고
36 떡 일곱 개와 그 생선을 가지사 축사하시고 떼어 제자들에게 주시니 제자들이 무리에게 주매
37 다 배불리 먹고 남은 조각을 일곱 광주리에 차게 거두었으며
38 먹은 자는 여자와 어린이 외에 사천 명이었더라
39 예수께서 무리를 흩어 보내시고 배에 오르사 마가단 지경으로 가시니라

1) 8:11 난하주를 보라

1. 본문에 나타난 예수님은 어떤 분이십니까?

2. 오늘 하나님께서 나에게 주신 깨달음은 무엇입니까?

3. 말씀을 어떻게 내 삶에 구체적으로 적용해야 합니까?

절별 해설

32 무리를 불쌍히 여기노라 그들이 나와 함께 있은 지 이미 사흘이매 먹을 것이 없도다 예수님이 기적을 행하시자 많은 사람들이 몰려들었고(30절), 그들을 고치고 말씀을 선포하시는 동안 삼 일이 지났다. 그 기간 동안 사람들은 자신이 준비해 온 식량을 다 먹어 더는 식량이 없게 되었다. 예수님은 그런 저들의 형편을 헤아리시고 그냥 돌려보내지 않으려 하신다. 예수님은 사람들의 영육 간의 모든 형편을 다 알고 계셨다.

33 광야에 있어 우리가 어디서 이런 무리가 배부를 만큼 떡을 얻으리이까 사람들이 모인 곳은 광야였고, 당연히 주변에 그렇게 많은 사람이 먹을 음식을 구할 곳이 없었다. 그러나 중요한 것은 제자들이 예수님이 이미 남자만 오천 명을 기적으로 먹이셨다는 사실을 놓치고 있었다는 것이다(14:15-21). 즉, 제자들이 아직도 확실한 믿음이 없어서 비슷한 일이 반복됨에도 온전히 깨닫지 못함을 알 수 있다.

34 예수님은 제자들에게 가진 것이 얼마나 되느냐고 물으신다. 앞의 오병이어 사건에서도 예수님은 제자들이 가져온 것으로 기적을 행하셨다. 이번에도 그들에게 무엇이 있는가를 물으시는 이유는 그것으로 기적을 행하시려는 의도임을 알 수 있다.

36 축사하시고 예수님이 제자들이 가진 적은 양의 음식을 가지고 드리신 기도는 당시 사람들이 음식을 먹기 전에 일상적으로 하던 감사의 습관이었다(눅 24:30). 그러나 여기서 이 기도가 특별해 보이는 이유는 많은 사람 앞에서 너무 적은 것을 가지고도 감사의 기도를 드리셨다는 점이다. 예수님은 어떤 상황에서도 하나님 앞에 감사하며 기도하셨다.

37 일곱 광주리 이는 사람들이 예수님을 따라오며 자신들이 먹을 것을 가져왔던 광주리일 것이다. 오병이어 기적에서 나오는 바구니(14:20)보다는 훨씬 큰 광주리에 해당하는 단어가 헬라어 원문에 사용되었다. 이로 볼 때 남은 음식의 양이 상당했음을 짐작할 수 있다. 이번에도 예수님은 음식을 낭비하는 일 없이 거두어들이게 하심으로써 아마도 그것을 사람들이 돌아갈 때 가져가게 배려하신 것 같다.

38 마태복음은 유대인 독자들을 위해 쓰인 책이기에 당시의 관행을 따라 여자와 어린아이의 수를 제외한 남자의 숫자를 언급한다.

쉬운성경

32 예수님께서 제자들을 부르시고 말씀하셨습니다. "이 많은 사람들이 나와 함께 삼 일 동안이나 있었는데, 먹을 것이 없으니 불쌍하구나. 그들을 주린 채로 돌려보내고 싶지 않다. 저들이 길에서 쓰러질지도 모른다."

33 제자들이 예수님께 물었습니다. "여기는 빈 들인데, 이처럼 많은 사람들을 배불리 먹일 만한 빵을 어디서 구하겠습니까?"

34 예수님께서 물으셨습니다. "너희가 빵을 얼마나 가지고 있느냐?" 그들이 대답했습니다. "일곱 개입니다. 그리고 작은 생선 몇 마리가 있습니다."

35 예수님께서는 사람들에게 바닥에 앉으라고 지시하셨습니다.

36 일곱 개의 빵과 생선을 들고 감사 기도를 드린 후, 예수님께서는 이것을 나누어 제자들에게 주셨습니다. 제자들은 그것을 사람들에게 주었습니다.

37 모든 사람들이 먹고 배가 불렀습니다. 제자들이 남은 빵 조각을 거두어 들이니, 일곱 개의 커다란 광주리에 가득 찼습니다.

38 먹은 사람들은 모두 사천 명이었습니다. 이는 여자와 어린아이를 계산하지 않은 수입니다.

39 예수님께서 사람들을 돌려보내시고, 배를 타고 마가단이라는 곳으로 가셨습니다.

저자의 묵상

예수님은 함께한 사람들을 먹이기 위하여 이번에도 기적을 베푸신다. 예수님은 사람들의 병만 고쳐 주신 것이 아니라 그들에게 음식이 바닥난 것도 이미 인식하고 계셨다. 사람들의 상황을 매우 주의 깊게 헤아리시는 예수님의 모습을 볼 수 있다. 또 이를 통해 주님이 오늘도 우리의 모든 크고 작은 형편을 보살피고 계심을 깨닫게 된다.

또한 우리는 본문에 언급된 예수님의 감사기도에 주목할 필요가 있다. 예수님은 제자들이 가져온 것이 군중을 먹이기에는 너무도 적은 양이었지만, 그것을 가지고 하나님께 감사기도를 드리신 후 나누어 주게 하심으로 기적을 행하셨다. 이처럼 어떤 상황에서도 성도는 하나님께 감사하는 것을 잊지 말아야 한다. 나의 상황이 현실을 이기기에 너무도 형편없어 보일 때도 더더욱 감사를 잊지 말아야 한다.

무릎기도 | 사람들의 형편을 세밀하게 헤아리시는 주님의 모습을 보며 오늘도 저를 그런 눈으로 보살펴 주심에 감사드립니다. 어떤 상황에서도 감사를 잃지 않는 삶을 살게 하소서.

NLT - Matthew 15

32 Then Jesus called his disciples and told them, "I feel sorry for these people. They have been here with me for three days, and they have nothing left to eat. I don't want to send them away hungry, or they will faint along the way."

33 The disciples replied, "Where would we get enough food here in the wilderness for such a huge crowd?"

34 Jesus asked, "How much bread do you have?" They replied, "Seven loaves, and a few small fish."

35 So Jesus told all the people to sit down on the ground.

36 Then he took the seven loaves and the fish, thanked God for them, and broke them into pieces. He gave them to the disciples, who distributed the food to the crowd.

37 They all ate as much as they wanted. Afterward, the disciples picked up seven large baskets of leftover food.

38 There were 4,000 men who were fed that day, in addition to all the women and children.

39 Then Jesus sent the people home, and he got into a boat and crossed over to the region of Magadan.

32 feel sorry for ~ ~를 불쌍히 여기다 faint 졸도하다 33 enough 충분한 huge 거대한 36 break ~ into pieces ~을 조각내다 distribute 나눠주다 37 pick up 줍다, 모으다 leftover 나머지 39 cross over to ~ ~로 건너가다

65

월 일

바리새인과 사두개인의 누룩

마태복음 16:1–12

새찬송 366장 | 통일 485장

• 먼저 묵상을 위한 기도를 드린 후, 성경 본문을 2번 이상 읽고 묵상하십시오.

본문요약 | 바리새인과 사두개인들이 예수님께 찾아와 하늘에서 오는 표적을 보여 달라고 하자, 예수님은 그들에게 날씨는 분별하면서 왜 시대의 표적은 구별하지 못하느냐고 말씀하신다. 또 예수님이 제자들에게 바리새인과 사두개인의 누룩을 조심하라고 말씀하시나 제자들이 깨닫지 못하자, 두 파의 교훈을 주의하라고 거듭 말씀하심으로 제자들이 깨닫게 도우신다.

개역개정

1 바리새인과 사두개인들이 와서 예수를 시
험하여 하늘로부터 오는 [1]표적 보이기를
청하니
2 예수께서 대답하여 이르시되 너희가 저녁
에 하늘이 붉으면 날이 좋겠다 하고
3 아침에 하늘이 붉고 흐리면 오늘은 날이
궂겠다 하나니 너희가 날씨는 분별할 줄
알면서 시대의 [1]표적은 분별할 수 없느냐
4 악하고 음란한 세대가 [1]표적을 구하나 요
나의 [1]표적밖에는 보여줄 [1]표적이 없느니
라 하시고 그들을 떠나가시니라
5 제자들이 건너편으로 갈새 떡 가져가기를
잊었더니
6 예수께서 이르시되 삼가 바리새인과 사두
개인들의 누룩을 주의하라 하시니
7 제자들이 서로 논의하여 이르되 [2]우리가
떡을 가져오지 아니하였도다 하거늘
8 예수께서 아시고 이르시되 믿음이 작은 자
들아 어찌 떡이 없으므로 서로 논의하느냐
9 너희가 아직도 깨닫지 못하느냐 떡 다섯
개로 오천 명을 먹이고 주운 것이 몇 바
구니며
10 떡 일곱 개로 사천 명을 먹이고 주운 것
이 몇 광주리였는지를 기억하지 못하느냐
11 어찌 내 말한 것이 떡에 관함이 아닌 줄을
깨닫지 못하느냐 오직 바리새인과 사두개
인들의 누룩을 주의하라 하시니
12 그제서야 제자들이 떡의 누룩이 아니요 바
리새인과 사두개인들의 교훈을 삼가라고
말씀하신 줄을 깨달으니라

1) 또는 이적 2) 또는 이는 우리가 떡을 가져오지 아니하였음이로다

1. 본문에 나타난 예수님은 어떤 분이십니까?

2. 오늘 하나님께서 나에게 주신 깨달음은 무엇입니까?

3. 말씀을 어떻게 내 삶에 구체적으로 적용해야 합니까?

절별 해설

1 바리새인과 사두개인들 유대인들에게 가장 영향력을 끼치던 두 개의 종파를 가리킨다. 원래 이 두 파는 신학적으로 믿는 바가 달랐기 때문에 서로 친밀한 사이가 아니었다. 사두개인들은 부활, 천사, 영을 믿지 않는 현세주의자들이었고, 바리새인들은 이러한 것들을 모두 믿었기 때문에, 이것이 종종 다툼으로 나타나기도 했다(행 23:7-8). 이런 교리적 이유 때문에 나중에 사두개인들은 사도들이 부활에 대해 전하는 것을 매우 싫어했다(행 4:1-2). 서로 다른 종파가 함께 예수님을 찾아왔다는 것은 예수님을 반대하는 일에 있어서는 두 종파가 한목소리를 내었다는 증거다.

예수를 시험하여 하늘로부터 오는 표적 보이기를 청하니 유대인들은 그들의 가치판단의 최종 권위를 하늘에서 오는 표적에 두었다(고전 1:22). 당시 예수님이 사람들에 의해서 메시아라고 불리는 상황이었기에, 그들은 그에 합당한 하늘에서 오는 기적을 요구했던 것이다. 그러나 이것은 예수님을 믿으려는 진지한 의도에서 이루어진 요청이 아니라 예수님을 떠보려는 야비한 속셈에서 비롯된 것이었다.

2-3 시대의 표적 예수님은 유대인들에게 날씨를 경험적으로 구분할 줄 아는 지혜는 있으면서 왜 시대의 표적은 구별하지 못하느냐고 반문하신다. '시대의 표적'은 예수님이 이 땅에 오셔서 메시아로서 이미 보여주신 많은 증거들을 배경으로 하신 말씀이다.

4 악하고 음란한 세대가 표적을 구하나 요나의 표적밖에는 보여 줄 표적이 없느니라 성경에서 '음란하다'는 말의 뜻은 육체적으로 난잡하다는 의미 외에 하나님을 온전히 섬기지 않고 세상과 우상을 겸하여 섬기는 태도를 일컬을 때 사용되는 표현이다(출 34:16; 겔 6:9). 당시 우상숭배에는 음란한 제의가 섞여 있기도 하였다. 한편, 요나와 같은 표적을 주시겠다는 것은, 요나가 물고기 뱃속에서 사흘을 있다 살아났듯이, 예수님이 죽으시고 사흘 만에 부활하실 표적을 말한다.

6 삼가 바리새인과 사두개인들의 누룩을 주의하라 성경에서 '누룩'은 좋은 의미보다는 죄와 같이 나쁜 것을 상징하는 것으로 자주 사용되었다(고전 5:6-8). 이는 적은 양으로도 전체에 영향을 미치는 누룩의 성질을 전제로 한 표현이다. 본절에서 누룩은 교훈을 가리킨다(12절). 당시 바리새인과 사두개인의 교훈이 그만큼 사람들에게 좋지 않은 영향력을 행사하고 있었음을 깨닫게 해 준다. 바리새인은 외적인 경건에 치중한 형식주의적인 신앙의 표본이며, 사두개인은 영적인 것을 믿지 않는

쉬운성경

1 바리새파 사람들과 사두개파 사람들이 예수님께 왔습니다. 이들은 예수님을 떠보려고 하늘에서 오는 증거를 보여 달라고 하였습니다.

2 예수님께서 대답하셨습니다. "저녁 때에 너희는 '하늘이 붉그스레하니 내일은 맑겠구나'라고 말한다.

3 그리고 아침에 너희는 '하늘이 붉그스레하고, 어둑어둑하니 오늘은 날씨가 궂겠구나'라고 말한다. 하늘의 모습은 구별할 줄 알면서, 어찌 시대의 증거는 구별하지 못하느냐?

4 악하고 음란한 세대가 증거를 요구한다. 그러나 요나와 같은 증거 외에는 아무것도 받지 못할 것이다." 그리고 나서 예수님께서는 그들에게서 떠나셨습니다.

5 제자들이 호수 건너편으로 왔는데, 빵을 가져오는 것을 잊었습니다.

6 예수님께서 제자들에게 말씀하셨습니다. "바리새파 사람과 사두개파 사람의 누룩을 조심하여라."

7 제자들은 서로 수군거렸습니다. "빵을 가져오지 않았어."

8 예수님께서 제자들이 말하는 것을 알아채시고, 말씀하셨습니다. "믿음이 적은 자들아, 어째서 빵이 없는 것을 두고 서로 수군대느냐?

9 아직도 깨닫지 못하느냐? 빵 다섯 개로 오천 명을 먹인 것을 기억하지 못하느냐? 그때, 남은 것을 몇 바구니에 거두어들였느냐?

10 그리고 빵 일곱 개로 사천 명을 먹인 것을 기억하지 못하느냐? 그때, 남

현실주의자들이었기 때문이다.

8 믿음이 작은 자들아 제자들은 예수님이 누룩에 대해 말씀하시자 말씀의 진정한 의미를 깨닫지 못하고 단순히 자신들이 떡을 준비해 오지 못한 것을 걱정하였다(7절). 이에 제대로 깨닫지 못하는 제자들을 향하여 예수님은 가볍게 책망하신다. 예수님과 함께한다면 떡은 걱정할 문제가 아니었다(9–10절). '믿음이 작다'는 표현은 예수님의 말씀과 능력에 대해 제자들이 제대로 신뢰하지 못하거나 의심할 때 예수님이 자주 사용하신 표현이다(6:30; 8:26; 14:31).

9–10 예수님은 앞서 보여주신 두 가지 기적을 언급하신다(14:15–21; 15:32–38). 성경을 기록된 대로 믿지 않는 사람들은 비슷한 두 가지 사건이 본서에 기록된 것을 보면서 한 사건을 두 번 기록한 것이라고 주장한다. 그러나 예수님이 두 사건을 각각 분명히 다른 사건으로 말씀하신 것을 통해 이러한 견해는 잘못된 것임을 알 수 있다.

은 조각을 몇 광주리*에 거두었느냐?

11 내가 빵에 대하여 말하는 것이 아
님을 어째서 깨닫지 못하느냐? 바리
새파 사람들과 사두개파 사람들의 누
룩을 주의하여라."

12 그제서야 제자들은 빵의 누룩에 대
해 말씀하시는 것이 아니라, 바리새파
사람들과 사두개파 사람들의 교훈을
주의하라는 말씀인 줄 깨달았습니다.

*16:10 바구니

저자의 **묵상**

예수님이 하신 말씀의 진의를 제대로 깨닫지 못하는 제자들의 모습을 본문에서 만난다. 이는 오늘날 성도들에게도 경고가 되는 말씀이다. 하나님의 말씀을 듣지만 지나치게 자신의 입장에서만 해석하게 될 때 말씀의 진정한 의미를 놓칠 수 있다. 따라서 말씀의 객관적 의미를 파악하려는 노력이 필요하다. 내가 선호하는 말씀이 과연 정말로 그런 뜻인가를 늘 되짚어보고 확인하는 자세가 요구된다(참고. 행 17:11).

한편, 예수님은 제자들에게 좋지 않은 교훈을 조심할 것을 명하셨다. 이처럼 성도는 바른 교훈과 말씀에는 열심을 내는 동시에 옳지 않은 교훈은 철저하게 배격해야 한다. 이단의 가르침에도 일부 옳은 주장이나 내용이 있을 수는 있다. 그러나 그것을 수용할 때 생길 수 있는 위험이 있음을 깨닫고 그들의 주장은 처음부터 접하지도 말아야 한다.

무릎 기도 | 성경을 읽을 때 말씀의 진정한 의미를 깨달을 수 있게 가르쳐 주시길 기도합니다. 어리석어 더디 믿을 때에도 인내로 보살펴 주심에 감사드립니다.

NLT - Matthew 16

1 One day the Pharisees and Sadducees came to
test Jesus, demanding that he show them a
miraculous sign from heaven to prove his
authority.
2 He replied, "You know the saying, 'Red sky at
night means fair weather tomorrow;
3 red sky in the morning means foul weather all
day.' You know how to interpret the weather
signs in the sky, but you don't know how to
interpret the signs of the times!*
4 Only an evil, adulterous generation would
demand a miraculous sign, but the only sign I
will give them is the sign of the prophet
Jonah.*" Then Jesus left them and went away.
5 Later, after they crossed to the other side of the
lake, the disciples discovered they had forgotten
to bring any bread.
6 "Watch out!" Jesus warned them. "Beware of
the yeast of the Pharisees and Sadducees."
7 At this they began to argue with each other
because they hadn't brought any bread.
8 Jesus knew what they were saying, so he said,
"You have so little faith! Why are you arguing
with each other about having no bread?
9 Don't you understand even yet? Don't you
remember the 5,000 I fed with five loaves, and
the baskets of leftovers you picked up?
10 Or the 4,000 I fed with seven loaves, and the
large baskets of leftovers you picked up?
11 Why can't you understand that I'm not talking
about bread? So again I say, 'Beware of the yeast
of the Pharisees and Sadducees.'"
12 Then at last they understood that he wasn't
speaking about the yeast in bread, but about
the deceptive teaching of the Pharisees and
Sadducees.

*16:2–3 Several manuscripts do not include any of the words in 16:2–3 after *He replied*.
*16:4 Greek *the sign of Jonah*.

1 demand 요구하다, 요청하다 authority 권능 2 fair 맑게 갠 3 foul (날씨가) 나쁜, 사나운 4 adulterous 음란한 prophet 예언자, 선지자 5 discover 발견하다 6 beware of ~ ~에 주의(조심)하다 yeast 누룩 7 argue with ~ ~와 다투다, 논의하다 9 feed 먹이다 12 deceptive 속이는

• MEMO •

66

월 일

베드로의 신앙고백

마태복음 16:13-20

새찬송 542장 | 통일 340장

• 먼저 묵상을 위한 기도를 드린 후, 성경 본문을 2번 이상 읽고 묵상하십시오.

본문요약 | 빌립보 가이사랴에서 예수님은 제자들에게 사람들이 자신을 누구라 하는지 물으신다. 여러 대답을 들으신 예수님이 제자들의 생각을 물으시자, 베드로는 예수님을 하나님의 아들로 고백한다. 예수님은 베드로의 고백 위에 교회를 세울 것이며 천국 열쇠를 주시겠다고 말씀하신다.

개역개정

13 예수께서 빌립보 가이사랴 지방에 이르러 제자들에게 물어 이르시되 사람들이 인자를 누구라 하느냐

14 이르되 더러는 [1]세례 요한, 더러는 엘리야, 어떤 이는 예레미야나 선지자 중의 하나라 하나이다

15 이르시되 너희는 나를 누구라 하느냐

16 시몬 베드로가 대답하여 이르되 [2]주는 그리스도시요 살아 계신 하나님의 아들이시니이다

17 예수께서 대답하여 이르시되 바요나 시몬아 네가 복이 있도다 이를 네게 알게 한 이는 혈육이 아니요 하늘에 계신 내 아버지시니라

18 또 내가 네게 이르노니 너는 [3]베드로라 내가 이 반석 위에 내 교회를 세우리니 음부의 [4]권세가 이기지 못하리라

19 내가 천국 열쇠를 네게 주리니 네가 땅에서 무엇이든지 매면 하늘에서도 매일 것이요 네가 땅에서 무엇이든지 풀면 하늘에서도 풀리리라 하시고

20 이에 제자들에게 경고하사 자기가 그리스도인 것을 아무에게도 이르지 말라 하시니라

1) 헬, 또는 침례 2) 헬, 당신은 3) 베드로는 곧 반석이란 뜻 4) 헬, 대문이

1. 본문에 나타난 예수님은 어떤 분이십니까?

2. 오늘 하나님께서 나에게 주신 깨달음은 무엇입니까?

3. 말씀을 어떻게 내 삶에 구체적으로 적용해야 합니까?

절별 해설

13 예수께서 빌립보 가이사랴 지방에 이르러 이곳은 유대 영토 북쪽 끝에 해당하는 지역으로, 헤롯 빌립 2세가 로마 황제를 기념하기 위하여 세운 도시다. 가이사랴는 이방 문화와 우상숭배가 활발한 지역이었다.

14 사람들의 대답을 종합해 보면, 예수님은 매우 영향력 있는 선지자 계통의 한 사람으로 여김을 받고 계셨다. 예수님이 보여주신 많은 능력들을 보며 사람들이 이런 평가를 하였을 것이다.

15 너희는 나를 누구라 하느냐 예수님은 사람들의 생각이 아니라 늘 자신과 함께하는 제자들의 생각을 듣고 싶으셨다. 그들이야말로 예수님을 제대로 평가할 수 있기 때문이다. 또 이 표현 속에는 사람들의 평가가 별로 정당하지 못하다는 의미가 숨겨진 것으로 볼 수 있다.

16 주는 그리스도시요 살아 계신 하나님의 아들이시니이다 '그리스도'라는 말은 '기름부음 받은 자'라는 뜻으로, '메시아'라는 히브리어의 헬라어 단어에 해당한다. 베드로는 예수님을 구약에 계시된 이스라엘을 구원할 진정한 다윗 계통의 왕이며 살아 계신 하나님의 아들로 고백함으로써, 예수님의 인성과 신성에 대한 완벽한 고백을 하고 있다.

17 이를 네게 알게 한 이는 혈육이 아니요 하늘에 계신 내 아버지시니라 예수님은 베드로가 한 고백의 출처를 말씀하신다. 그의 고백은 매우 훌륭한 것이지만 그 자신에게서 나온 것이 아니라 하나님께로부터 왔다는 것이다. 성경도 믿음은 하나님의 선물이며(엡 2:8), 하나님 말씀으로부터 온다고 가르친다(롬 10:17).

18 '베드로'는 헬라어로 '돌'이라는 뜻이다. 베드로는 히브리식 이름으로 '시몬'이라는 이름을 가지고 있었으나, 예수님은 그에게 '게바'(아람어로 반석이라는 뜻)라는 새로운 이름을 주셨다(요 1:42). 한편, '이 반석 위에 내 교회를 세우리니'라는 표현은, 베드로 개인이 교회의 시초가 된다는 뜻이 아니라 그의 신앙고백 위에 교회를 세우시겠다는 의미다.

19 천국 열쇠 '천국 열쇠'는 교회에 허락하신 천국 복음을 전파하는 자격을 의미한다. 심지어 땅에서 매면 하늘에서도 매일 것이라고 말씀하심으로써 교회가 천국의 영생을 소개하는 유일한 단체임을 보여주신다.

쉬운성경

13 예수님께서 가이사랴 빌립보에 가셨습니다. 예수님께서 제자들에게 "사람들이 인자를 누구라고 하느냐?" 하고 물으셨습니다.

14 제자들이 대답했습니다. "어떤 사람들은 세례자 요한이라고도 하고, 또 어떤 사람들은 엘리야라고 합니다. 또 어떤 사람들은 예레미야나 예언자 가운데 한 사람이라고 합니다."

15 예수님께서 제자들에게 물으셨습니다. "그러면 너희는 나를 누구라고 하느냐?"

16 시몬 베드로가 대답했습니다. "주님은 그리스도시며, 살아 계신 하나님의 아들이십니다."

17 예수님께서 베드로에게 말씀하셨습니다. "요나의 아들 시몬*아 네가 복되다. 네 혈육이 이것을 네게 알려 준 것이 아니라, 하늘에 계신 내 아버지께서 알려 주신 것이다.

18 내가 네게 말한다. 너는 베드로다. 내가 이 돌 위에 내 교회를 지을 것이니, 지옥의 문이 이것을 이기지 못할 것이다.

19 내가 네게 하늘나라의 열쇠를 줄 것이다. 무엇이든지 네가 땅에서 잠그면 하늘에서도 잠겨 있을 것이요, 무엇이든지 네가 땅에서 열면 하늘에서도 열려 있을 것이다."

20 그리고 나서 예수님께서 제자들에게 자신이 그리스도라는 것을 아무에게도 말하지 말라고 엄히 일렀습니다.

*16:17 개역 성경에는 '바요나 시몬아'라고 표기되어 있다.

저자의 묵상

본문은 유명한 베드로의 신앙고백이다. 예수님은 베드로의 고백 위에 교회를 세우겠다고 말씀하셨다. 그러나 그 고백은 엄밀히 말하면 베드로 자신에게서 나온 것이 아니라 하나님이 주신 것이었다. 이처럼 오늘 우리가 가진 믿음도 내가 결정한 것이 아니라 하나님이 결정할 수 있게 도와주신 결과일 뿐이다. 그러므로 누구도 자신이 가진 믿음이나 그 믿음으로 인한 행동을 자랑할 수 없다. 내가 아무리 크고 대단한 헌신을 행했을지라도 모든 영광은 하나님께만 돌려야 한다.

한편, 예수님은 제자들이 자신을 어떻게 생각하는지를 물으셨다. 이를 통해 다른 사람들이 예수님을 어떻게 생각하느냐가 중요한 것이 아니라, 내가 예수님을 어떤 분으로 여기고 있느냐가 신앙의 핵심임을 알 수 있다. 즉, 예수님은 모든 성도와 개인적으로 친밀한 관계를 맺길 원하신다는 사실을 기억해야 한다.

무릎 기도 | 주님을 향한 바른 신앙고백과 그에 합당한 신앙생활을 하기 원합니다. 개인적으로 늘 친밀하게 주님과 교제하며 온전한 믿음을 소유하게 하소서.

NLT - Matthew 16

13 When Jesus came to the region of Caesarea Philippi, he asked his disciples, "Who do people say that the Son of Man is?"*

14 "Well," they replied, "some say John the Baptist, some say Elijah, and others say Jeremiah or one of the other prophets."

15 Then he asked them, "But who do you say I am?"

16 Simon Peter answered, "You are the Messiah,* the Son of the living God."

17 Jesus replied, "You are blessed, Simon son of John,* because my Father in heaven has revealed this to you. You did not learn this from any human being.

18 Now I say to you that you are Peter (which means 'rock'),* and upon this rock I will build my church, and all the powers of hell* will not conquer it.

19 And I will give you the keys of the Kingdom of Heaven. Whatever you forbid* on earth will be forbidden in heaven, and whatever you permit* on earth will be permitted in heaven."

20 Then he sternly warned the disciples not to tell anyone that he was the Messiah.

*16:13 "Son of Man" is a title Jesus used for himself.
*16:16 Or *the Christ*. *Messiah* (a Hebrew term) and *Christ* (a Greek term) both mean "the anointed one."
*16:17 Greek *Simon bar-Jonah;* see John 1:42; 21:15–17.
*16:18a Greek *that you are Peter*.
*16:18b Greek *and the gates of Hades*.
*16:19a Or *bind*, or *lock*.
*16:19b Or *loose*, or *open*.

13 region 지역, 지방 disciple 제자 14 Baptist 세례 주는 사람 prophet 예언자, 선지자 17 bless 축복하다 reveal 계시하다 19 forbid 금하다 on earth 지상에서 permit 용납하다

67

월 일

죽음과 부활 예고

마태복음 16:21-28

새찬송 449장 | 통일 377장

• 먼저 묵상을 위한 기도를 드린 후, 성경 본문을 2번 이상 읽고 묵상하십시오.

본문요약 | 베드로의 신앙고백 후 예수님은 제자들에게 자신이 받으실 고난, 죽음, 부활을 가르치셨다. 예수님은 이를 듣고 말리는 베드로를 책망하셨으며, 예수님의 제자가 되기 위해서는 자신을 부정하고 자기 십자가를 지고 따를 것을 명하신다. 예수님을 위하여 자기 목숨을 버리는 사람은 찾게 될 것이라고 하신다.

개역개정

21 이때로부터 예수 그리스도께서 자기가 예
루살렘에 올라가 장로들과 대제사장들과
서기관들에게 많은 고난을 받고 죽임을 당
하고 제삼 일에 살아나야 할 것을 제자들
에게 비로소 나타내시니
22 베드로가 예수를 붙들고 항변하여 이르되
주여 그리 마옵소서 이 일이 결코 [1]주께
미치지 아니하리이다
23 예수께서 돌이키시며 베드로에게 이르시
되 사탄아 내 뒤로 물러가라 너는 나를 넘
어지게 하는 자로다 네가 하나님의 일을
생각하지 아니하고 도리어 사람의 일을 생
각하는도다 하시고
24 이에 예수께서 제자들에게 이르시되 누구
든지 나를 따라오려거든 자기를 부인하고
자기 십자가를 지고 나를 따를 것이니라
25 누구든지 제 목숨을 구원하고자 하면 잃
을 것이요 누구든지 나를 위하여 제 목숨
을 잃으면 찾으리라
26 사람이 만일 온 천하를 얻고도 제 목숨을
잃으면 무엇이 유익하리요 사람이 무엇을
주고 제 목숨과 바꾸겠느냐
27 인자가 아버지의 영광으로 그 천사들과 함
께 오리니 그때에 각 사람이 행한 대로 갚
으리라
28 진실로 너희에게 이르노니 여기 서 있는
사람 중에 죽기 전에 인자가 그 왕권을 가
지고 오는 것을 볼 자들도 있느니라

1) 헬, 당신께

1. 본문에 나타난 예수님은 어떤 분이십니까?

2. 오늘 하나님께서 나에게 주신 깨달음은 무엇입니까?

3. 말씀을 어떻게 내 삶에 구체적으로 적용해야 합니까?

절별 해설

21 본절은 마태복음에서 처음으로 등장하는 예수님의 죽음과 부활에 관한 예고이며, 이외에도 기록된 것만 몇 번이 더 있다 (17:23; 20:17-19; 26:1-2). 예수님의 예고는 앞 절들에 등장했던 베드로의 신앙고백에 이어서 주어졌다. 예수님은 자신을 믿고 구주로 고백하고 따르는 자에게는 예수님이 오신 진정한 이유와 본질을 가르치신다.

22 **베드로가 예수를 붙들고 항변하여 이르되** '항변하다'는 말의 헬라어 원문은 '책망하다'라는 의미를 내포한다. 즉, 베드로는 매우 강력한 어조로 예수님이 예고하신 죽음을 부정하고자 했다. 예수님은 죽음과 함께 부활도 가르치셨으나, 베드로는 예수님이 죽으신다는 말씀에만 압도당하여 말씀의 전부를 받아들이지 못한 것 같다.

23 **사탄아 내 뒤로 물러가라** 가장 위대한 신앙고백을 했던 베드로는 얼마 못 되어 예수님께 책망을 받는다. 여기서 예수님은 베드로를 사탄이라고 부르신 것이 아니다. 베드로의 배후에서 인간적인 생각으로 예수님 사역의 본질을 흐리게 만드는 사탄을 향해 하신 말씀이다. 이를 통해 가장 위대한 신앙고백을 했음에도 신앙인은 언제든지 사탄의 유혹과 공격의 대상이 될 수 있음을 깨닫는다.

도리어 사람의 일을 생각하는도다 베드로는 많은 병자를 고치시고 기적적인 방법으로 수천 명을 먹이시는 예수님을 보면서 그분이 이루실 영광과 성공만을 바라보았음을 알 수 있다.

24 **누구든지 나를 따라오려거든 자기를 부인하고 자기 십자가를 지고 나를 따를 것이니라** 예수님은 제자가 되기 위한 세 가지 과정을 말씀하셨다. '자기를 부인한다'는 것은 자신의 생각이 아닌 예수님의 생각을 따라야 함을 말한다. '자기 십자가를 진다'는 것은 각자에게 주어진 예수님을 위해 당하는 고난이 있음을 의미한다. 마지막으로 '예수님을 따른다'는 것은 예수님이 명하신 길이 내가 생각한 영광의 길이 아니더라도 기꺼이 따를 준비가 되어 있어야 한다는 말이다.

25 '목숨'은 인간이 가진 가장 중요한 것을 상징한다. 현실의 삶에 안주하며 자기 이익을 챙기려는 사람은 결국 잃게 되나, 예수님을 위하여 가장 중요한 것이라도 희생할 마음이 되어 있는 사람은 찾게 될 것이라는 말씀이다.

쉬운성경

21 그때부터, 예수님께서는 자신이 예루살렘에 반드시 가야만 하며, 거기서 장로들과 대제사장 그리고 율법학자들에게 고난을 받아 결국엔 죽임을 당하지만 삼 일째 되는 날에 다시 살아나실 것을 제자들에게 설명하기 시작하셨습니다.

22 그러자 베드로가 예수님을 붙들고 말렸습니다. "절대로 그럴 수는 없습니다. 주님! 이런 일이 결코 일어나지 않을 것입니다!"

23 예수님께서 돌아서며 베드로에게 말씀하셨습니다. "사탄아, 내 뒤로 썩 물러가라! 네가 나를 넘어지게 한다. 너는 하나님의 일을 생각지 않고, 오직 사람의 일만 생각하는구나."

24 그때, 예수님께서 제자들에게 말씀하셨습니다. "만일 누구든지 나를 따라오려면 자기를 부정하고, 자기 십자가를 지고, 나를 따르라.

25 누구든지 자기 목숨을 건지려고 하는 사람은 잃을 것이다. 그러나 누구든지 나를 위하여 자기 목숨을 잃는 사람은 얻을 것이다.

26 만일 어떤 사람이 온 세상을 얻고도 자기 영혼을 잃으면 무슨 소용이 있겠느냐? 사람이 무엇과 자기 영혼을 바꿀 수 있겠느냐?

27 인자는 아버지의 영광을 가지고 천사들과 함께 올 것이다. 그때는 사람의 행위대로 갚아 줄 것이다.

28 내가 너희에게 진정으로 말한다. 여기 서 있는 사람 가운데 몇몇은 인자가 자신의 나라에 오는 것을 볼 때까지 죽음을 맛보지 않을 사람도 있다."

저자의 묵상

베드로의 위대한 신앙고백 이후에 예수님은 곧바로 자신의 죽음과 부활을 가르치셨다. 예수님을 그리스도로 믿고 고백하고 따르는 제자들에게 예수님은 그의 사역의 본질을 비로소 설명하기 시작하신 것이다. 그동안 제자들은 예수님이 메시아이자 하나님의 아들이시기에 이 땅에 큰 영광을 가져올 것이라고 기대했을 것이다. 그래서 많은 병자를 고치시고 사람들을 먹이셨듯이 앞으로도 예수님이 영광된 사역을 행하실 것으로 기대했다. 그러나 예수님은 그런 제자들의 기대와는 달리 사람들의 죄를 위해 죽음의 길을 간다고 말씀하신다.

오늘 말씀을 통해 우리는 진정한 제자란 자신의 기대가 아니라 오직 예수님의 뜻을 따라야 하는 자임을 깨닫는다. 예수님을 믿고 따르는 것은 세상적인 성공을 꿈꾸는 것이 아니다. 힘들고 어려워도 그 길이 예수님이 원하시는 길이라면 우리는 기꺼이 따를 준비가 되어야 한다.

무릎기도 주님을 따를 때 제 생각과 기대가 아니라 주님이 원하는 삶을 살기 원합니다. 저를 가르치고 깨우쳐 주시어 사탄의 하수인이 아니라 참제자의 삶을 살게 하소서.

NLT - Matthew 16

21 From then on Jesus* began to tell his disciples
plainly that it was necessary for him to go to
Jerusalem, and that he would suffer many
terrible things at the hands of the elders, the
leading priests, and the teachers of religious
law. He would be killed, but on the third day he
would be raised from the dead.
22 But Peter took him aside and began to
reprimand him* for saying such things.
"Heaven forbid, Lord," he said. "This will never
happen to you!"
23 Jesus turned to Peter and said, "Get away from
me, Satan! You are a dangerous trap to me. You
are seeing things merely from a human point
of view, not from God's."
24 Then Jesus said to his disciples, "If any of you
wants to be my follower, you must turn from
your selfish ways, take up your cross, and follow
me.
25 If you try to hang on to your life, you will lose it.
But if you give up your life for my sake, you will
save it.
26 And what do you benefit if you gain the whole
world but lose your own soul?* Is anything
worth more than your soul?
27 For the Son of Man will come with his angels in
the glory of his Father and will judge all people
according to their deeds.
28 And I tell you the truth, some standing here
right now will not die before they see the Son of
Man coming in his Kingdom."

*16:21 Some manuscripts read *Jesus the Messiah.*
*16:22 Or *began to correct him.*
*16:26 Or *your self?* also in 16:26b.

22 forbid 금지하다 23 get away from ~ ~에게서 떠나다 trap 덫, 그물 merely 단지 (~에 불과한) 24 selfish 이기적인 take up 들어 올리다 25 hang on to ~ ~를 붙잡다, 매달리다 give up 포기하다, 단념하다 26 benefit 이익이 되다 27 according to ~ ~에 따라서

68 모습이 변화되신 예수님

월 일

마태복음 17:1–13

새찬송 96장 | 통일 94장

• 먼저 묵상을 위한 기도를 드린 후, 성경 본문을 2번 이상 읽고 묵상하십시오.

본문요약 | 예수님이 베드로와 야고보와 요한을 데리고 높은 산에 올라가셔서 자신의 모습이 변화된 것을 보이신다. 그때에 모세와 엘리야가 나타나 예수님과 말씀을 나누었고, 베드로는 그곳에 더 있고 싶어 한다. 산에서 내려올 때에 예수님은 세 제자에게 산 위에서 본 일을 부활이 있기까지 아무에게도 말하지 말라고 당부하신다.

개역개정

1 엿새 후에 예수께서 베드로와 야고보와 그 형제 요한을 데리시고 따로 높은 산에 올라가셨더니

2 그들 앞에서 변형되사 그 얼굴이 해같이 빛나며 옷이 빛과 같이 희어졌더라

3 그때에 모세와 엘리야가 예수와 더불어 말하는 것이 그들에게 보이거늘

4 베드로가 예수께 여쭈어 이르되 주여 우리가 여기 있는 것이 좋사오니 만일 주께서 원하시면 내가 여기서 초막 셋을 짓되 하나는 주님을 위하여, 하나는 모세를 위하여, 하나는 엘리야를 위하여 하리이다

5 말할 때에 홀연히 빛난 구름이 그들을 덮으며 구름 속에서 소리가 나서 이르시되 이는 내 사랑하는 아들이요 내 기뻐하는 자니 너희는 그의 말을 들으라 하시는지라

6 제자들이 듣고 엎드려 심히 두려워하니

7 예수께서 나아와 그들에게 손을 대시며 이르시되 일어나라 두려워하지 말라 하시니

8 제자들이 눈을 들고 보매 오직 예수 외에는 아무도 보이지 아니하더라

9 그들이 산에서 내려올 때에 예수께서 명하여 이르시되 인자가 죽은 자 가운데서 살아나기 전에는 본 것을 아무에게도 이르지 말라 하시니

10 제자들이 물어 이르되 그러면 어찌하여 서기관들이 엘리야가 먼저 와야 하리라 하나이까

11 예수께서 대답하여 이르시되 엘리야가 과연 먼저 와서 모든 일을 회복하리라

12 내가 너희에게 말하노니 엘리야가 이미 왔으되 사람들이 알지 못하고 임의로 대우하였도다 인자도 이와 같이 그들에게 고난을 받으리라 하시니

13 그제서야 제자들이 예수께서 말씀하신 것이 [1]세례 요한인 줄을 깨달으니라

1) 헬, 또는 침례

1. 본문에 나타난 예수님은 어떤 분이십니까?

2. 오늘 하나님께서 나에게 주신 깨달음은 무엇입니까?

3. 말씀을 어떻게 내 삶에 구체적으로 적용해야 합니까?

절별 해설

1 예수께서 베드로와 야고보와 그 형제 요한을 데리시고 따로 높은 산에 올라가셨더니 베드로, 야고보, 요한은 예수님의 열두 제자 가운데서도 '3대 제자'라 불릴 만큼 예수님과 가까운 위치에서 섬겼던 인물들이다(26:37-38). 베드로와 요한은 초대 예루살렘 교회의 주춧이 되며, 야고보는 최초로 순교하는 사도가 된다. 한편, 본문에 등장하는 산은 '변화산'이라고 불리는 헤르몬 산으로 추정된다.

2 예수님의 얼굴이 해같이 빛나고 옷이 빛처럼 희어진 모습은 예수님의 신성을 보여준다. 이 모습은 나중에 사도 요한이 밧모 섬에서 요한계시록을 쓸 때 나타나신 예수님의 모습과도 일치한다(계 1:13-16).

3 모세와 엘리야 모세는 구약의 모세오경을 기록한 율법을 대표하는 인물이며, 엘리야는 죽지 않고 승천한 선지자를 대표하는 인물이다. '율법과 선지자'는 구약성경 전체를 대표하는 표현이다. 따라서 모세와 엘리야가 나타난 것은 구약의 모든 것이 예수 그리스도를 통해 이루어진 것을 상징하는 나타남이라고 할 수 있다. 왜 예수님은 신적인 모습으로 변화되셨으며, 왜 모세와 엘리야가 이 시점에 등장하는가? 예수님은 그들과 예루살렘에서 죽으실 일에 관하여 대화를 나누셨다(눅 9:30-31). 즉, 이것을 통하여 예수님의 고난과 부활에 대하여 온전히 이해하지 못하는 제자들에게 확실한 증거를 보여주고 그들을 준비시키기 위함이었다(참고. 16:21-22).

5 이는 내 사랑하는 아들이요 내 기뻐하는 자니 너희는 그의 말을 들으라 하시는지라 하늘에서 음성이 들리며 전해진 소식은 예수님이 세례 요한에게 세례를 받으신 후 들려온 것과 같다(3:17). 반복된 소리를 통해 예수님이 하늘로부터 오신 하나님의 아들이심을 명확히 증거한다. 추가된 내용이 있다면 '너희는 그의 말을 들으라'이다. 고난과 부활에 관하여 말씀하신 예수님을 만류한 제자들에게 하나님은 하늘의 소리를 통하여 예수님의 말씀을 따를 것을 말씀하신다.

10 그러면 어찌하여 서기관들이 엘리야가 먼저 와야 하리라 하나이까 '변화산 사건'을 경험한 제자들에게 의문이 생겼다. 당시 서기관들은 말라기 4장 5절 말씀을 인용하여 메시아가 오기 전에 엘리야가 먼저 와야 한다고 가르쳤다. 그런데 예수님

쉬운성경

1 육 일 뒤에 예수님께서는 베드로와 야고보, 그리고 야고보의 동생 요한을 데리고 따로 높은 산에 올라가셨습니다.

2 그들 앞에서 예수님의 모습이 변화되었습니다. 예수님의 얼굴은 해같이 빛나고, 옷은 빛처럼 희게 되었습니다.

3 그때에 모세와 엘리야가 나타나 예수님과 함께 말씀을 나누었습니다.

4 베드로가 예수님께 말했습니다. "주님, 우리가 여기 있는 것이 좋습니다. 원하신다면 제가 여기에 천막 세 개를 세우겠습니다. 하나는 주님을 위해, 또 하나는 모세를 위해, 그리고 마지막 하나는 엘리야를 위해서 말입니다."

5 베드로가 말하는 동안에 갑자기 빛나는 구름이 그들 위를 덮고, 그 속에서 "이는 내가 사랑하며 기뻐하는 아들이다. 너희는 그의 말을 들어라!" 하는 소리가 들려왔습니다.

6 제자들이 그 소리를 듣고, 얼굴을 땅에 대고 엎드리며 무서워하였습니다.

7 예수님께서 그들에게 오셔서, 어루만지시며 말씀하셨습니다. "일어나라. 무서워하지 마라."

8 제자들이 눈을 들어 보니 아무도 보이지 않고, 예수님만 혼자 계셨습니다.

9 산 아래로 내려올 때에 예수님께서 제자들에게 당부하셨습니다. "인자가 죽음에서 다시 살아날 때까지, 너희가 본 것을 아무에게도 말하지 마라."

은 엘리야를 변화산에서 만나셨기 때문에 제자들 눈에는 엘리야가 더 늦게 온 형국이 된 것에 관하여 질문한 것이다. 당시 서기관들은 엘리야가 오지 않았음으로 예수님은 메시아일 수 없다고 주장했다.

12 엘리야가 이미 왔으되 사람들이 알지 못하고 메시아가 오기 전에 엘리야가 다시 온다는 예언의 말씀은, 육신의 엘리야가 아니라 엘리야의 심령과 능력을 가진 이가 온다는 영적인 의미의 말씀이었다(눅 1:17). 그러나 사람들은 이를 깨닫지 못하여 사람들에게 회개를 선포하며 사람들의 마음이 예수님을 향하게 예비하는 세례 요한을 알아보지 못하고 자기들 마음대로 죽였다(14:1–12).

인자도 이와 같이 그들에게 고난을 받으리라 예수님은 다시 한 번 자신이 받을 고난을 예언하신다. 사람들이 세례 요한을 알아보지 못했듯이 예수님도 알아보지 못할 것이며, 그래서 고난은 필연적이라는 의미의 말씀이다.

10 제자들이 예수님께 여쭈었습니다. "어째서 율법학자들은 그리스도가 오기 전에 엘리야가 먼저 와야 한다고 말하는 것입니까?"

11 예수님께서 대답하셨습니다. "엘리야가 와서 모든 것을 회복시킬 것이다.

12 그러나 내가 너희에게 말한다. 엘리야는 이미 왔다. 그런데 사람들은 그를 알아보지 못하고, 그에게 자기들 마음대로 하였다. 이처럼 인자도 그들로부터 고통을 받을 것이다."

13 그때서야, 제자들이 예수님께서 세례자 요한을 두고 말씀하셨다는 것을 깨달았습니다.

저자의 묵상

오늘 본문은 예수님의 모습이 변화되신 사건을 보여준다. 이 사건은 예수님의 죽음과 부활에 관한 필연성을 설명하고, 믿지 못하는 제자들을 확신하게끔 하기 위한 것으로 보인다. 제자들은 이를 통하여 예수님이 행하실 일이 구약의 모든 일의 완성이며 하나님의 뜻으로 이루어지는 일임을, 당장은 아니더라도 후에는 깨달았을 것이다. 예수님은 자신의 말을 이해하지 못하는 제자들에게 사건으로 계시하심으로써 그들의 믿음을 굳건히 하셨다.

우리도 살면서 이해할 수 없는 하나님의 뜻을 만날 때가 있다. 그러나 기다리면서 인도하심을 구하다 보면 하나님이 반드시 우리를 깨우쳐 주실 것이며, 믿음으로 살아갈 수 있게 격려해 주실 것을 오늘 본문은 가르쳐 준다. 당장은 이해가 가지 않더라도 하나님의 뜻을 묻고 기다리자.

무릎 기도 연약한 믿음을 가진 제자들에게 하늘의 영광으로 위로해 주심을 봅니다. 오늘 저희들과도 함께하시며 사랑으로 보살피시는 주님께 감사드립니다.

NLT - Matthew 17

1 Six days later Jesus took Peter and the two brothers, James and John, and led them up a high mountain to be alone.
2 As the men watched, Jesus' appearance was transformed so that his face shone like the sun, and his clothes became as white as light.
3 Suddenly, Moses and Elijah appeared and began talking with Jesus.
4 Peter exclaimed, "Lord, it's wonderful for us to be here! If you want, I'll make three shelters as memorials*—one for you, one for Moses, and one for Elijah."
5 But even as he spoke, a bright cloud overshadowed them, and a voice from the cloud said, "This is my dearly loved Son, who brings me great joy. Listen to him."
6 The disciples were terrified and fell face down on the ground.
7 Then Jesus came over and touched them. "Get up," he said. "Don't be afraid."
8 And when they looked up, Moses and Elijah were gone, and they saw only Jesus.
9 As they went back down the mountain, Jesus commanded them, "Don't tell anyone what you have seen until the Son of Man* has been raised from the dead."
10 Then his disciples asked him, "Why do the teachers of religious law insist that Elijah must return before the Messiah comes?*"
11 Jesus replied, "Elijah is indeed coming first to get everything ready.
12 But I tell you, Elijah has already come, but he wasn't recognized, and they chose to abuse him. And in the same way they will also make the Son of Man suffer."
13 Then the disciples realized he was talking about John the Baptist.

*17:4 Greek *three tabernacles.*
*17:9 "Son of Man" is a title Jesus used for himself.
*17:10 Greek *that Elijah must come first?*

2 transform 변형시키다 6 fall face down 엎드리다 9 command 명령하다 raise from the dead 되살아나다, 소생하다 10 insist 주장하다 11 indeed 참으로, 정말로 12 recognize 알아보다, 깨닫다 abuse 혹사하다 suffer 고통당하다

• MEMO •

69

월 일

귀신 들린 소년을 고치신 예수님

마태복음 17:14-21

새찬송 543장 | 통일 342장

• 먼저 묵상을 위한 기도를 드린 후, 성경 본문을 2번 이상 읽고 묵상하십시오.

본문요약 | 예수님이 산에서 내려오셨을 때 한 사람이 찾아와 아들의 귀신 들린 병을 고쳐 달라고 요청한다. 이에 예수님은 귀신을 쫓아내어 아이를 고쳐 주셨고, 제자들을 향하여서는 믿음이 적어 고치지 못한 것이라고 말씀하신다.

개역개정

14 그들이 무리에게 이르매 한 사람이 예수께
와서 꿇어 엎드려 이르되
15 주여 내 아들을 불쌍히 여기소서 그가 간
질로 심히 고생하여 자주 불에도 넘어지며
물에도 넘어지는지라
16 내가 주의 제자들에게 데리고 왔으나 능히
고치지 못하더이다
17 예수께서 대답하여 이르시되 믿음이 없고
패역한 세대여 내가 얼마나 너희와 함께
있으며 얼마나 너희에게 참으리요 그를 이
리로 데려오라 하시니라
18 이에 예수께서 꾸짖으시니 귀신이 나가고
아이가 그때부터 나으니라
19 이때에 제자들이 조용히 예수께 나아와 이
르되 우리는 어찌하여 쫓아내지 못하였나
이까
20 이르시되 너희 믿음이 작은 까닭이니라 진
실로 너희에게 이르노니 만일 너희에게 믿
음이 겨자씨 한 알 만큼만 있어도 이 산을
명하여 여기서 저기로 옮겨지라 하면 옮겨
질 것이요 또 너희가 못할 것이 없으리라
21 [1](없음)

1) 어떤 사본에, 21절 '기도와 금식이 아니면 이런 유가 나가지 아니하느니라'가 있음

1. 본문에 나타난 예수님은 어떤 분이십니까?

2. 오늘 하나님께서 나에게 주신 깨달음은 무엇입니까?

3. 말씀을 어떻게 내 삶에 구체적으로 적용해야 합니까?

절별 해설

14 그들이 무리에게 이르매 한 사람이 예수께 와서 꿇어 엎드려 이르되 예수님과 세 제자(베드로, 야고보, 요한)는 산에 올라 예수님의 변화되는 과정을 경험하고, 그 다음 날 나머지 제자들과 합류하였다(눅 9:37). 그 사이에 본문의 사건이 발생했다.

15 그가 간질로 심히 고생하여 마가복음에 의하면 이 아이의 아버지는 아들의 질병을 귀신 들린 것으로 표현한다(막 9:17). 본 절에서 간질이라고 표현하는 이유는 질병의 외형상 증상이 간질과 같은 경련을 동반했기 때문으로 여겨진다(막 9:18).

16 내가 주의 제자들에게 데리고 왔으나 능히 고치지 못하더이다 제자들은 예수님께로부터 귀신을 내쫓고 병을 고치는 능력을 부여받았다(10:1). 그러나 예수님이 안 계신 동안 제자들은 소년을 고칠 수 없었다. 그 때문에 제자들은 당시 서기관들과 논쟁을 벌인 것이다(막 9:14). 서기관들은 예수님 없이 제자들이 병을 고치지 못하자 그 기회를 놓치지 않고 예수님이 메시아라면 어떻게 그 제자들이 병을 고치지 못하느냐고 제자들을 비난하였을 것이다.

17 믿음이 없고 패역한 세대여 이는 예수님이 제자들과 논쟁을 벌이는, 예수님을 믿지 않는 서기관들을 향해 하신 말씀이다. 왜냐하면 본절의 대상에게는 '믿음이 없다'고 표현하셨지만, 제자들을 향해서는 '믿음이 작다'고 표현하셨기 때문이다(20절). '얼마나 너희와 함께 있으며 얼마나 너희에게 참으리요'라는 말씀도, 그동안 많은 치유의 증거를 보이셨음에도 끊임없이 시비를 걸고 믿지 않는 서기관들을 향한 한탄과 안타까움이 담긴 말씀이다.

18 이에 예수께서 꾸짖으시니 아이의 병은 점진적으로 호전된 것이 아니라 예수님이 귀신을 쫓아내자 즉시 나았다. 이는 예수님의 신적 권세를 잘 보여주는 장면으로, 예수님은 아이의 질병의 원인을 아셨고 그 원인을 제거할 능력을 가지신 분이다.

20 너희 믿음이 작은 까닭이니라 진실로 너희에게 이르노니 만일 너희에게 믿음이 겨자씨 한 알 만큼만 있어도 이 산을 명하여 여기서 저기로 옮겨지라 하면 옮겨질 것이요 제자들은 이 사건이 해결된 후 따로 예수님께 왜 자신들이 귀신을 내쫓지 못했는지 물었고(19절), 예수님은 이에 대해 답변하신다. 제자들이 비록 예수님께 능력을 부여받았다 하더라도 그것은 자동으로 보장되는 것이 아니었다. 제자들의 믿음이 온전하지 못할 때 능력은 나타나지 않았던 것이다. 한편, 예수님이 겨자씨 믿음을 말씀하신 이유는, 믿음은 크고 작고의 문제가 아니라 살아 있는 생명력의 문제라는 것이다.

쉬운성경

14 예수님과 제자들이 사람들에게 갔을 때, 어떤 사람이 예수님께 와서 무릎을 꿇고 절을 하며 말했습니다.

15 "주님, 제 아들에게 자비를 베풀어 주십시오. 이 아이가 간질에 걸려서 너무나 고생하고 있습니다. 이 아이는 가끔 불에도 뛰어들고, 물에도 뛰어듭니다.

16 제가 이 아이를 제자들에게 데리고 왔었는데, 고칠 수 없었습니다."

17 예수님께서 말씀하셨습니다. "아! 믿음이 없고, 뒤틀어진 세대여! 도대체 언제까지 내가 너희와 함께 있어야 하겠느냐? 언제까지 내가 너희를 참아야 하겠느냐? 그 아이를 내게 데리고 오너라."

18 예수님께서 귀신을 꾸짖으셨습니다. 그러자 귀신이 아이에게서 나가고, 그 아이는 즉시 나았습니다.

19 제자들이 예수님께 따로 와서 물었습니다. "어째서 우리는 귀신을 쫓아낼 수 없었습니까?"

20 예수님께서 대답해 주셨습니다. "너희 믿음이 적어서이다. 내가 너희에게 진정으로 말한다. 너희에게 겨자씨 한 알 만한 믿음이 있으면, 이 산을 향하여 '여기서 저기로 움직여라' 말할 것이다. 그러면 산이 움직일 것이다. 너희가 못할 일이 아무것도 없을 것이다."

21 (없음)*

*17:21 어떤 사본에는 다음과 같은 구절이 있다. "기도와 금식이 아니면 이런 귀신은 나가지 않는다."

저자의 묵상

제자들은 예수님께 귀신을 내쫓고 병 고치는 능력을 부여받았지만 어떤 이유에서인지 예수님과 떨어져 있으면 믿음이 약해져 그들을 찾아온 귀신 들린 소년을 치유할 수 없었다. 이는 사람의 믿음이 얼마나 환경에 영향을 많이 받아 가변적이고 연약한가를 단적으로 보여준다.

이처럼 믿음은 가만히 있어도 지킬 수 있고 자라는 것이 아니다. 예수님을 향한 진정한 믿음을 온전히 지키려고 할 때 그 능력이 나타난다. 예수님은 제자들에게 진정한 믿음이 있으면 산이라도 옮길 수 있다고 하셨다. 겨자씨 한 알만한 믿음은 우리가 만나는 산과 같이 큰 문제에 비하면 턱없이 작은 것이다. 그러나 문제가 아무리 크고 그 문제에 비해 내 믿음은 매우 보잘것없어 보여도, 씨앗과 같이 살아 있는 진정한 믿음만 소유한다면 그 문제를 해결할 수 있다고 예수님은 약속하셨다.

무릎 기도 | 주님, 제가 만난 문제와 비교할 때 턱없이 작아 보이는 믿음이라도 그것을 통해 진정한 능력을 행하실 주님을 믿습니다. 날마다 믿음이 자라나는 삶을 살게 하소서.

NLT - Matthew 17

14 At the foot of the mountain, a large crowd was waiting for them. A man came and knelt before Jesus and said,
15 "Lord, have mercy on my son. He has seizures and suffers terribly. He often falls into the fire or into the water.
16 So I brought him to your disciples, but they couldn't heal him."
17 Jesus said, "You faithless and corrupt people! How long must I be with you? How long must I put up with you? Bring the boy here to me."
18 Then Jesus rebuked the demon in the boy, and it left him. From that moment the boy was well.
19 Afterward the disciples asked Jesus privately, "Why couldn't we cast out that demon?"
20 "You don't have enough faith," Jesus told them. "I tell you the truth, if you had faith even as small as a mustard seed, you could say to this mountain, 'Move from here to there,' and it would move. Nothing would be impossible.*"

*17:20 Some manuscripts add verse 21, *But this kind of demon won't leave except by prayer and fasting.* Compare Mark 9:29.

14 at the foot of ~ ~의 기슭에 kneel before 무릎 꿇다 15 have mercy on ~ ~을 불쌍히 여기다 seizure 발작 fall into ~ ~에 빠지다 17 corrupt 타락한 put up with ~ ~를 참다 19 privately 사적으로, 은밀히 cast out ~ ~을 내쫓다 20 mustard seed 겨자 씨

70 성전세를 내시는 예수님

월 일

마태복음 17:22-27

새찬송 337장 | 통일 363장

• 먼저 묵상을 위한 기도를 드린 후, 성경 본문을 2번 이상 읽고 묵상하십시오.

본문요약 | 예수님이 제자들에게 두 번째로 자신의 죽음과 부활을 예고하신 후 가버나움에 이르렀을 때에 성전세 납부에 관한 질문을 받으신다. 예수님은 베드로에게 세상 임금의 자녀는 세금을 낼 필요가 없다고 말씀하시나, 사람들을 자극하지 않기 위하여 물고기를 낚은 후 그 입 속에서 돈을 가져다 성전세를 내라고 하신다.

개역개정

22 갈릴리에 모일 때에 예수께서 제자들에게
이르시되 인자가 장차 사람들의 손에 넘
겨져
23 죽임을 당하고 제삼 일에 살아나리라 하시
니 제자들이 매우 근심하더라
24 가버나움에 이르니 [1]반 세겔 받는 자들이
베드로에게 나아와 이르되 너의 선생은 반
세겔을 내지 아니하느냐
25 이르되 내신다 하고 집에 들어가니 예수께
서 먼저 이르시되 시몬아 네 생각은 어떠
하냐 세상 임금들이 누구에게 관세와 국
세를 받느냐 자기 아들에게냐 타인에게냐
26 베드로가 이르되 타인에게니이다 예수께
서 이르시되 그렇다면 아들들은 세를 면
하리라
27 그러나 우리가 그들이 실족하지 않게 하기
위하여 네가 바다에 가서 낚시를 던져 먼
저 오르는 고기를 가져 입을 열면 돈 한 세
겔을 얻을 것이니 가져다가 나와 너를 위
하여 주라 하시니라

1) 반 세겔은 성전세로 바치는 금액

1. 본문에 나타난 예수님은 어떤 분이십니까?

2. 오늘 하나님께서 나에게 주신 깨달음은 무엇입니까?

3. 말씀을 어떻게 내 삶에 구체적으로 적용해야 합니까?

22 **인자가 장차 사람들의 손에 넘겨져** 예수님은 제자들에게 자신이 받을 고난에 대하여 두 번째로 예언하셨다(참고. 16:21). 이처럼 미리 말씀하시는 이유는, 예수님이 잡히셔서 죽게 될 상황을 만났을 때 제자들이 평안을 잃지 않고 끝까지 믿음을 지키게 하기 위한 것이었다(요 16:4,33절).

23 제자들은 예수님이 죽으시고 부활하신다는 말씀을 듣고 몹시 근심하며 슬퍼하였다. 그들은 예수님이 죽으시면 이 땅에 메시아를 통하여 이루어질 하나님 나라가 무산될 뿐만 아니라 자신들의 사역도 무의미해질 것으로 생각했을 것이다. 당연한 반응이기는 하나 예수님은 분명히 죽음과 함께 부활도 언급하셨다. 그런데도 제자들은 예수님의 말씀을 온전히 이해하지 못하고, 단지 죽으신다는 말씀에만 더 마음이 가 있었다.

24 **너의 선생은 반 세겔을 내지 아니하느냐** 유대인 남자들은 20세 이상이면 누구나 1년에 한 번 성전을 관리하기 위한 성전세를 반 세겔씩 납부하였다(출 30:12-16). 그런데 성전세를 걷는 사람이 다짜고짜 예수님이 이를 내지 않는다고 말하는 것을 보면, 이 사람은 유대 종교지도자들의 사주를 받고 세금 문제로 예수님을 시험하고 있는 것이다. 유대 지도자들은 예수님이 율법을 지키지 않고 성전을 무시한다고 몰아가고 있었다.

25 **이르되 내신다 하고** 베드로가 예수님께 물어보지도 않고 세금을 내신다고 말한 이유는, 아마도 예수님이 이런 세금을 납부하셨던 과거 경험을 토대로 한 것으로 본다.

26-27 **그렇다면 아들들은 세를 면하리라** 예수님은 하나님의 아들로 성전의 주인 되시는 분이다(요 2:16,19). 세상 나라의 임금들이 자기 자녀에게서는 세금을 걷지 않는 것이 당연한 것처럼, 하나님의 아들이신 예수님이 성전세를 낼 필요가 없다는 말씀이다.

그들이 실족하지 않게 하기 위하여 예수님은 세금을 내실 필요가 없는 분이지만 사람들을 쓸데없이 자극하지 않기 위해서 세금을 내신다. 그러나 이는 사람들의 눈치를 살피신 것이 아니다. 여기서 '실족하다'는 말은 '넘어지게 한다'는 뜻이다. 즉, 복음을 전파하고 메시아의 사명을 감당하는 더 중요한 일을 하기 위하여, 그보다 작은 일에 오해를 사서 사람들의 마음을 시험 들게 하지 않겠다는 뜻이다.

쉬운성경

22 제자들이 갈릴리에 모여 있었을 때, 예수님께서 그들에게 말씀하셨습니다. "인자가 사람들의 손에 넘겨질 것이고,

23 사람들은 그를 죽일 것이다. 그러나 삼 일째 되는 날에 다시 살아날 것이다." 그러자 제자들은 몹시 슬퍼하였습니다.

24 예수님과 제자들이 가버나움에 이르렀을 때, 성전세를 걷는 사람들이 베드로에게 와서 물었습니다. "당신네 선생님은 성전세를 내지 않습니까?"

25 베드로가 대답했습니다. "내십니다." 베드로가 집에 들어가자, 예수님께서 먼저 말씀을 꺼내셨습니다. "어떻게 생각하느냐? 시몬아, 이 세상의 왕들은 관세와 세금을 누구에게서 받느냐? 왕의 자녀들한테서냐? 아니면 다른 사람들한테서냐?"

26 베드로가 대답했습니다. "다른 사람들에게서입니다." 예수님께서 베드로에게 말씀하셨습니다. "그러므로 왕의 자녀들은 세금을 낼 필요가 없다.

27 그러나 성전세 걷는 사람들을 자극해서는 안 되겠다. 그러니 호수에 가서 낚시를 던져라. 그리고 첫 번째 낚은 물고기의 입을 벌려 보아라. 은돈 한 개가 있을 것이다. 그것을 가져다가 성전세 걷는 사람에게 나와 네 몫으로 주어라."

저자의 묵상

예수님은 제자들에게 죽음과 부활을 미리 예고하심으로 제자들의 믿음이 흔들리지 않게 배려하셨다. 그러나 제자들은 예수님의 말씀을 온전히 이해하지 못하고 예수님이 죽으신다는 말씀에 걱정만 앞세우고 있었다. 성도들 역시 이러한 제자들처럼 내 생각이나 감정, 상황 등에 사로잡혀서 말씀을 온전히 이해하지 못하는 일이 없게 늘 지혜를 구해야 한다. 항상 하나님 말씀을 온전히 듣고 이해하는 것이 중요하다.

한편, 예수님은 사람들을 위하여 성전세를 납부하셨다. 이는 큰 구원 사역을 위하여 작은 일에 오해받지 않으시려는 예수님의 배려라고 볼 수 있다. 당시 종교인들은 예수님이 율법을 지키지 않는다고 매도하였으나, 예수님은 그렇지 않음을 보이심으로 그들의 음모를 물리치셨다. 이처럼 성도들도 세상의 윤리와 법을 잘 지켜서 기독교를 비방하는 소리가 정당하지 않다는 것을 증명하는 데 힘써야 한다.

무릎기도 주님, 저도 제자들과 사람들을 배려하셨던 예수님처럼 제 의견만 주장하지 않고 모든 것을 포용하는 성숙한 신앙의 길로 나아가기를 원합니다. 그러나 비진리에는 단호하게 하소서.

NLT - Matthew 17

22 After they gathered again in Galilee, Jesus told
them, "The Son of Man is going to be betrayed
into the hands of his enemies.
23 He will be killed, but on the third day he will be
raised from the dead." And the disciples were
filled with grief.
24 On their arrival in Capernaum, the collectors of
the Temple tax* came to Peter and asked him,
"Doesn't your teacher pay the Temple tax?"
25 "Yes, he does," Peter replied. Then he went into
the house. But before he had a chance to speak,
Jesus asked him, "What do you think, Peter?*
Do kings tax their own people or the people
they have conquered?*"
26 "They tax the people they have conquered,"
Peter replied. "Well, then," Jesus said, "the
citizens are free!
27 However, we don't want to offend them, so go
down to the lake and throw in a line. Open the
mouth of the first fish you catch, and you will
find a large silver coin.* Take it and pay the tax
for both of us."

*17:24 Greek *the two-drachma [tax]*; also in 17:24b. See Exod 30:13–16; Neh 10:32–33.
*17:25a Greek *Simon?*
*17:25b Greek *their sons or others?*
*17:27 Greek *a stater* [a Greek coin equivalent to four drachmas].

22 betray 배반하다 23 be filled with ~ ~로 가득 차다 grief 슬픔, 근심 24 collector 세리 temple 성전 tax 세금
27 offend 화나게 하다 go down to ~ ~로 내려가다

71

월 일

천국에서 큰 사람

마태복음 18:1–5

새찬송 212장 | 통일 347장

• 먼저 묵상을 위한 기도를 드린 후, 성경 본문을 2번 이상 읽고 묵상하십시오.

본문요약 | 제자들이 예수님께 천국에서 누가 가장 큰 사람이냐고 여쭙는다. 이에 예수님은 어린아이처럼 되지 않으면 천국에 들어가지 못한다고 말씀하신다. 또한 어린아이와 같이 자기를 낮추는 사람이 천국에서 가장 큰 사람이라고 하신다.

개역개정

1 그때에 제자들이 예수께 나아와 이르되 천국에서는 누가 크니이까
2 예수께서 한 어린아이를 불러 그들 가운데 세우시고
3 이르시되 진실로 너희에게 이르노니 너희가 돌이켜 어린아이들과 같이 되지 아니하면 결단코 천국에 들어가지 못하리라
4 그러므로 누구든지 이 어린아이와 같이 자기를 낮추는 사람이 천국에서 큰 자니라
5 또 누구든지 내 이름으로 이런 어린아이 하나를 영접하면 곧 나를 영접함이니

1. 오늘 하나님께서 나에게 주신 깨달음은 무엇입니까?

2. 말씀을 어떻게 내 삶에 구체적으로 적용해야 합니까?

절별 해설

1 천국에서는 누가 크니이까 제자들은 길을 가다가 이 문제에 대해 먼저 논쟁을 벌였고, 이것을 눈치채신 예수님이 물으시자 질문한 것으로 생각된다(막 9:33-34). 16장에서 베드로가 훌륭한 고백을 하여 예수님께 칭찬과 함께 천국 열쇠를 주시겠다는 약속을 들은 것과(16:16-19), 17장 사건에서 세 명의 제자만 예수님과 동행한 것 등이 발단이 되어 제자들은 이런 논쟁을 펼쳤을 것이다. 한편, 제자들이 이런 논쟁을 하던 시기는 예수님이 자신의 수난과 죽음, 부활에 대해 수차례 언급하신 이후다(16:21; 17:12,22-23절). 즉, 제자들의 관심이 예수님과 달리 세속적임을 알 수 있다.

2 한 어린아이 예수님은 제자들에게 논리적인 답변 대신 곁에 있던 한 어린아이를 통하여 교훈하신다. 예수님은 종종 주변의 친근한 소재를 통하여 영적인 교훈을 주시곤 하였다(참고. 6:26-30; 13:1-9).

3 너희가 돌이켜 어린아이들과 같이 되지 아니하면 결단코 천국에 들어가지 못하리라 '돌이키라'는 말씀은 제자들이 지금 행하고 있는 논쟁의 방향이 잘못되었음을 가르치시는 말씀이며, 그것에서 돌아서야 한다는 뜻이다. 예수님은 누가 큰 사람이냐고 묻는 질문에 어린아이처럼 자기를 낮추는 자가 천국에서 크다고 말씀하신다. 당시 어린아이는 여자들과 함께 인구수에서 제외될 만큼 미약한 존재였으며(참고. 14:21), 부모가 없으면 살아갈 수 없는 작은 존재였다. 즉, 그만큼 천국은 겸손한 사람이 들어간다고 말씀하시는 것이다.

4 자기를 낮추는 사람이 천국에서 큰 자니라 '낮추다'는 '아래로 누르다'라는 의미를 가진다. 제자들은 나름의 권력욕과 교만함으로 누가 천국에서 높은 자리를 차지할 것인가에 관심을 가졌다. 그러나 예수님은 그런 마음을 누르고 진정으로 겸손한 사람이 천국에서 큰 사람이라고 대답하신다.

5 누구든지 내 이름으로 이런 어린아이 하나를 영접하면 곧 나를 영접함이니 '어린아이'는 문자 그대로 미약한 아이를 뜻하기도 하고, 어린아이와 같이 약한 사람을 뜻하기도 한다(참고. 25:40,45). 예수님은 제자들에게 어린아이처럼 겸손해지라는 말씀에 이어 더 나아가 예수님의 이름으로 그런 미약한 사람을 환영하고 보살피며 섬기라는 말씀을 주신다.

쉬운성경

1 그때, 제자들이 와서 예수님께 물었습니다. "하늘나라에서는 누가 가장 높은 사람입니까?"

2 예수님께서 한 어린아이를 부르시더니 제자들 앞에 세워 놓으셨습니다.

3 그리고 말씀하셨습니다. "내가 너희에게 진정으로 말한다. 너희가 돌이켜 어린아이처럼 되지 않으면, 하늘나라에 들어갈 수 없다.

4 이 어린아이처럼 자신을 낮추는 사람이 하늘나라에서 가장 높은 사람이다.

5 누구든지 내 이름으로, 이와 같은 어린아이를 환영하는 사람은 나를 환영하는 것이다."

저자의 묵상

예수님이 자신의 고난과 부활을 예고하심으로 신앙의 본질적인 부분을 말씀하셨음에도 제자들은 그런 것보다는 누가 천국에서 더 큰 사람인가에만 관심이 있었다. 이는 인간이 갖는 죄된 본성으로 인한 전형적인 연약한 모습이다. 이처럼 하나님 말씀 앞에서도 영원히 가치 있는 거룩함과 선에 관심을 가지기보다는 이 땅에서 잘되는 것에 목적을 두기 쉬운 존재가 바로 인간이다.

예수님은 그런 제자들에게 어린아이와 같이 겸손하고 작은 자가 되라고 권면하신다. 예수님은 세상에서 높아지려 하고 군림하려는 욕망을 추구하기보다는 겸손하게 연약하고 미천한 사람들을 섬기는 삶을 살라고 가르치셨다. 나 자신이 낮아지고 겸손해지는 것과 함께 낮고 천한 자리에 있는 사람들을 향하여 관심을 갖는 것이 기독교인의 삶의 모습이다.

무릎기도 주님, 저를 낮아지게 하시고 낮은 자리에 있는 자들을 보살피고 섬기게 하소서. 세상에서의 성공보다 신앙적 낮아짐을 추구하기 원합니다.

NLT - Matthew 18

1 About that time the disciples came to Jesus and asked, "Who is greatest in the Kingdom of Heaven?"
2 Jesus called a little child to him and put the child among them.
3 Then he said, "I tell you the truth, unless you turn from your sins and become like little children, you will never get into the Kingdom of Heaven.
4 So anyone who becomes as humble as this little child is the greatest in the Kingdom of Heaven.
5 "And anyone who welcomes a little child like this on my behalf* is welcoming me.

*18:5 Greek *in my name.*

3 unless ~하지 않는다면 turn from ~ ~에서 벗어나다 sin 죄 humble 겸손한 5 on one's behalf ~를 위하여

72

월 일

연약한 자를 넘어지지 않게

마태복음 18:6-14

새찬송 313장 | 통일 352장

• 먼저 묵상을 위한 기도를 드린 후, 성경 본문을 2번 이상 읽고 묵상하십시오.

본문요약 | 예수님은 어린아이 한 명이라도 실족하게 하는 사람은 큰 죄를 짓는 것이라고 하신다. 만약 손이 나 발, 눈이 죄를 범하면 차라리 단호하게 잘라 버리는 것이 영원한 생명을 잃어버리는 것보다 낫다고 하신다. 또한 하나님은 어린아이 하나라도 잃지 않고 구원하기를 기뻐하신다.

개역개정

6 누구든지 나를 믿는 이 작은 자 중 하나
를 실족하게 하면 차라리 연자 맷돌이 그
목에 달려서 깊은 바다에 빠뜨려지는 것
이 나으니라
7 실족하게 하는 일들이 있음으로 말미암아
세상에 화가 있도다 실족하게 하는 일이
없을 수는 없으나 실족하게 하는 그 사람
에게는 화가 있도다
8 만일 네 손이나 네 발이 너를 [1]범죄하게
하거든 찍어 내버리라 장애인이나 다리 저
는 자로 [2]영생에 들어가는 것이 두 손과
두 발을 가지고 영원한 불에 던져지는 것
보다 나으니라
9 만일 네 눈이 너를 [1]범죄하게 하거든 빼
어 내버리라 한 눈으로 영생에 들어가는
것이 두 눈을 가지고 지옥 불에 던져지는
것보다 나으니라
10 삼가 이 작은 자 중의 하나도 업신여기지
말라 너희에게 말하노니 그들의 천사들이
하늘에서 하늘에 계신 내 아버지의 얼굴을
항상 뵈옵느니라
11 [3](없음)
12 너희 생각에는 어떠하냐 만일 어떤 사람이
양 백 마리가 있는데 그중의 하나가 길을
잃었으면 그 아흔아홉 마리를 산에 두고
가서 길 잃은 양을 찾지 않겠느냐
13 진실로 너희에게 이르노니 만일 찾으면 길
을 잃지 아니한 아흔아홉 마리보다 이것을
더 기뻐하리라

1) 또는 실족 2) 헬, 생명에 3) 어떤 사본에, 11절 '인자가 온 것은 잃은 자를 구원하려 함이니라'가 있음

14 이와 같이 이 작은 자 중의 하나라도 잃
는 것은 하늘에 계신 너희 아버지의 뜻이
아니니라

1. 본문에 나타난 예수님은 어떤 분이십니까?

2. 오늘 하나님께서 나에게 주신 깨달음은 무엇입니까?

3. 말씀을 어떻게 내 삶에 구체적으로 적용해야 합니까?

절별 해설

6 이 작은 자 문자적 의미로의 작은 사람으로만 볼 것이 아니라, 문맥적으로 다른 의도나 목적 없이 겸손하고 순수한 마음으로 예수님을 믿는 성도를 가리킨다고 보아야 한다(1-4절).

연자 맷돌 당시 여인들이 가정에서 쓰던 작은 맷돌이 아니라 나귀를 이용하여 돌리던 큰 맷돌을 의미한다. 당시 그리스 로마법에는 부모를 살해하거나 반역죄를 지은 중죄인에게 실제로 이런 맷돌을 목에 감아 바다에서 죽이는 형벌이 있었다고 한다. 즉, 작은 자 하나를 실족시키는 죄가 얼마나 중한가를 보여준다.

7 실족하게 하는 일이 없을 수는 없으나 연약한 자를 넘어지게 하는 일이 완전히 없을 수는 없다는 말씀이다. 그럼에도 그만큼 주의하고 그런 일에 관여되지 않게 조심해야 한다는 의미다.

8 만일 네 손이나 네 발이 너를 범죄하게 하거든 찍어 내버리라 다른 사람들을 넘어지게 하지 않기 위해서 조심하라는 의미의 말씀이다. 본절의 '찍어 내버리라'는 말씀은 문자적으로 그대로 받아들이기보다는, 그만큼 죄에 대하여 단호하게 대처하라는 말씀이다.

9 두 눈을 가지고 지옥 불에 던져지는 것보다 나으니라 그 어떤 고통도 지옥 불에 던져지는 고통에 비교할 수는 없다(참고. 막 9:48-49). 그 때문에 이 땅에서 죄의 원인이 되는 행동이나 욕망을 제거하는 것이 비록 고통스러울지라도 지옥에 들어가는 것보다는 훨씬 낫다는 의미다.

10 그들의 천사들이 하늘에서 하늘에 계신 내 아버지의 얼굴을 항상 뵈옵느니라 성경은 우리 각 사람이나 교회, 심지어 민족을 지켜 주는 수호천사가 존재한다고 가르친다(단 12:1; 계 1:20). 하나님이 천사들을 통하여 성도들을 개인적으로 또한 매우 직접적으로 가까이 보호하고 계심을 알 수 있다.

12 만일 어떤 사람이 양 백 마리가 있는데 그중의 하나가 길을 잃었으면 그 아흔아홉 마리를 산에 두고 가서 길 잃은 양을 찾지 않겠느냐 한 마리를 찾기 위해서 아흔아홉 마리의 양을 산에 남겨 두고 간다는 것은 위험천만한 일이다. 즉, 본 비유가 말하고자 하는 것은 그만큼 하나님이 한 영혼을 소중히 여기신다는 것이다(14절).

쉬운성경

6 "누구든지 나를 믿는 이런 어린아이 한 명이라도 죄를 짓게 하는 사람은 차라리 자기 목에 연자 맷돌을 매고, 깊은 바다에 빠지는 것이 더 나을 것이다.

7 사람들을 넘어지게 하는 방해물 때문에 이 세상에 화가 미친다. 방해물이 없을 수는 없다. 그러나 사람들을 걸려 넘어지게 하는 방해물과 같은 사람에게는 화가 있다.

8 만일 너희의 손이나 발이 너를 넘어지게 하거든, 잘라서 던져 버려라. 장애인으로 영원한 생명에 들어가는 것이, 두 손과 두 발을 가지고 영원한 불에 던져지는 것보다 훨씬 낫다.

9 만일 너희의 눈이 죄짓게 하거든 뽑아서 던져 버려라. 한 눈만 가지고 영원한 생명에 들어가는 것이, 두 눈을 가지고 지옥 불에 던져지는 것보다는 훨씬 낫다."

10 "이 어린아이 한 명이라도 업신여기지 마라. 내가 너희에게 말한다. 그들의 천사들이 하늘에 계신 내 아버지의 얼굴을 항상 뵙고 있다.

11 (없음)*

12 너희는 어떻게 생각하느냐? 만일 어떤 사람에게 백 마리의 양이 있는데 그중에서 한 마리가 길을 잃었다면, 산에 아흔아홉 마리의 양을 남겨 두고 길 잃은 그 양을 찾으러 가지 않겠느냐?

13 내가 진정으로 말한다. 만일 양을 찾게 되면, 길을 잃지 않은 아흔아홉 마리의 양보다 그 양 한 마리 때문에 더욱 기뻐할 것이다.

14 마찬가지로 이 어린아이 중 하나라도 잃어버리는 것은, 하늘에 계신 너희 아버지의 뜻이 아니다."

*18:11 어떤 사본에는 다음과 같은 구절이 있다. "인자는 잃어버린 자를 구원하러 왔다."

저자의 묵상

하나님은 한 영혼을 천하보다 더 소중히 여기시기 때문에 성도가 다른 사람에 의해 시험 들어 넘어지는 것을 원치 않으신다. 그 때문에 성도는 그 일에 연루되지 않게 매우 조심해야 한다. 다른 사람을 실족하게 하는 죄를 하나님이 엄히 물으실 것이기 때문이다.

한편, 내가 짓는 죄가 다른 사람도 넘어지게 만들 수 있기에 늘 깨어 있어야 한다. 예를 들어, 한 그리스도인이 다른 사람에게 피해를 끼치면 그 피해를 입은 사람이 교회를 비난하고 신앙을 갖지 않을 수도 있다. 그것이 바로 한 영혼을 넘어지게 한 것이 된다. 따라서 성도는 늘 자신의 행동이 다른 사람을 넘어지게 하는 죄의 원인이 되지 않게 단호하게 대처해야 한다.

무릎기도 | 주님, 제가 연약한 자를 넘어지게 하는 일에 관여되지 않기를 기도합니다. 하나님이 주신 몸으로 다른 사람을 세울 수 있는 자가 되게 하소서.

NLT - Matthew 18

6 But if you cause one of these little ones who trusts in me to fall into sin, it would be better for you to have a large millstone tied around your neck and be drowned in the depths of the sea.

7 "What sorrow awaits the world, because it tempts people to sin. Temptations are inevitable, but what sorrow awaits the person who does the tempting.

8 So if your hand or foot causes you to sin, cut it off and throw it away. It's better to enter eternal life with only one hand or one foot than to be thrown into eternal fire with both of your hands and feet.

9 And if your eye causes you to sin, gouge it out and throw it away. It's better to enter eternal life with only one eye than to have two eyes and be thrown into the fire of hell.*

10 "Beware that you don't look down on any of these little ones. For I tell you that in heaven their angels are always in the presence of my heavenly Father.*

12 "If a man has a hundred sheep and one of them wanders away, what will he do? Won't he leave the ninety-nine others on the hills and go out to search for the one that is lost?

13 And if he finds it, I tell you the truth, he will rejoice over it more than over the ninety-nine that didn't wander away!

14 In the same way, it is not my heavenly Father's will that even one of these little ones should perish.

*18:9 Greek *the Gehenna of fire.*
*18:10 Some manuscripts add verse 11, *And the Son of Man came to save those who are lost.* Compare Luke 19:10.

6 trust in ~ ~을 믿다 fall into ~ ~에 빠지다 millstone 연자 맷돌 7 sorrow 슬픔, 비통 temptation 유혹 inevitable 피할 수 없는, 면할 수 없는 8 cut off 베어내다, 제거하다 9 gouge ~ out ~을 도려내다 10 look down on ~ ~을 업신여기다 heavenly 하늘의, 창공의 12 wander away 길을 잃다 13 rejoice over ~ ~을 크게 기뻐하다 14 perish 멸망하다

73

월 일

형제가 죄를 지으면

마태복음 18:15-20

새찬송 425장 | 통일 217장

• 먼저 묵상을 위한 기도를 드린 후, 성경 본문을 2번 이상 읽고 묵상하십시오.

본문요약 | 예수님은 형제가 죄를 지었을 경우 먼저 단둘이 해결하려고 해야 하나, 그가 듣지 않으면 두세 사람의 증인과 함께 권면하라고 하신다. 그 후에는 교회에 알리고, 그가 교회의 말도 듣지 않으면 이방인과 세리처럼 여기라고 하신다. 예수님은 교회의 결정을 인정하며 기도할 것을 권면하셨다.

개역개정

15 네 형제가 [1]죄를 범하거든 가서 너와 그 사람과만 상대하여 권고하라 만일 들으면 네가 네 형제를 얻은 것이요

16 만일 듣지 않거든 한두 사람을 데리고 가서 두세 증인의 입으로 말마다 확증하게 하라

17 만일 그들의 말도 듣지 않거든 교회에 말하고 교회의 말도 듣지 않거든 이방인과 세리와 같이 여기라

18 진실로 너희에게 이르노니 무엇이든지 너희가 땅에서 매면 하늘에서도 매일 것이요 무엇이든지 땅에서 풀면 하늘에서도 풀리리라

19 진실로 다시 너희에게 이르노니 너희 중의 두 사람이 땅에서 합심하여 무엇이든지 구하면 하늘에 계신 내 아버지께서 그들을 위하여 이루게 하시리라

20 두세 사람이 내 이름으로 모인 곳에는 나도 그들 중에 있느니라

1) 어떤 사본에, 네게 죄를

1. 본문에 나타난 예수님은 어떤 분이십니까?

2. 오늘 하나님께서 나에게 주신 깨달음은 무엇입니까?

3. 말씀을 어떻게 내 삶에 구체적으로 적용해야 합니까?

절별 해설

15 네 형제가 죄를 범하거든 여기서 '죄'는 형제가 나에게 짓는 죄를 말한다. 어떤 사본에는 '네게'라는 말이 빠져 있는 경우도 있어서(NLT 난하주 참조), 이 번역 전통을 따라 '네게'라는 말을 쓰지 않은 경우도 있으나(개역개정), 일반적으로는 넣는 것이 더 타당해 보인다. 만약 그렇지 않다면 형제가 짓는 일반적인 모든 죄에 내가 관여해야 하기 때문이다.

16-17 만일 듣지 않거든 한두 사람을 데리고 가서 나에 대한 형제의 명백한 범죄는 가급적 비밀스럽게 처리해야 한다. 그것이 그 사람을 위한 일이기도 하다. 그러나 만약 그가 말을 듣지 않을 때는, 율법의 요구를 따라 두세 사람의 증인을 동반하여 객관적인 조치를 취하라고 말씀하신다(신 19:15).
이방인과 세리와 같이 여기라 두세 사람의 증인과 동반하였고 교회의 도움도 구하였음에도, 그가 말을 듣지 않으면 이방인과 세리처럼 여기라 하신다. 이는 교회에서 출교하라는 의미다(고전 5:13).

18 본절의 의미는, 교회가 앞에서 언급한 공적인 과정을 거쳐 처리한 치리의 문제는 예수님도 인정하시겠다는 뜻이다. 주의할 것은, 교회가 치리하여 그 사람을 출교하는 것만을 언급한 것이 아니라 공적으로 치리하는 것도 말씀하고 있다는 점이다. 권징을 행한 후 확연한 회개의 모습을 보일 때 공적으로 회복시키는 것도 교회가 할 일이다.

19 본절은 일반적인 기도의 내용이라기보다는 문맥을 따라 해석하여, 교회가 성도에게 선을 권면하고 악을 징계하거나 또 그를 회복시킬 때 공적인 기도가 필요함을 말씀하고 있는 것으로 보아야 한다. 특히 잘못을 징계할 때 그 사람을 벌주는 것에만 초점을 두지 말고 그 영혼을 위해 마음을 같이하여 기도하는 과정을 가져야 한다고 당부하신다.

20 두세 사람이 내 이름으로 모인 곳 이는 예수님의 이름으로 성도들이 모인 교회를 의미한다. 18절에 이어 예수님은 교회와 함께하겠다고 말씀하신다. 물론 문맥적으로 '두세 사람'을 권징에 참여한 증인으로 볼 수 있으나, 보다 넓은 의미에서 전반적인 교회의 모임으로 보는 것이 자연스럽다.

쉬운성경

15 "만일 네 형제가 네게 죄를 짓거든, 가서 단둘이 있을 때에 잘못을 지적하여라. 만일 그가 네 말을 들으면, 네 형제를 얻은 것이다.

16 그러나 만일 네 말을 듣지 않으면, 한두 사람을 데리고 다시 가거라. 그래서 네가 하는 모든 말에 두세 사람의 증인을 대라.

17 만일 그들의 말도 들으려고 하지 않으면, 교회에 말하여라. 만일 교회의 말도 듣지 않으려고 하면, 이방 사람이나 세리처럼 여겨라.

18 내가 너희에게 진정으로 말한다. 너희가 이 세상에서 묶은 것은, 하늘에서도 묶여 있을 것이다. 이 세상에서 너희가 푼 것은, 하늘에서도 풀려 있을 것이다.

19 다시 너희에게 진정으로 말한다. 너희 가운데 두 사람이 이 세상에서 마음을 같이하여 무엇을 구하면, 하늘에 계신 내 아버지께서 이루어 주실 것이다.

20 두세 사람이 나의 이름으로 모인 곳에는 나도 그들 가운데 있을 것이다."

저자의 묵상

예수님은 다른 사람을 실족시키지 말라는 당부에 이어(6-9절), 오늘 말씀에서는 나에게 죄를 지은 형제에 대한 태도를 언급하신다. 여기서 주목할 것은 나 자신의 죄에 대해서는 매우 단호하고 신속하게 문제를 다룰 것을 명하시지만, 타인의 죄에 대해서는 세 번의 과정을 거쳐 신중히 접근하라고 명하신다는 것이다(나→두세 증인→교회). 그것은 영혼을 다루는 일이 매우 신중한 일이기 때문이다.

지상의 교회는 아직 완전하지 못하기 때문에 여러 가지 허물이 있을 수 있다. 그 때문에 성경이 말하는 과정을 거쳐 악을 징계할 필요가 있다면 교회는 권징을 실행해야 한다. 문제가 있는 것을 알면서도 사랑이라는 이름으로 덮어 주기만 한다면, 더 큰 맥락에서 교회의 순수성을 지키는 데 어려움을 겪을 수도 있기 때문이다.

무릎 기도 | 주님, 제게 잘못한 형제에게 감정을 드러내기보다는 말씀을 따라 잘 해결할 수 있게 도와주소서. 혹여 영혼을 실족시키지 않게 모든 일에 지혜를 주소서.

NLT - Matthew 18

15 "If another believer* sins against you,* go privately and point out the offense. If the other person listens and confesses it, you have won that person back.

16 But if you are unsuccessful, take one or two others with you and go back again, so that everything you say may be confirmed by two or three witnesses.

17 If the person still refuses to listen, take your case to the church. Then if he or she won't accept the church's decision, treat that person as a pagan or a corrupt tax collector.

18 "I tell you the truth, whatever you forbid* on earth will be forbidden in heaven, and whatever you permit* on earth will be permitted in heaven.

19 "I also tell you this: If two of you agree here on earth concerning anything you ask, my Father in heaven will do it for you.

20 For where two or three gather together as my followers,* I am there among them."

*18:15a Greek *If your brother.*
*18:15b Some manuscripts do not include *against you.*
*18:18a Or *bind,* or *lock.*
18:18b Or *loose,* or *open.*
*18:20 Greek *gather together in my name.*

15 sin against ~ ~에게 죄를 짓다 privately 사적으로, 은밀히 point out 가리키다, 지적하다 offense 범죄, 실수 confess 고백하다 16 confirm 확인하다 witness 증인 17 decision 결정, 판결 treat 대우하다 corrupt 타락한 tax collector 세리 18 forbid 금지하다 permit 용납하다

74

월 일

용서할 줄 모르는 종 비유

마태복음 18:21-35

새찬송 250장 | 통일 182장

• 먼저 묵상을 위한 기도를 드린 후, 성경 본문을 2번 이상 읽고 묵상하십시오.

본문요약 | '왕에게 만 달란트 빚진 종의 비유'를 통해 도저히 갚을 수 없는 빚을 왕의 호의로 종이 탕감받는 내용을 말씀하신다. 만 달란트 탕감받은 종이 자신에게 백 데나리온 빚진 자를 만나 포악하게 돈을 갚으라고 요구하며 그를 감옥에 집어넣는다. 주인은 그의 악함을 꾸짖으며 돈을 다 갚을 때까지 감옥에 있게 한다.

개역개정

21 그때에 베드로가 나아와 이르되 주여 형제가 내게 죄를 범하면 몇 번이나 용서하여 주리이까 일곱 번까지 하오리이까

22 예수께서 이르시되 네게 이르노니 일곱 번뿐 아니라 일곱 번을 일흔 번까지라도 할지니라

23 그러므로 천국은 그 종들과 결산하려 하던 어떤 임금과 같으니

24 결산할 때에 만 [1]달란트 빚진 자 하나를 데려오매

25 갚을 것이 없는지라 주인이 명하여 그 몸과 아내와 자식들과 모든 소유를 다 팔아 갚게 하라 하니

26 그 종이 엎드려 절하며 이르되 내게 참으소서 다 갚으리이다 하거늘

27 그 종의 주인이 불쌍히 여겨 놓아 보내며 그 빚을 탕감하여 주었더니

28 그 종이 나가서 자기에게 백 [2]데나리온 빚진 동료 한 사람을 만나 붙들어 목을 잡고 이르되 빚을 갚으라 하매

29 그 동료가 엎드려 간구하여 이르되 나에게 참아 주소서 갚으리이다 하되

30 허락하지 아니하고 이에 가서 그가 빚을 갚도록 옥에 가두거늘

31 그 동료들이 그것을 보고 몹시 딱하게 여겨 주인에게 가서 그 일을 다 알리니

32 이에 주인이 그를 불러다가 말하되 악한 종아 네가 빌기에 내가 네 빚을 전부 탕감하여 주었거늘

33 내가 너를 불쌍히 여김과 같이 너도 네 동료를 불쌍히 여김이 마땅하지 아니하냐 하고

34 주인이 노하여 그 빚을 다 갚도록 그를 옥졸들에게 넘기니라

35 너희가 각각 마음으로부터 형제를 용서하지 아니하면 나의 하늘 아버지께서도 너희에게 이와 같이 하시리라

1) 금은의 중량
2) 은전의 명칭

1. 본문에 나타난 예수님은 어떤 분이십니까?

2. 오늘 하나님께서 나에게 주신 깨달음은 무엇입니까?

3. 말씀을 어떻게 내 삶에 구체적으로 적용해야 합니까?

절별 해설

21 일곱 번까지 하오리이까 당시 랍비들의 가르침은 3번까지 용서해 주라는 것이었다. 베드로는 이것보다 더 많게 7번이라는 완전수를 이야기했다.

22 일곱 번을 일흔 번까지라도 할지니라 이를 수치적으로 환산하면 490번이나, 숫자 자체보다는 무한히 용서하라는 의미의 말씀이다. 비록 형제가 죄를 지어 교회로부터 징계를 받더라도 그가 진정으로 회개하고 돌아올 때 무한히 용서하라고 하심으로 예수님은 용서를 강조하셨다. 3번이나 7번이 용서하는 사람의 인내가 강조된 표현이라면, 490번은 용서받는 사람 편에서 은혜가 강조된 표현이다.

24 만 달란트 빚진 자 만 달란트는 계산할 수 없는 어마어마한 금액의 돈이다. 당시 1달란트는 6000데나리온이었고, 1데나리온은 노동자의 하루 임금에 해당했다. 역사학자 요세프스에 의하면, 당시 이스라엘이 로마에 바친 세금 총액이 800달란트였다고 하니, 만 달란트는 도저히 개인이 빚질 수 없는 막대한 금액을 말하며, 역시 자기 힘으로 갚을 수 없는 큰 금액을 뜻한다.

27 그 종의 주인이 불쌍히 여겨 놓아 보내며 그 빚을 탕감하여 주었더니 비록 종이 모든 것을 갚겠다고 용서를 빌었으나(26절), 사실 그것은 그가 진 빚의 정도로 볼 때 불가능한 일이었다. 이 비유는 갚을 수 없는 빚을 진 인간을 아무 조건 없이 용서해 주시는 하나님의 사랑을 강조한다.

28 그 종이 나가서 자기에게 백 데나리온 빚진 동료 한 사람을 만나 '백 데나리온'은 노동자 한 사람의 100일 분량의 임금에 해당했다. 이 금액은 앞서 종이 탕감받은 만 달란트의 60만분의 1에 해당하는 적은 금액이다. 그럼에도 큰 빚을 탕감받은 종은 그 일에 대해 감사하는 태도를 보이기는커녕 자기에게 훨씬 적은 금액을 빚진 자를 만나 포악하게 돈을 갚으라고 요구한다. 본문의 '동료'는 같은 주인을 섬기는 사람을 말한다.

29 나에게 참아 주소서 갚으리이다 백 데나리온 빚진 자의 이 말은 앞서 만 달란트를 탕감받았던 종이 임금에게 하소연했던 말과는 구별된다(26절). 그 이유는 만 달란트는 개인의 힘으로는 갚을 수 없는 엄청난 금액이지만 백 데나리온은 얼마든지 갚을 수 있는 액수이기 때문이다. 단순히 상황을 모면하기 위해서 하는 무책임한 말이 아님을 알 수 있다.

쉬운성경

21 그때, 베드로가 예수님께 와서 물었습니다. "주님, 형제가 제게 죄를 지으면 몇 번이나 용서해 주어야 합니까? 일곱 번까지입니까?"

22 예수님께서 대답하셨습니다. "일곱 번까지가 아니라, 일곱 번씩 일흔 번까지라도 용서해 주어야 한다.

23 그러므로 하늘나라는 자기 종들과 셈을 가리려는 왕에 빗댈 수 있다.

24 왕이 셈을 시작할 때에 만 달란트를 빚진 종이 불려 왔다.

25 그 종은 왕에게 돈을 갚을 수가 없었다. 그래서 주인은 종에게 아내와 자녀들과 가진 것을 다 팔아 빚을 갚으라고 명령했다.

26 종은 주인의 무릎 아래 엎드려 빌었다. '기다려 주십시오. 제가 모든 것을 갚겠습니다.'

27 주인은 그 종을 불쌍히 여기고, 풀어 주며 빚을 없던 것으로 해 주었다.

28 그런데 그 종이 나가서 자기에게 백 데나리온을 빚진 동료를 만났다. 그는 동료의 멱살을 잡고 말했다. '나에게 빌린 돈을 어서 갚아라!'

29 동료는 그 종의 무릎 아래 엎드려 빌었다. '기다려 주게. 내가 모든 것을 갚겠네.'

30 그러나 그 종은 들어주지 않았다. 가서 동료를 감옥에 넣고, 자기에게 빚진 것을 다 갚을 때까지 갇혀 있게 하였다.

31 다른 동료들이 이 광경을 보고 매우 딱하게 여겨, 주인에게 가서 일어난 일을 자세히 말씀드렸다.

30 **옥에 가두거늘** 만 달란트를 탕감받은 종이 백 데나리온 빚진 종에게 보인 태도는 주인이 자신에게 보여준 태도와 정반대였다(27절). 이것은 하나님께 자비를 구하고 엄청난 은혜를 받았음에도 불구하고 그보다 훨씬 못한 작은 일에도 형제에게는 인색한 인간의 모습을 적나라하게 드러낸다.

33 성경은 용서를 명령한다(골 3:13). 용서는 해도 그만, 안 해도 그만인 것이 아니라 그리스도인이라면 반드시 해야만 한다. 용서의 근거는 본절에서 말하듯이 하나님이 우리에게 자비를 베푸셨기에 우리도 그러해야 하는 것이다.

32 그러자 주인이 그 종을 불러 말했다. '이 악한 종아! 네가 나에게 빌기에 내가 네 모든 빚을 없던 것으로 해 주었다.

33 내가 네게 자비를 베풀었던 것처럼, 너도 네 동료에게 자비를 베풀어야 하지 않느냐?'

34 그 주인은 매우 화가 나서 그 종을 감옥에 넣고, 자기에게 빚진 것을 다 갚을 때까지 감옥에 있게 하였다.

35 이와 같이 너희가 형제를 마음으로부터 용서하지 않는다면, 하늘에 계신 내 아버지께서도 너희에게 이같이 하실 것이다."

저자의 묵상

예수님은 형제를 마음으로부터 용서하라고 가르치셨다. 그러나 이것은 쉬운 일이 아니다. 잘못한 사람을 겉으로는 용서할 수 있어도 마음에서는 쉽사리 용서가 되지 않는 경우가 많기 때문이다. 우리의 이러한 연약한 모습을 잘 아시는 예수님은 진정으로 용서하라고 하신다. 그리고 성경은 용서를 권면하는 것이 아니라 명령한다는 사실을 기억해야 한다. 그 때문에 성도는 마땅히 다른 사람을 진심으로 용서해야 한다. 용서할 줄 모르는 사람은 자신이 하나님께로부터 받은 용서가 얼마나 큰 것인가를 제대로 알지 못하는 사람이다.

한편, 심는 대로 거두는 것 또한 하나님의 법칙이다. 주기도문에도 '우리가 우리에게 죄 지은 자를 사하여 준 것같이 우리 죄를 사하여 주시옵고'라는 구절이 있다(마 6:12). 이는 당신이 남을 용서하면 그보다 더 큰 하나님의 용서를 삶 속에서 늘 경험할 수 있다는 약속이다.

무릎기도 주님이 가르쳐 주신 진실한 용서를 베풀며 살아가게 하소서. 제가 받은 용서의 크기와 깊이를 날마다 더 깨닫게 하소서.

21 Then Peter came to him and asked, "Lord, how often should I forgive someone* who sins against me? Seven times?"
22 "No, not seven times," Jesus replied, "but seventy times seven!*
23 "Therefore, the Kingdom of Heaven can be compared to a king who decided to bring his accounts up to date with servants who had borrowed money from him.
24 In the process, one of his debtors was brought in who owed him millions of dollars.*
25 He couldn't pay, so his master ordered that he be sold—along with his wife, his children, and everything he owned—to pay the debt.
26 "But the man fell down before his master and begged him, 'Please, be patient with me, and I will pay it all.'
27 Then his master was filled with pity for him, and he released him and forgave his debt.
28 "But when the man left the king, he went to a fellow servant who owed him a few thousand dollars.* He grabbed him by the throat and demanded instant payment.
29 "His fellow servant fell down before him and begged for a little more time. 'Be patient with me, and I will pay it,' he pleaded.
30 But his creditor wouldn't wait. He had the man arrested and put in prison until the debt could be paid in full.
31 "When some of the other servants saw this, they were very upset. They went to the king and told him everything that had happened.
32 Then the king called in the man he had forgiven and said, 'You evil servant! I forgave you that tremendous debt because you pleaded with me.
33 Shouldn't you have mercy on your fellow servant, just as I had mercy on you?'
34 Then the angry king sent the man to prison to be tortured until he had paid his entire debt.
35 "That's what my heavenly Father will do to you if you refuse to forgive your brothers and sisters* from your heart."

*18:21 Greek *my brother.*
*18:22 Or *seventy-seven times.*
*18:24 Greek *10,000 talents* [375 tons or 340 metric tons of silver].
*18:28 Greek *100 denarii.* A denarius was equivalent to a laborer's full day's wage.
*18:35 Greek *your brother.*

23 bring accounts with ~ ~의 해명(설명)을 요구하다 28 owe 빚지다 grab ~ by the throat 멱살을 잡다 payment 지불, 상환 29 plead 애원하다, 간구하다 30 creditor 채권자 arrest 체포하다 put in prison 투옥하다 32 tremendous 엄청난 34 torture 고문하다, 괴롭히다

• MEMO •

75

월 일

이혼과 독신 문제

마태복음 19:1-15

새찬송 272장 | 통일 330장

• 먼저 묵상을 위한 기도를 드린 후, 성경 본문을 2번 이상 읽고 묵상하십시오.

본문요약 | 이혼에 대한 질문에 예수님은 하나님이 남자와 여자를 지으셨음을 말하며, 두 사람이 하나가 되는 결혼은 하나님의 창조 섭리로 사람이 나누지 못한다고 하신다. 바리새인들이 모세의 이혼 증서를 언급하자, 예수님은 그것이 백성의 마음이 완악하기 때문에 행해진 조치였음을 말씀하시며, 음행의 부정함 외에는 이혼을 금하신다. 독신도 하나님이 허락하신 경우를 제외하고는 허용하지 않으신다.

개역개정

1 예수께서 이 말씀을 마치시고 갈릴리를
떠나 요단 강 건너 유대 지경에 이르시니
2 큰 무리가 따르거늘 예수께서 거기서 그들
의 병을 고치시더라
3 바리새인들이 예수께 나아와 그를 시험하
여 이르되 사람이 어떤 이유가 있으면 그
아내를 버리는 것이 옳으니이까
4 예수께서 대답하여 이르시되 사람을 지으
신 이가 본래 그들을 남자와 여자로 지으
시고
5 말씀하시기를 ㄱ그러므로 사람이 그 부모
를 떠나서 아내에게 합하여 그 둘이 한몸
이 될지니라 하신 것을 읽지 못하였느냐
6 그런즉 이제 둘이 아니요 한 몸이니 그러
므로 하나님이 짝지어 주신 것을 사람이
나누지 못할지니라 하시니
7 여짜오되 그러면 어찌하여 ㄴ모세는 이혼
증서를 주어서 버리라 명하였나이까
8 예수께서 이르시되 모세가 너희 마음의 완
악함 때문에 아내 버림을 허락하였거니와
본래는 그렇지 아니하니라
9 내가 너희에게 말하노니 누구든지 음행한
이유 외에 아내를 버리고 다른 데 장가드
는 자는 간음함이니라
10 제자들이 이르되 만일 사람이 아내에게
이같이 할진대 장가들지 않는 것이 좋겠
나이다
11 예수께서 이르시되 사람마다 이 말을 받
지 못하고 오직 타고난 자라야 할지니라
12 어머니의 태로부터 된 고자도 있고 사람
이 만든 고자도 있고 천국을 위하여 스스
로 된 고자도 있도다 이 말을 받을 만한 자
는 받을지어다
13 그때에 사람들이 예수께서 안수하고 기도
해 주심을 바라고 어린아이들을 데리고 오
매 제자들이 꾸짖거늘
14 예수께서 이르시되 어린아이들을 용납하
고 내게 오는 것을 금하지 말라 천국이 이
런 사람의 것이니라 하시고
15 그들에게 안수하시고 거기를 떠나시니라

ㄱ. 창 2:24 ㄴ. 신 24:1-4

1. 본문에 나타난 예수님은 어떤 분이십니까?

2. 오늘 하나님께서 나에게 주신 깨달음은 무엇입니까?

3. 말씀을 어떻게 내 삶에 구체적으로 적용해야 합니까?

절별 해설

3 바리새인들이 예수께 나아와 그를 시험하여 이르되 바리새인들의 질문은 무엇이든 이유만 있으면 이혼할 수 있느냐는 것이었다. 당시 바리새파는 샴마이 학파와 힐렐 학파로 구분되었는데, 이혼에 관한 두 학파의 견해가 달랐다. 이들은 신명기 24장 1절을 해석할 때, 이혼을 가능하게 하는 여자에게서 발견되는 '수치 되는 일'에 대한 해석이 서로 달랐다. 엄격한 샴마이 학파는 간음 외에는 이혼할 수 없다고 해석한 반면, 보다 자유로운 전통인 힐렐 학파는 거짓말을 하거나 심지어는 더 매력적인 여자가 생겨도 이혼할 수 있다고 가르쳤다. 바리새인들은 예수님을 시험하여 곤란에 빠뜨리려는 의도에서 이런 첨예한 문제를 질문한 것이다.

4 사람을 지으신 이가 본래 그들을 남자와 여자로 지으시고 예수님은 창세기 1장 27절을 인용하신다. 여기서 남녀를 창조한 섭리를 강조하신 이유는 당시 남성 중심의 이혼 해석에 일침을 가하시기 위한 것으로 생각된다. 여성의 인권이 열악했던 당시였기에 남성 중심의 이혼 해석이 가능했고, 그때문에 예수님은 이러한 출발 자체가 잘못된 것임을 지적하셨다.

7 이혼 증서 예수님이 하나님의 창조 섭리를 들어 결혼은 사람이 나누지 못한다고 하시자(6절), 바리새인들은 모세가 이혼 증서를 주어 헤어지라고 한 규정을 들어(신 24:1) 예수님께 맞선다. 유대인들에게 모세는 하나님께 율법을 받아 수여한 사람이자 모세오경을 기록한 인물로, 율법 그 자체라 해도 과언이 아닌 권위 있는 존재였다.

8 너희 마음의 완악함 때문에 아내 버림을 허락하였거니와 본래는 그렇지 아니하니라 예수님은 모세가 이혼 증서를 주어 이혼을 허락한 배경을 설명하신다. 당시 여성의 인권은 절대적으로 열악하였고 남성의 소유물처럼 여겨지던 시대였으므로, 남자가 약간의 트집만 잡으면 얼마든지 이혼하고 집에서 내보낼 수가 있었다. 이 경우 여성들은 다시 재혼할 수도 없었으므로 이혼은 여성에게 치명적이었다. 그 때문에 모세는 이방 문화의 영향을 받아 이스라엘 백성도 이와 같은 행동을 하지 못하게 이혼을 할 경우 이혼 증서를 써 주도록 제도화하였던 것이다. 즉, 원래 이 제도는 이혼을 장려하기 위한 수단이 아니라 여성을 보호하고 쉽게 이혼하려는 것을 막기 위해 만들어진 조치였다. 또한 여성의 경우에는 최소한 이혼 증서가 있어야 다른 남자와 재혼할 수 있었다(신 24:2-3).

쉬운성경

1 이 말씀을 다 마치시고, 예수님은 갈릴리를 떠나 요단 강 건너편에 있는 유대 지방으로 가셨습니다.

2 많은 사람들이 예수님을 따라오자, 예수님께서는 그곳에서 그들을 치료해 주셨습니다.

3 몇몇 바리새파 사람이 와서 예수님을 시험하려고 물었습니다. "무엇이든 이유만 있으면, 자기 아내와 이혼하는 것이 괜찮습니까?"

4 예수님께서 대답하셨습니다. "너희가 이 말씀을 읽지 못했느냐? '맨 처음 사람을 만드신 분이 남자와 여자로 지으셨다.'

5 그리고 이렇게 말씀하셨다. '그러므로 남자는 부모를 떠나 아내와 합할 것이다. 두 사람이 한 몸이 될 것이다.'

6 이처럼 두 사람은 이제 둘이 아니라 한 몸이다. 하나님께서 묶으신 것을 사람이 나누지 마라."

7 바리새파 사람들이 물었습니다. "그러면 왜 모세는 이혼 증서를 주고, 아내와 헤어지라고 명령하였습니까?"

8 예수님께서 대답하셨습니다. "모세가 아내와의 이혼을 허락한 것은, 너희 마음이 악하기 때문이다. 그러나 원래부터 그랬던 것은 아니다.

9 내가 너희에게 말한다. 부정을 저지르지 않았는데도 아내와 이혼하고, 다른 여자와 결혼하는 것은 간음죄를 짓는 것이다."

10 제자들이 예수님께 말했습니다. "만일 남편과 아내와의 관계가 이와 같다면, 차라리 결혼하지 않는 것이 낫겠습니다."

11 예수님께서 대답하셨습니다. "모든 사람이 이 말을 받아들일 수는 없다.

9 누구든지 음행한 이유 외에 예수님은 이런 이유 없이 이혼하고 다른 여자와 재혼하면 그것을 간음죄라고 말씀하신다. 이것은 당시 이혼에 엄격했던 샴마이 학파의 견해보다도 훨씬 더 엄격한 말씀으로, 샴마이 학파도 재혼을 간음죄라고는 보지 않았다. 계시가 점진적으로 발전되는 점을 감안하면, 이와 같은 예수님의 견해는 당시로서는 약자인 여성들을 파격적으로 보호하는 말씀이었다.

14 어린아이들을 용납하고 내게 오는 것을 금하지 말라 본문에는 단순히 예수님이 이렇게 말씀하신 것으로 기록되어 있으나, 마가복음에는 예수님이 제자들의 태도를 보고 노하며 말씀하셨다고 되어 있다(막 10:14). 이는 사람을 인격으로 대하지 않고 효용 가치를 따라 대하는 당시 사람들의 태도 전반에 대해 노하신 것으로 보아야 한다. 예수님은 여자나 어린아이와 같이 천대받고 멸시받는 대상도 늘 차별 없이 인격적으로 대우하셨다.

오직 하나님께서 허락하신 사람들만 이 그렇게 할 수 있다.

12 어머니 배에서 나올 때부터 고자로 태어난 사람이 있고, 다른 사람에 의하여 고자가 된 사람도 있고, 하늘나라를 위해 스스로 고자가 된 사람도 있다. 이 말을 받아들일 수 있는 사람은 받으라."

13 그때, 사람들이 자기의 자녀들을 데리고 와서, 예수님께서 손을 얹고 기도해 주시기를 바랐습니다. 그러자 제자들이 이들을 꾸짖었습니다.

14 예수님께서 말씀하셨습니다. "어린아이들이 내게 오는 것을 막지 마라. 하늘나라는 이런 어린아이와 같은 사람들의 것이다."

15 예수님께서 어린아이들에게 손을 얹어 기도해 주시고, 그곳을 떠나셨습니다.

저자의 묵상

본문은 이혼과 독신에 관한 예수님의 교훈으로, 예수님은 음행의 부정함 외에는 이혼을 엄격히 제한하신다. 모세의 이혼 증서도 원래 취지는 악한 이스라엘 남성들이 쉽게 아내와 이혼하는 것을 막기 위한 조치였음을 가르쳐 주신다. 원래 법은 무언가를 장려하기 위한 목적이 아니라 사람의 악함을 제어하기 위한 목적으로 만들어졌다. 즉, 법이 존재한다는 것 자체가 인간이 연약하며 악한 존재임을 보여준다. 법이 갈수록 세분화되고 치밀해지는 것은 시대가 흘러갈수록 그만큼 인간이 더욱 악해진다는 반증이다.

예수님은 어린아이들을 사랑하셨다. 예수님은 늘 하셔야 할 사역이 많았음에도 당시로서는 하찮은 존재로 여겨졌던 어린아이들을 멀리하지 않고 귀히 여기셨다. 이를 통해 모든 사람을 온전한 인격체로 대우하시는 예수님의 모습을 볼 수 있다. 우리 또한 예수님과 같은 태도로 한 영혼의 소중함을 알고 진심으로 다가가며 대해야 할 것이다. 그럴 때 복음도 온전히 전할 수 있다.

무릎기도 인간의 본성이 악하기에 말씀과 성령님을 통하여 저희들을 깨닫게 하시고 제어할 수 있게 도와주소서. 또한 늘 예수님처럼 한 영혼을 소중히 대하게 하소서.

NLT - Matthew 19

1 When Jesus had finished saying these things, he left Galilee and went down to the region of Judea east of the Jordan River.

2 Large crowds followed him there, and he healed their sick.

3 Some Pharisees came and tried to trap him with this question: "Should a man be allowed to divorce his wife for just any reason?"

4 "Haven't you read the Scriptures?" Jesus replied. "They record that from the beginning 'God made them male and female.'*

5 And he said, 'This explains why a man leaves his father and mother and is joined to his wife, and the two are united into one.'*

6 Since they are no longer two but one, let no one split apart what God has joined together."

7 "Then why did Moses say in the law that a man could give his wife a written notice of divorce and send her away?"* they asked.

8 Jesus replied, "Moses permitted divorce only as a concession to your hard hearts, but it was not what God had originally intended.

9 And I tell you this, whoever divorces his wife and marries someone else commits adultery—unless his wife has been unfaithful.*"

10 Jesus' disciples then said to him, "If this is the case, it is better not to marry!"

11 "Not everyone can accept this statement," Jesus said. "Only those whom God helps.

12 Some are born as eunuchs, some have been made eunuchs by others, and some choose not to marry* for the sake of the Kingdom of Heaven. Let anyone accept this who can."

13 One day some parents brought their children to Jesus so he could lay his hands on them and pray for them. But the disciples scolded the parents for bothering him.

14 But Jesus said, "Let the children come to me. Don't stop them! For the Kingdom of Heaven belongs to those who are like these children."

15 And he placed his hands on their heads and blessed them before he left.

*19:4 Gen 1:27; 5:2.
*19:5 Gen 2:24.
*19:7 See Deut 24:1.
*19:9 Some manuscripts add *And anyone who marries a divorced woman commits adultery.* Compare Matt 5:32.
*19:12 Greek *and some make themselves eunuchs.*

2 heal 치유하다 3 Pharisee 바리새파 사람 trap 함정에 빠뜨리다 divorce 이혼하다 5 explain 해석하다, 설명하다 unite into ~ ~로 결합하다, 합쳐지다 6 no longer ~ 더 이상 ~하지 않다 split apart 분열되다, 쪼개지다 join together 결합하다, 붙이다 8 permit 허락하다 concession 양보, 양해 originally 원래 intend 의도하다 9 commit adultery 간음하다 unfaithful 부정한, 불성실한 11 statement 진술 12 eunuch 거세된 남자, 고자 for the sake of ~ ~를 위하여 13 scold 꾸짖다, 잔소리하다 bother 괴롭히다, 성가시게 하다 14 belong to ~ ~에 속하다, ~의 것이다

• MEMO •

76

월 일

부자 청년의 고민

마태복음 19:16-22

새찬송 575장 | 통일 302장

• 먼저 묵상을 위한 기도를 드린 후, 성경 본문을 2번 이상 읽고 묵상하십시오.

본문요약 | 한 부자 청년이 예수님께 와서 어떤 선한 일을 해야 영생을 얻느냐고 여쭙는다. 이에 예수님이 계명들을 다 지키라고 명하시자 청년은 이를 다 지켰다고 말한다. 다시 예수님이 청년에게 그가 가진 재산을 다 팔아 가난한 자들에게 주라고 명하시자 청년은 근심하며 떠나간다.

개역개정

16 어떤 사람이 주께 와서 이르되 선생님이
여 내가 무슨 선한 일을 하여야 영생을 얻
으리이까
17 예수께서 이르시되 어찌하여 선한 일을 내
게 묻느냐 선한 이는 오직 한 분이시니라
네가 생명에 들어가려면 계명들을 지키라
18 이르되 어느 계명이오니이까 예수께서 이
르시되 ㄱ살인하지 말라, 간음하지 말라,
도둑질하지 말라, 거짓 증언하지 말라,
19 네 부모를 공경하라, ㄴ네 이웃을 네 자신
과 같이 사랑하라 하신 것이니라
20 그 청년이 이르되 이 모든 것을 내가 지
키었사온대 아직도 무엇이 부족하니이까
21 예수께서 이르시되 네가 온전하고자 할진
대 가서 네 소유를 팔아 가난한 자들에게
주라 그리하면 하늘에서 보화가 네게 있
으리라 그리고 와서 나를 따르라 하시니
22 그 청년이 재물이 많으므로 이 말씀을 듣
고 근심하며 가니라

ㄱ. 출 20:12-16; 신 5:16-20 ㄴ. 레 19:18

1. 본문에 나타난 예수님은 어떤 분이십니까?

2. 오늘 하나님께서 나에게 주신 깨달음은 무엇입니까?

3. 말씀을 어떻게 내 삶에 구체적으로 적용해야 합니까?

절별 해설

16 어떤 사람 같은 사건을 기록하는 누가복음에 의하면 이 사람을 '관리'라고 소개한다(18:18). 그는 아마도 좋은 가문에서 태어나 고등교육을 받고 젊은 나이에 유대의 관원이 된 부유한 청년이었던 것 같다.

내가 무슨 선한 일을 하여야 영생을 얻으리이까 이 청년은 자신의 외적인 부와 관계없이 영원한 생명에 관심이 있었다. 그는 자신이 누리고 있는 것들이 온전히 자신을 행복하게 만들어 주지 못했기 때문에 고민하고 있었다.

17 선한 이는 오직 한 분이시니라 영생을 얻기 위한 선행을 묻는 청년에게 예수님이 선하신 분은 하나님뿐이라고 답하신 이유는, 인간이 행하는 선한 행동으로는 영생을 얻을 수 없음을 강조하시기 위함이다. 선한 행동으로 영생을 얻으려면 하나님처럼 완전히 선해야 하는데 인간은 그럴 수 없기 때문이다.

18-19 예수님의 대답에 언급된 계명들은 십계명의 뒷부분으로(5-9계명), 사람들 사이의 의무를 규정하고 있는 내용이다. 이 규정을 한 마디로 요약하면 '네 이웃을 네 자신과 같이 사랑하라'는 말로 요약할 수 있다(참고. 롬 13:9).

21 네가 온전하고자 할진대 부자 청년은 계명을 완전하게 지켰다고 주장하지만, 본절에서 예수님이 말씀하신 것을 통해 사실은 완전하지 않았음을 알 수 있다. 인간은 누구도 자신의 행동으로 율법의 계명들을 완전하게 지킬 수 없다. 그러므로 인간의 행위와 공로로는 구원을 얻을 수 없다.

네 소유를 팔아 가난한 자들에게 주라 예수님은 부자 청년의 부족한 부분을 언급하신다. 그는 재물에 있어 자유하지 못했다. 그것을 간파하신 예수님은 부자 청년에게 그 재물을 하나님을 위해 처분해 이웃을 사랑하는 데 사용하라고 명하신다.

22 이 말씀을 듣고 근심하며 가니라 예수님이 하나님과 재물을 겸하여 섬기지 못한다고 하셨는데(6:24), 청년에게는 재물이 하나님과의 관계를 가로막는 가장 큰 우상이었다.

쉬운성경

16 어떤 사람이 예수님께 와서 물었습니다. "선생님, 영원한 생명을 얻으려면 어떤 선한 일을 해야 합니까?"

17 예수님께서 대답하셨습니다. "왜 선한 것에 대하여 내게 묻느냐? 선하신 분은 오직 한 분뿐이다. 영원한 생명을 얻고 싶다면, 계명을 지켜라."

18 그 사람이 물었습니다. "어떤 계명을 지켜야 합니까?" 예수님께서 대답하셨습니다. "살인하지 마라. 간음하지 마라. 도둑질하지 마라. 거짓 증언하지 마라.

19 네 부모를 공경하여라. 네 이웃을 네 자신처럼 사랑하여라."

20 그 청년이 말했습니다. "이 모든 것을 지금까지 다 지켜 왔습니다. 그 밖에 제게 부족한 것이 무엇입니까?"

21 예수님께서 대답하셨습니다. "만일 네가 완전해지길 원한다면, 가서 네가 가진 것을 다 팔아 가난한 사람에게 나누어 주어라. 그러면 하늘에서 보물을 얻게 될 것이다. 그런 후에 와서 나를 따르라!"

22 이 말씀을 들은 청년은 매우 슬퍼하며 떠나갔습니다. 왜냐하면 그가 가진 재산이 너무 많았기 때문입니다.

저자의 묵상

구원과 영생의 방법을 묻는 부자 청년에게 예수님은 계명들을 지키라고 명하신다. 사실 인간이 계명들을 완전히 지킬 수만 있다면 스스로의 힘으로 구원을 얻을 수 있을 것이다. 그러나 인간은 완전하지 못한 피조물이기에 계명을 완전히 지키는 것은 불가능하다. 오늘 말씀에 등장한 청년의 경우에도, 그는 온전히 계명을 지켰다고 생각했지만 부족한 부분이 있었다. 이처럼 인간은 선행을 통해서는 구원을 얻을 수 없다. 만일 선행을 통해 영생을 얻으려면 모든 것이 하나님처럼 완전해야 하는데, 인간은 그럴 수 없는 존재이기 때문이다. 오직 구원은 예수 그리스도를 믿고 그분을 주인으로 섬길 때만 가능하다.

한편, 선은 구원을 얻으려고 행하는 것이 아니라 예수님의 가르침에 순종하고자 행하는 것이다. 혹 지금 당신에게 예수님보다 더 귀한 것이 있지는 않은지 점검해 보고, 있다면 바로 그것을 버림으로써 온전한 믿음을 회복하자.

무릎 기도 | 주님, 저는 완전한 선을 행할 수 없는 죄인임을 깨닫습니다. 날마다 주님의 십자가 공로에 의지하여 살아가게 하소서.

NLT - Matthew 19

16 Someone came to Jesus with this question:
"Teacher,* what good deed must I do to have
eternal life?"
17 "Why ask me about what is good?" Jesus
replied. "There is only One who is good. But to
answer your question—if you want to receive
eternal life, keep* the commandments."
18 "Which ones?" the man asked. And Jesus
replied: "'You must not murder. You must not
commit adultery. You must not steal. You must
not testify falsely.
19 Honor your father and mother. Love your
neighbor as yourself.'*"
20 "I've obeyed all these commandments," the
young man replied. "What else must I do?"
21 Jesus told him, "If you want to be perfect, go
and sell all your possessions and give the
money to the poor, and you will have treasure in
heaven. Then come, follow me."
22 But when the young man heard this, he went
away sad, for he had many possessions.

*19:16 Some manuscripts read *Good Teacher.*
*19:17 Some manuscripts read *continue to keep.*
*19:18–19 Exod 20:12–16; Deut 5:16–20; Lev 19:18.

16 eternal 영원한 17 receive 얻다, 받다 18 murder 살인하다 commit adultery 간음하다 testify 증언하다 falsely 거짓으로, 부정하게 20 obey 순종하다, 시키는 대로 하다 21 be perfect 완전하다, 온전하다 possession 소유

77

월 일

부자와 구원

마태복음 19:23-30

새찬송 321장 | 통일 351장

• 먼저 묵상을 위한 기도를 드린 후, 성경 본문을 2번 이상 읽고 묵상하십시오.

본문요약 | 예수님은 부자가 하나님 나라에 들어가는 것이 매우 어렵다고 말씀하신다. 제자들이 놀라 그러면 누가 구원을 받겠느냐고 묻자 구원은 하나님이 하시는 일이라고 언급하신다. 또 모든 것을 버리고 예수님을 따른 제자들에게는 천국의 영광이 주어지나 끝까지 겸손해야 함을 명하신다.

개역개정

23 예수께서 제자들에게 이르시되 내가 진실
로 너희에게 이르노니 부자는 천국에 들어
가기가 어려우니라
24 다시 너희에게 말하노니 낙타가 바늘귀로
들어가는 것이 부자가 하나님의 나라에 들
어가는 것보다 쉬우니라 하시니
25 제자들이 듣고 몹시 놀라 이르되 그렇다면
누가 구원을 얻을 수 있으리이까
26 예수께서 그들을 보시며 이르시되 사람으
로는 할 수 없으나 하나님으로서는 다 하
실 수 있느니라
27 이에 베드로가 대답하여 이르되 보소서 우
리가 모든 것을 버리고 주를 따랐사온대
그런즉 우리가 무엇을 얻으리이까
28 예수께서 이르시되 내가 진실로 너희에게
이르노니 세상이 새롭게 되어 인자가 자기
영광의 보좌에 앉을 때에 나를 따르는 너
희도 열두 보좌에 앉아 이스라엘 열두 지
파를 심판하리라
29 또 내 이름을 위하여 집이나 형제나 자매
나 [1]부모나 자식이나 전토를 버린 자마다
여러 배를 받고 또 영생을 상속하리라
30 그러나 먼저 된 자로서 나중 되고 나중 된
자로서 먼저 될 자가 많으니라

1) 어떤 사본에는, '부모나' 아래에 '아내나'가 있음

1. 본문에 나타난 예수님은 어떤 분이십니까?

2. 오늘 하나님께서 나에게 주신 깨달음은 무엇입니까?

3. 말씀을 어떻게 내 삶에 구체적으로 적용해야 합니까?

절별 해설

23 내가 진실로 너희에게 이르노니 부자는 천국에 들어가기가 어려우니라 앞 단락에서 부자 청년이 예수님의 말씀을 듣고도 자신의 재산 때문에 돌아간 것을 염두에 둔 말씀이다. 여기서 '어렵다'는 말은 전혀 불가능하다는 말씀이 아니기에 부자가 다 천국에 못 들어간다고 해석해서는 안 된다. 다만 부자는 자신이 가진 부를 의지하기 때문에 하나님을 의지하기가 그만큼 어렵다고 말씀하신 것이다(24절).

25 제자들이 듣고 몹시 놀라 이르되 당시 유대인들은 아브라함이나 욥이 누렸던 부를 하나님이 주시는 축복의 상징으로 생각하고 있었다. 그런데 예수님이 부자가 천국에 들어가는 것이 어렵다고 말씀하시니 제자들은 놀랄 수밖에 없었다. 그래서 '그렇다면 누가 구원을 얻겠느냐'고 묻는 것이다. 부가 하나님의 복인 것은 분명하지만, 예수님은 양날의 칼처럼 한편으로는 그것이 갖는 위험성도 알아야 함을 가르치신 것이다.

26 사람으로는 할 수 없으나 하나님으로서는 다 하실 수 있느니라 예수님은 구원이 인간의 능력이나 부로 가능한 것이 아니라, 전적으로 하나님의 은혜에 의한 것이라고 하신다. 앞서 부자 청년은 자신의 노력으로 율법을 다 지켰다고 말했지만, 사실은 완전하지 않았고 또 그럴 수도 없는 것이 인간의 실상이었다. 그래서 사람은 자신을 스스로 구원할 수 없다. 구원은 인간이 보여주는 선행에 의해서가 아니라 오직 하나님의 능력으로만 가능하다.

27 보소서 우리가 모든 것을 버리고 주를 따랐사온대 그런즉 우리가 무엇을 얻으리이까 베드로의 말처럼 제자들은 생업과 가족 등 모든 것을 떠나 예수님을 따르고 있었다(4:20). 그런 제자들이 자신들이 얻을 것을 묻는 것은 당연한 질문이다. 아무 대가 없이 예수님을 섬기고 따르지만 그분에게서 주어지는 복을 바라는 것은 믿는 자의 매우 당연한 태도다(히 11:6 참조).

28 세상이 새롭게 되어 인자가 자기 영광의 보좌에 앉을 때에 나를 따르는 너희도 열두 보좌에 앉아 이스라엘 열두 지파를 심판하리라 이는 예수님의 재림으로 이루어지는 영원한 천국을 언급하신 것이다. 그때 제자들은 이스라엘 열두 지파를 심판하게 될 것이다. 비록 당시에는 제자들이 모든 것을 버리고 예수님을 따르고 있었지만 최종에는 모든 것의 심판자가 되어 예수님과 함께 영광과 보상을 누릴 것을 말씀하신 것이다(29절).

30 제자들에게 주어질 영광의 특권이 대단한 것이지만, 그렇다고 교만하거나 자만해지지 말고 끝까지 겸손한 태도를 유지할 것을 명한 경고의 말씀이다. 예수님은 '먼저 된 자로서 나중 될 사람이 많다'고 하심으로, 처음엔 잘 시작하지만 끝까지 유지하지 못하는 사람들이 많을 것을 미리 경고하셨다.

쉬운성경

23 예수님께서 제자들에게 말씀하셨습니다. "내가 너희에게 진정으로 말한다. 부자가 하늘나라에 들어가는 것은 어렵다.

24 다시 너희에게 말한다. 부자가 하나님의 나라에 들어가는 것은 낙타가 바늘구멍에 들어가는 것보다 더 어렵다."

25 제자들이 이 말씀을 듣고 매우 놀라서 물었습니다. "그러면 누가 구원을 받을 수 있습니까?"

26 예수님께서 그들을 보시며 말씀하셨습니다. "사람은 할 수 없지만, 하나님께서는 모든 것을 하실 수 있다."

27 베드로가 예수님께 말했습니다. "그렇다면 모든 것을 버리고 주님을 따른 저희에게는 무엇이 있겠습니까?"

28 예수님께서 그들에게 말씀하셨습니다. "내가 너희에게 진정으로 말한다. 나를 따라오는 너희들은, 인자가 영광의 보좌에 앉는 새 시대에, 열두 보좌에 앉아 이스라엘 열두 부족을 심판하게 될 것이다.

29 나를 위하여 집, 형제와 자매, 부모와 자식, 그리고 밭을 버리는 사람은 몇 배로 보상을 받을 것이며 영원한 생명을 얻을 것이다.

30 그러나 첫째가 꼴찌가 되고, 꼴찌가 첫째가 되는 사람이 많을 것이다."

저자의 묵상

부자가 천국에 들어가기는 매우 어렵다. 그 이유는 부자는 자신이 가진 것을 의지하기 때문이다. 물질만이 아니라 인간이 가질 수 있는 명예나 지식도 마찬가지다. 자신이 가진 것을 신뢰하는 사람은 하나님을 신뢰할 수가 없다. 또한 하나님을 신뢰하지 않는 사람은 구원을 받지 못한다. 인간은 자신의 힘과 능력으로는 스스로를 구원할 수 없는 존재이기에 하나님을 신뢰함을 통해 구원을 얻어야 한다.

오늘 말씀을 통해 구원은 하나님의 능력에 의한 것임을 다시금 깨닫는다. 성도가 부자가 되는 것은 하나님의 복의 결과다. 그러나 그것이 나를 구원해 주지 못한다는 사실을 늘 기억해야 한다. 아니 오히려 구원을 방해할 수 있음을 명심하고 주님을 향한 겸손과 신뢰를 잃지 않도록 힘써야 한다.

무릎기도 사람의 힘으로는 도저히 할 수 없는 구원을 저희들에게 허락하신 하나님께 감사드립니다. 끝까지 변치 않고 겸손히 주님을 섬기게 도우소서.

NLT - Matthew 19

23 Then Jesus said to his disciples, "I tell you the truth, it is very hard for a rich person to enter the Kingdom of Heaven.

24 I'll say it again—it is easier for a camel to go through the eye of a needle than for a rich person to enter the Kingdom of God!"

25 The disciples were astounded. "Then who in the world can be saved?" they asked.

26 Jesus looked at them intently and said, "Humanly speaking, it is impossible. But with God everything is possible."

27 Then Peter said to him, "We've given up everything to follow you. What will we get?"

28 Jesus replied, "I assure you that when the world is made new* and the Son of Man* sits upon his glorious throne, you who have been my followers will also sit on twelve thrones, judging the twelve tribes of Israel.

29 And everyone who has given up houses or brothers or sisters or father or mother or children or property, for my sake, will receive a hundred times as much in return and will inherit eternal life.

30 But many who are the greatest now will be least important then, and those who seem least important now will be the greatest then.*

*19:28a Or *in the regeneration.*
*19:28b "Son of Man" is a title Jesus used for himself.
*19:30 Greek *But many who are first will be last; and the last, first.*

23 disciple 제자 24 camel 낙타 go through ~ ~을 통과하다 needle 바늘 25 astound 크게 놀라게 하다, 경악시키다 26 intently 집중하여 28 assure 장담하다 tribe 지파, 부족 29 property 재산 for one's sake ~을 위하여 inherit 상속하다

78

월 일

포도원 품꾼 비유

마태복음 20:1-16

새찬송 301장 | 통일 460장

• 먼저 묵상을 위한 기도를 드린 후, 성경 본문을 2번 이상 읽고 묵상하십시오.

본문요약 | 예수님은 천국을 포도원에서 일할 품꾼을 찾는 집주인에 비유하신다. 포도원 주인은 하루 품삯으로 한 데나리온을 제시하며 품꾼들을 모은다. 저녁이 되어 품꾼들이 품삯을 받는 시간이 되자 마지막에 온 사람들부터 처음 온 자까지 모두 똑같은 임금을 받는다. 집주인은 불평하는 일꾼들에게 주인의 뜻대로 준 것이 잘못된 것이 아님을 말씀하신다.

개역개정

1 천국은 마치 품꾼을 얻어 포도원에 들여보
내려고 이른 아침에 나간 집주인과 같으니
2 그가 하루 한 [1]데나리온씩 품꾼들과 약속
하여 포도원에 들여보내고
3 또 [2]제삼 시에 나가 보니 장터에 놀고 서
있는 사람들이 또 있는지라
4 그들에게 이르되 너희도 포도원에 들어가
라 내가 너희에게 상당하게 주리라 하니
그들이 가고
5 [3]제육 시와 [4]제구 시에 또 나가 그와 같
이 하고
6 [5]제십일 시에도 나가 보니 서 있는 사람
들이 또 있는지라 이르되 너희는 어찌하
여 종일토록 놀고 여기 서 있느냐
7 이르되 우리를 품꾼으로 쓰는 이가 없음
이니이다 이르되 너희도 포도원에 들어가
라 하니라
8 저물매 포도원 주인이 청지기에게 이르되
품꾼들을 불러 나중 온 자로부터 시작하여
먼저 온 자까지 삯을 주라 하니
9 제십일 시에 온 자들이 와서 한 [1]데나리
온씩을 받거늘
10 먼저 온 자들이 와서 더 받을 줄 알았더니
그들도 한 [1]데나리온씩 받은지라
11 받은 후 집주인을 원망하여 이르되
12 나중 온 이 사람들은 한 시간밖에 일하지
아니하였거늘 그들을 종일 수고하며 더위
를 견딘 우리와 같게 하였나이다
13 주인이 그중의 한 사람에게 대답하여 이
르되 친구여 내가 네게 잘못한 것이 없노
라 네가 나와 한 [1]데나리온의 약속을 하
지 아니하였느냐
14 네 것이나 가지고 가라 나중 온 이 사람에
게 너와 같이 주는 것이 내 뜻이니라
15 내 것을 가지고 내 뜻대로 할 것이 아니냐
내가 선하므로 네가 악하게 보느냐
16 이와 같이 나중 된 자로서 먼저 되고 먼저
된 자로서 나중 되리라

1) 은전의 명칭 2) 오전 아홉 시
3) 정오 열두 시 4) 오후 세 시 5) 오후 다섯 시

1. 오늘 하나님께서 나에게 주신 깨달음은 무엇입니까?

2. 말씀을 어떻게 내 삶에 구체적으로 적용해야 합니까?

절별 해설

2 한 데나리온 보통 당시 노동자의 하루 품삯에 해당되는 금액이다. 포도원 주인(하나님)은 품꾼들에게 분명한 금액을 약속하고 포도원에서 일하게 한다. 하나님의 일에는 언제나 금생과 내생에 보상이 약속되어 있다고 성경은 가르친다(딤전 4:8).

3 포도원 주인이 왜 오전 9시(제삼 시)에 다시 인력 시장에 나갔는지는 알 수 없다. 당시 포도 수확 철에는 일꾼이 생각보다 많이 필요했고, 또 안식일이 되기 전에 시간에 맞추어 당도가 우수한 포도를 따내기 위해 일꾼이 더 필요한 경우가 있었다고 한다. 그러나 이런 이유만으로 본문에서 온종일 품꾼들을 쓰는 주인의 태도를 설명하기에는 부족하다. 즉, 본문의 초점은 일을 못하고 빈둥거리는 사람들을 불쌍히 여겨 일을 주는 주인의 태도에 맞추어져 있다고 볼 수 있다.

5 주인의 행동은 낮 12시(제육 시)와 오후 3시(제구 시)에도 계속된다. 이런 시간에 노동자를 고용한다는 것은 파격적이다. 이 비유를 통해 '품꾼'으로 비유된 하나님의 사람들이 각자 부름을 받는 순서에는 차이가 있는 것을 알 수 있다. 그러나 이런 순서의 차이가 우열을 말하는 것은 아니다. 하나님은 지금도 멈추지 않고 교회와 천국을 위해 계속 일꾼을 부르신다.

6-7 유대 사회는 오전 6시에 일을 시작해서 오후 6시에 마쳤다고 하니, 오후 5시(제십일 시)에 사람들을 부르는 것은 대단히 이례적인 행동이라고 할 수 있다. 이 비유가 천국의 비유임을 생각한다면, 하나님은 인간의 계산법과는 다르게 끝날 시간이 임박해서도 일꾼을 부르시는 주인임을 알 수 있다. 기회가 주어지지 않아 일하지 못하는 자들에게도 결국엔 기회를 주시는 은혜로우신 하나님의 모습을 그리고 있다. 하나님의 부르심에는 실수가 없다.

9 제십일 시에 온 자들이 와서 한 데나리온씩을 받거늘 오후 5시에 와서 1시간만 일하고 하루 치 품삯을 받았으니, '나중 온 사람들'은 자신들이 받을 것이라고 예상한 것보다 훨씬 더 파격적인 대우를 받아 놀랐을 것이다. 이는 천국이 우리가 기대했던 것보다 훨씬 더 큰 보상과 은혜가 주어지는 곳임을 증거한다.

10 그들도 한 데나리온씩 받은지라 '먼저 온 사람들'은 더 큰 임금을 기대했지만 같은 보상을 받았다. 이것을 통해 천국에

쉬운성경

1 "하늘나라는 자신의 포도밭에서 일할 일꾼을 찾으려고 아침 일찍 나간 주인과 같다.

2 그는 일꾼들에게 하루 품삯으로 한 데나리온을 주기로 하고, 그 일꾼들을 포도밭으로 보냈다.

3 주인이 오전 9시쯤에 다시 시장에 나갔다가 거기서 빈둥거리며 서 있는 몇몇의 사람들을 보았다.

4 주인이 그 사람들에게 말했다. '당신들도 포도밭에 가서 일하시오. 적당한 품삯을 주겠소.' 그러자 그들은 포도밭으로 갔다.

5 이 사람이 다시 낮 12시와 오후 3시쯤에 나갔다. 그리고 똑같이 말했다.

6 또 오후 5시쯤에도 시장에 나가 또 다른 사람들이 거리에 서 있는 것을 보고 물었다. '왜 당신들은 하루 종일 빈둥거리며 서 있습니까?'

7 그들이 대답했다. '아무도 우리에게 일자리를 주지 않았습니다.' 주인이 그들에게 말했다. '당신들도 나의 포도밭에 가시오.'

8 저녁이 되자, 포도밭 주인이 관리인에게 말했다. '일꾼들을 불러 마지막에 온 사람부터 맨 처음에 왔던 사람까지 품삯을 주어라.'

9 오후 5시에 고용된 일꾼들이 와서, 각각 한 데나리온씩을 받았다.

10 이제 맨 처음에 고용되었던 일꾼들이 왔다. 그들은 더 많은 품삯을 받게 될 것이라고 기대했지만, 그들도 한 데나리온씩을 받았다.

11 그러자 그들은 포도밭 주인에게 불평을 하였다.

서는 이 세상과는 다른 계산법이 행해질 것을 알 수 있다. 천국의 보상 원리는 공로에 의해 정해지는 것이 아니라 하나님의 은혜에 의해 주어진다. '먼저 온 사람들'이 더 많은 품삯을 기대한 이유는 더 많이 일했기 때문이다. 그러나 우리가 행한 일은 하나님 앞에서 공로가 될 수 없다. 모든 것의 시작이 은혜로운 그분의 부르심과 구원에 의해 일어난 일이기 때문이다.

15 내 것을 가지고 내 뜻대로 할 것이 아니냐 주인은 '나중 온 사람들'에게 자비롭게 한 것이 '먼저 온 사람들'의 불만의 이유가 될 수 없음을 지적한다. '탕자의 비유'에서도 첫째 아들은 둘째에 대한 아버지의 태도에 불만을 가졌었다. 우리가 하나님의 종이라면, 주인이 깊은 뜻이 있어서 다른 사람에게 베푸시는 자비를 내 좁은 소견으로 판단하고 불평하지 말아야 한다. 하나님이 나에게 베푸신 것도 또 다른 사람이 보면 더 많은 것을 베푸셨다고 보일 수 있을 만큼 충분히 은혜로운 것임을 기억해야 한다.

12 '저 사람들은 겨우 한 시간밖에 일하지 않았는데, 하루 종일 뙤약볕 아래서 수고한 우리들과 똑같이 취급하는군요.'

13 그러자 포도밭 주인이 말했다. '친구여, 나는 당신에게 잘못한 것이 없소. 당신들은 한 데나리온을 받기로 나와 약속하지 않았소?

14 당신 것이나 가지고 돌아가시오. 나는 나중 사람에게도 당신과 똑같이 주고 싶소.

15 내 것을 가지고 내 뜻대로 하는 것이 무슨 잘못이오? 내가 자비로운 사람이라서 당신의 눈에 거슬리오?'

16 그러므로 꼴찌가 첫째가 되고, 첫째가 꼴찌가 될 것이다."

저자의 묵상

천국에서 주어지는 보상의 원리를 설명한 본문이다. 이 땅에서의 삶뿐만이 아니라 천국에서의 삶도 모두 하나님의 은혜가 기본임을 잊지 말아야 한다. 우리가 천국에 들어갈 수 있는 자격을 얻었다는 것 자체가 하나님의 은혜의 결과다. 그러므로 이 땅에서 하나님의 일을 조금 더 하고 덜 한 것이 천국에서 차별적인 보상의 근거가 된다고 생각하지 말아야 한다. 하나님 앞에서 성도가 자기의 공로를 내세울 수 없기 때문이다. 모든 것은 하나님의 은혜 덕분에 주어진 일이기 때문이다. 성도는 하나님이 각자에게 주신 은혜에 감사하면 되는 것이다. 내가 일한 것을 하나님 앞에서 공로로 주장하려는 심리는 남들보다 내가 더 일했다는 비교의식이 들어가 있는 것이다. 비교의식을 갖는다는 것 자체가 하나님의 은혜가 아닌 내 공로를 주장하는 것임을 바로 알자.

무릎기도 하나님, 일한 것보다 더 주시는 하나님의 은혜에 감사드립니다. 주신 은혜에 만족하며 어떤 헌신도 남들과 비교하지 않기를 기도합니다.

NLT - Matthew 20

1 "For the Kingdom of Heaven is like the landowner who went out early one morning to hire workers for his vineyard.
2 He agreed to pay the normal daily wage* and sent them out to work.
3 "At nine o'clock in the morning he was passing through the marketplace and saw some people standing around doing nothing.
4 So he hired them, telling them he would pay them whatever was right at the end of the day.
5 So they went to work in the vineyard. At noon and again at three o'clock he did the same thing.
6 "At five o'clock that afternoon he was in town again and saw some more people standing around. He asked them, 'Why haven't you been working today?'
7 "They replied, 'Because no one hired us.' "The landowner told them, 'Then go out and join the others in my vineyard.'
8 "That evening he told the foreman to call the workers in and pay them, beginning with the last workers first.
9 When those hired at five o'clock were paid, each received a full day's wage.
10 When those hired first came to get their pay, they assumed they would receive more. But they, too, were paid a day's wage.
11 When they received their pay, they protested to the owner,
12 'Those people worked only one hour, and yet you've paid them just as much as you paid us who worked all day in the scorching heat.'
13 "He answered one of them, 'Friend, I haven't been unfair! Didn't you agree to work all day for the usual wage?
14 Take your money and go. I wanted to pay this last worker the same as you.
15 Is it against the law for me to do what I want with my money? Should you be jealous because I am kind to others?'
16 "So those who are last now will be first then, and those who are first will be last."

*20:2 Greek *a denarius*, the payment for a full day's labor; similarly in 20:9, 10, 13.

1 landowner 토지 소유자, 지주 hire 고용하다 vineyard 포도원 2 wage 품삯 3 marketplace 장터 stand around 우두커니 있다 8 foreman 감독, 청지기 10 get one's pay 봉급을 받다 assume 가정하다, 추측하다 11 protest 시위, 항의 12 and yet 그러나 scorching 몹시 뜨거운 13 unfair 불공평한 15 jealous 질투하는, 시기하는

• MEMO •

79

월 일

죽음과 부활과 섬김에 대해 말씀하시는 예수님

마태복음 20:17-28

새찬송 80장 | 통일 101장

• 먼저 묵상을 위한 기도를 드린 후, 성경 본문을 2번 이상 읽고 묵상하십시오.

본문요약 | 예수님은 예루살렘으로 가실 때에 열두 제자에게 거기서 자신이 받게 될 수난을 말씀하신다. 이후 세베대의 아들들의 어머니가 자신의 아들들을 위해 청탁하자 제자들은 이를 분히 여긴다. 이에 예수님은 크고자 하는 자는 먼저 다른 사람을 섬기라고 말씀하신다.

개역개정

17 예수께서 예루살렘으로 올라가려 하실 때
에 열두 제자를 따로 데리시고 길에서 이
르시되
18 보라 우리가 예루살렘으로 올라가노니 인
자가 대제사장들과 서기관들에게 넘겨지
매 그들이 죽이기로 결의하고
19 이방인들에게 넘겨주어 그를 조롱하며 채
찍질하며 십자가에 못 박게 할 것이나 제
삼 일에 살아나리라
20 그때에 세베대의 아들의 어머니가 그 아
들들을 데리고 예수께 와서 절하며 무엇
을 구하니
21 예수께서 이르시되 무엇을 원하느냐 이르
되 나의 이 두 아들을 주의 나라에서 하나
는 주의 우편에, 하나는 주의 좌편에 앉
게 명하소서
22 예수께서 대답하여 이르시되 너희는 너희
가 구하는 것을 알지 못하는도다 내가 마
시려는 잔을 너희가 마실 수 있느냐 그들
이 말하되 할 수 있나이다
23 이르시되 너희가 과연 내 잔을 마시려니와
내 좌우편에 앉는 것은 내가 주는 것이 아
니라 내 아버지께서 누구를 위하여 예비하
셨든지 그들이 얻을 것이니라
24 열 제자가 듣고 그 두 형제에 대하여 분
히 여기거늘
25 예수께서 제자들을 불러다가 이르시되 이
방인의 집권자들이 그들을 임의로 주관하
고 그 고관들이 그들에게 권세를 부리는
줄을 너희가 알거니와
26 너희 중에는 그렇지 않아야 하나니 너희
중에 누구든지 크고자 하는 자는 너희를
섬기는 자가 되고
27 너희 중에 누구든지 으뜸이 되고자 하는
자는 너희의 종이 되어야 하리라
28 인자가 온 것은 섬김을 받으려 함이 아니
라 도리어 섬기려 하고 자기 목숨을 많은
사람의 대속물로 주려 함이니라

1. 본문에 나타난 예수님은 어떤 분이십니까?

2. 오늘 하나님께서 나에게 주신 깨달음은 무엇입니까?

3. 말씀을 어떻게 내 삶에 구체적으로 적용해야 합니까?

절별 해설

17 예루살렘으로 올라가려 하실 때에 예수님은 이제 사역을 정리하시며 예루살렘에서의 죽음을 맞이하기 위하여 그곳으로 향하고 계셨다. 그러나 제자들은 서로 높은 지위를 생각하며 예루살렘에서 예수님이 영광을 받으실 것을 기대했다(20-28절 참조). 예수님은 이런 제자들의 생각을 아시고 그들을 준비시키시기 위해서 예루살렘에서 일어날 일을 미리 말씀해 주신다.

19 이방인들에게 넘겨주어 이 부분도 앞선 수난 예고에서는 찾아볼 수 없는 내용이다. 유대인들이 예수님을 죽이기로 결정하지만 그들에게는 사형 집행권이 주어져 있지 않았으므로, 당시 유대를 지배하던 로마인들에게 예수님을 넘겨 죽게 할 것이라는 구체적인 정황 설명이다.

그를 조롱하며 채찍질하며 십자가에 못 박게 할 것이나 예수님의 구체적인 예언 그대로 일이 진행되었다(27:26-31). 이로 보건대 예수님은 예루살렘에서의 자신의 운명을 정확하게 알고 계셨음에도 피하지 않으시고 그 길을 가신 것을 알 수 있다. 즉, 예수님의 죽음은 타의에 의한 어쩔 수 없는 죽음이 아니라 하나님께 대한 자발적인 순종이었다.

제삼 일에 살아나리라 예수님의 수난 예고는 언제나 죽음 후에 부활을 언급하심으로 소망 중에 끝맺는다(16:21; 17:23). 그러나 제자들은 부활에 관한 말씀보다는 죽음에 더 큰 의미를 두고 슬퍼했다(17:23).

20 그때에 예수님이 세 번째 수난 예고를 하신 후를 가리킨다(17-19절). 제자들은 아직도 예수님 말씀의 진의를 이해하지 못하고, 두 번째 수난 예고 이후와 마찬가지로 자리다툼에만 여념이 없었다(17:22-23; 18:1-4). 세베대의 아들들의 어머니는 살로메이며(참고. 27:56; 막 15:40), 예수님의 어머니인 마리아와 자매간으로 예수님께는 이모가 된다(요 19:25). 그렇다면 세베대의 아들들인 야고보와 요한은 예수님과 이종사촌이 된다. 그러므로 살로메의 간청은(21절) 친인척 관계를 배경으로 한 청탁이라고 할 수 있다.

21 왕의 좌우편에 앉는다는 의미는 최고의 권력을 상징하기에 살로메는 이것을 요구했다. 마가복음에는 이 요청을 야고보와 요한이 한 것으로 되어 있는데(막 10:35-37), 함께 요청한 것으로 이해하면 된다. 야고보와 요한은 당시 예수님의 3대 제자로 활동하고 있었으므로(17:1) 자연스럽게 이런 욕심을 갖게 된 것

쉬운성경

17 예수님께서 예루살렘으로 가실 때, 열두 명의 제자만 따로 데리고 가셨습니다. 가시는 도중에 예수님께서 제자들에게 말씀하셨습니다.

18 "보아라. 우리가 예루살렘으로 간다. 인자가 대제사장들과 율법학자들에게 넘겨질 것이고, 그들은 인자에게 사형죄를 씌울 것이다.

19 그들은 인자를 이방 사람들에게 넘겨, 비웃고 채찍질하고 십자가에 매달아 죽게 할 것이다. 그러나 삼 일째 되는 날에 인자가 다시 살아날 것이다."

20 그때, 세베대의 아들들을 데리고 그 어머니가 예수님께 왔습니다. 그 여자는 예수님께 절하고, 간청하였습니다.

21 예수님께서 물으셨습니다. "무엇을 원하느냐?" 어머니가 예수님께 말했습니다. "주님의 나라에서 제 한 아들은 주님의 오른쪽에, 또 다른 한 명은 주님의 왼쪽에 앉으라고 말씀해 주십시오."

22 그러자 예수님께서 말씀하셨습니다. "너희가 무엇을 요구하는지 깨닫지 못하고 있다. 내가 마실 잔을 너희도 마실 수 있느냐?" 그들이 대답했습니다. "예, 마실 수 있습니다!"

23 예수님께서 그들에게 말씀하셨습니다. "내 잔을 너희가 마실 것이다. 그러나 내 오른쪽과 왼쪽에 누구를 앉힐 것인지 결정하는 것은 내가 할 일이 아니다. 그 자리는 내 아버지께서 미리 정하신 사람들의 것이다."

24 다른 열 명의 제자들이 이것을 듣고, 그 두 형제에게 분개하였습니다.

이다. 문제는 '주의 나라'에 대한 이해인데, 야고보와 요한 및 살로메는 이것을 현세적 의미로 이해하여 예루살렘 입성 후에 지상에서 이루어질 영광스러운 하나님 나라로 이해했다.

22 내가 마시려는 잔 '잔'은 예수님이 예루살렘 입성 후에 인간의 죄를 위해 치르게 될 고난을 상징한다. 그러나 야고보와 요한은 그것을 깨닫지 못하고, 잔을 왕이 마시는 고귀하고 영광스러운 것으로 이해하고 답변한 것이다.

23 너희가 과연 내 잔을 마시려니와 이 말씀처럼 야고보는 사도들 가운데 최초의 순교자가 되며(행 12:2), 요한은 밧모섬에 유배되는 고난을 당한다.

25 예수님께서 제자들을 모두 불러 말씀하셨습니다. "이방 사람의 통치자들은 다른 사람의 주인이 되려고 한다는 것을 너희가 안다. 그 고관들은 사람들에게 권력을 행사한다.

26 그러나 너희는 저희들과 같이 되어서는 안 된다. 누구든지 너희 중에서 높아지려면, 먼저 섬기는 자가 되어야 한다.

27 만일 누구든지 너희 가운데서 첫째가 되려면, 너희의 종이 되어야 한다.

28 인자는 섬김을 받으러 온 것이 아니라 섬기러 왔고, 자기 목숨을 많은 사람들을 위하여 주려고 왔다."

저자의 묵상

마태복음에는 예수님이 공식적으로 언급하신 수난 예고가 총 4번 등장한다(16:21; 17:22-23; 20:17-19; 26:2). 그중 본문은 세 번째 예고에 해당하는데 갈수록 구체적인 것이 특징이다. 이번 예고에서 예수님은 자신의 죽음이 자의에 의한 것임을 분명히 하신다. 즉, 알면서도 그 길을 가셨다는 것이다. 이것을 통해 우리는 예수님이 하나님의 아들이요 우리 죄를 위하여 이 땅에 오신 진정한 메시아이심을 분명히 알 수 있다.

한편, 예수님은 하나님 나라에 대해 제대로 이해하지 못하고 높아지려는 야고보와 요한에게 먼저 낮아져 섬기는 자가 되라고 말씀하셨다. 그리고 자신도 이 땅에 영광과 섬김을 받으러 온 것이 아니라 목숨까지 내어 주며 섬기러 왔다고 말씀하셨다. 예수님은 진정한 섬김의 의미를 말씀하신 것이다. 섬김의 한계는 끝이 없다. 적어도 예수님의 섬김은 그러했다. 목숨까지 주셨다는 것은 전부를 주신 것이다. 우리에게 예수님은 종이 되어 다른 사람을 섬기라고 하신다. 종은 끝까지 복종하는 사람임을 기억하며 겸손하게 예수님의 삶을 닮아가자.

무릎 기도 예수님의 예언을 통해 예수님이 참 하나님의 아들이요 메시아 되신 증거를 봅니다. 죄인인 우리를 위하여 목숨까지 주신 주님을 기억하며 종 된 자세로 끝까지 섬기기 원합니다.

17 As Jesus was going up to Jerusalem, he took
the twelve disciples aside privately and told
them what was going to happen to him.
18 "Listen," he said, "we're going up to Jerusalem,
where the Son of Man* will be betrayed to the
leading priests and the teachers of religious law.
They will sentence him to die.
19 Then they will hand him over to the Romans* to
be mocked, flogged with a whip, and crucified.
But on the third day he will be raised from the
dead."
20 Then the mother of James and John, the sons
of Zebedee, came to Jesus with her sons. She
knelt respectfully to ask a favor.
21 "What is your request?" he asked. She replied,
"In your Kingdom, please let my two sons sit in
places of honor next to you, one on your right
and the other on your left."
22 But Jesus answered by saying to them, "You
don't know what you are asking! Are you able to
drink from the bitter cup of suffering I am about
to drink?" "Oh yes," they replied, "we are able!"
23 Jesus told them, "You will indeed drink from
my bitter cup. But I have no right to say who will
sit on my right or my left. My Father has
prepared those places for the ones he has
chosen."
24 When the ten other disciples heard what James
and John had asked, they were indignant.
25 But Jesus called them together and said, "You
know that the rulers in this world lord it over
their people, and officials flaunt their authority
over those under them.
26 But among you it will be different. Whoever
wants to be a leader among you must be your
servant,
27 and whoever wants to be first among you must
become your slave.
28 For even the Son of Man came not to be served
but to serve others and to give his life as a
ransom for many."

*20:18 "Son of Man" is a title Jesus used for himself.
*20:19 Greek *the Gentiles*.

17 privately 사적으로, 은밀히 18 betray 밀고하다 sentence 선고하다 19 hand over 넘겨주다 mock 조롱하다 flog 채찍질하다 raise from the dead 부활하다, 소생하다 20 kneel 무릎 꿇다 respectfully 공손하게 22 bitter cup 쓴 잔 23 indeed 참으로, 정말로

• MEMO •

80

월 일

두 사람의 맹인

마태복음 20:29-34

새찬송 288장 | 통일 204장

• 먼저 묵상을 위한 기도를 드린 후, 성경 본문을 2번 이상 읽고 묵상하십시오.

본문요약 | 예수님과 제자들이 예루살렘을 향해 여리고를 떠날 때, 맹인 두 사람이 소리를 지르며 예수님께 도움을 청한다. 무엇을 원하느냐는 예수님의 질문에 그들은 보기를 원한다고 대답했다. 이에 예수님은 그들을 불쌍히 여기시고 그들의 눈을 만져 고쳐 주신다.

개역개정

29 그들이 여리고에서 떠나갈 때에 큰 무리가 예수를 따르더라

30 맹인 두 사람이 길가에 앉았다가 예수께서 지나가신다 함을 듣고 소리 질러 이르되 주여 우리를 불쌍히 여기소서 다윗의 자손이여 하니

31 무리가 꾸짖어 잠잠하라 하되 더욱 소리 질러 이르되 주여 우리를 불쌍히 여기소서 다윗의 자손이여 하는지라

32 예수께서 머물러 서서 그들을 불러 이르시되 너희에게 무엇을 하여 주기를 원하느냐

33 이르되 주여 우리의 눈 뜨기를 원하나이다

34 예수께서 불쌍히 여기사 그들의 눈을 만지시니 곧 보게 되어 그들이 예수를 따르니라

1. 본문에 나타난 예수님은 어떤 분이십니까?

2. 오늘 하나님께서 나에게 주신 깨달음은 무엇입니까?

3. 말씀을 어떻게 내 삶에 구체적으로 적용해야 합니까?

절별 해설

29 여리고에서 떠나갈 때 여리고는 요단 강 서편 사해 근처에 위치한 성읍으로, 예루살렘으로 가기 위해서는 반드시 들러야 하는 곳이었다. 특히 갈릴리에서 사마리아 땅을 거치지 않고 예루살렘으로 가려면 이곳을 통과해야만 했다.

30 주여 우리를 불쌍히 여기소서 다윗의 자손이여 길가에는 맹인 두 사람이 앉아 구걸하고 있었다. 당시 맹인들은 이런 식으로 길에 앉아 사람들의 동정을 구해 살아가고 있었다. 본절의 맹인들은 예루살렘을 향하여 가는 사람들을 대상으로 구걸을 했던 것 같다. 예수님이 지나가신다고 하니 소리를 질러 불쌍히 여겨 달라고 요청한다. 아마도 예수님이 자신들과 같은 맹인을 보게 한다는 소문을 들었을 것이다(9:27–31). 한편, 다른 복음서에는 맹인이 한 명으로, 그 이름을 '바디매오'라고 언급한다(막 10:46). 아마도 맹인 두 명이 있었는데 바디매오가 더 주도적으로 예수님을 찾았던 것 같다.

31 무리가 꾸짖어 잠잠하라 하되 더욱 소리 질러 이르되 맹인들의 외침이 얼마나 컸던지 주변 사람들이 이들을 제지했다. 사람들이 꾸짖은 이유를 정확히 알 수는 없으나, 하찮은 사람들이 예수님의 가시는 길을 소란스럽게 하는 것이 못마땅했던 것 같다. 그러나 그럴수록 맹인들은 더 목소리를 높였다. 이들은 그 누구보다도 다급한 문제를 가지고 있었기에 사람들의 방해에도 아랑곳하지 않고 계속해서 예수님을 찾았던 것이다.

32 예수께서 머물러 서서 예수님은 예루살렘을 향하여 인류를 구속할 계획을 가지고 나아가고 계셨으나 두 맹인의 외침에 발걸음을 멈추셨다. 그 어떤 대단한 일도 어려운 사람들을 사랑하는 예수님의 마음보다 우선할 수는 없었음을 알 수 있다. 이는 예수님이 앞서 말씀하신 대로(28절), 섬김을 받으러 오신 것이 아니라 약한 사람들을 섬기러 오셨다는 말씀을 몸소 보여주신 것이다.

33 예수님은 맹인들의 소원이 무엇인지 다 아셨지만 그것을 물음으로 그들의 입으로 고백하게 하신다. 마음으로 믿는 것도 중요하지만 입으로 시인하는 고백이 중요하다. 로마서는 '입으로 시인하여 구원에 이른다'(롬 10:10)라고 말한다.

34 예수님은 먼저 맹인들을 불쌍히 여기시고 눈을 만져 회복시켜 주셨다. 그들의 필요를 채워 주시는 것만이 아니라 진정으로 그들의 형편을 불쌍히 여기고 만져 주기까지 하심으로, 육적인 치유와 함께 영적인 위로와 사랑도 베풀어 주셨다.

쉬운성경

29 예수님과 제자들이 여리고를 떠날 때, 많은 사람들이 예수님을 따라갔습니다.

30 보지 못하는 사람 두 명이 길가에 앉아 있다가, 예수님께서 지나가시는 소리를 듣고 외쳤습니다. "주님, 저희들을 불쌍히 여겨 주십시오! 다윗의 아들이시여!"

31 사람들이 그들을 꾸짖으며 조용히 하라고 했습니다. 그러나 이 사람들은 더욱 크게 소리 질렀습니다. "주님, 저희들을 불쌍히 여겨 주십시오! 다윗의 자손이시여!"

32 예수님께서 가던 길을 멈추시더니 그 사람들을 불러 말씀하셨습니다. "내가 너희에게 무엇을 해 주길 원하느냐?"

33 그들이 대답했습니다. "주님, 눈을 뜨기를 원합니다."

34 예수님께서 그 보지 못하는 사람들을 불쌍히 여기시고, 그들의 눈을 만지셨습니다. 그 즉시 그들은 시력을 회복하였습니다. 그리고 나서 그들은 예수님을 따랐습니다.

저자의 묵상

본문은 두 맹인이 치유 받은 이야기다. 바디매오가 중심이 된 이 사건은 예수님을 향한 간절한 외침을 통해 이루어진다. 예수님은 간절한 필요를 가지고 자신을 찾는 맹인들을 불쌍히 여기시고 중요한 사역을 위해 가던 길을 멈추시고 먼저 그들의 필요를 들어주셨다. 이를 통해 예수님의 가장 큰 관심이 연약한 사람을 돌보는 것에 있음을 알 수 있다. 아무리 급한 일이나 대단한 일도 사람보다 우선하는 것은 없다. 일 때문에 사람의 마음을 다치게 하거나 도외시하는 것은 예수님의 제자로서 바람직한 태도가 아니다.

한편, 두 맹인은 주변 사람들이 꾸짖었지만 오히려 예수님께 더 크게 외치기 시작했다. 이처럼 예수님을 향한 간절한 소망이 있을 때 다른 사람들의 눈치를 보며 머뭇거려서는 안 된다. 다른 사람들이야 뭐라고 하든지 예수님을 우선적으로 붙드는 사람에게 하나님의 능력이 나타난다.

무릎기도 간절히 주님을 찾으면 만나 주시고 들어주시는 주님을 찬양합니다. 사람들의 시선을 신경 쓰느라 주님과의 우선적 관계를 양보하는 잘못을 하지 않게 하소서.

NLT - Matthew 20

29 As Jesus and the disciples left the town of Jericho, a large crowd followed behind.
30 Two blind men were sitting beside the road. When they heard that Jesus was coming that way, they began shouting, "Lord, Son of David, have mercy on us!"
31 "Be quiet!" the crowd yelled at them. But they only shouted louder, "Lord, Son of David, have mercy on us!"
32 When Jesus heard them, he stopped and called, "What do you want me to do for you?"
33 "Lord," they said, "we want to see!"
34 Jesus felt sorry for them and touched their eyes. Instantly they could see! Then they followed him.

29 disciple 제자 follow 따라가다 30 blind 눈먼 beside ~ ~옆에, 가까이에 shout 소리[고함] 지르다 have mercy on ~ ~을 불쌍히 여기다 31 yell 꾸짖다 34 feel sorry for ~ ~을 불쌍히 여기다 instantly 곧

81

월 일

왕의 입성

마태복음 21:1-11

새찬송 141장 | 통일 132장

• 먼저 묵상을 위한 기도를 드린 후, 성경 본문을 2번 이상 읽고 묵상하십시오.

본문요약 | 예수님은 제자들을 보내어 나귀 새끼를 끌고 오게 하신 후, 그 나귀 새끼를 타고 예루살렘에 들어가신다. 이는 구약 예언의 성취를 위한 것이었다. 제자들이 나귀 등에 자기들의 옷을 깔았고 많은 사람이 옷을 길에 펴고 나뭇가지를 흔들며 예수님을 환호했다.

개역개정

1 그들이 예루살렘에 가까이 가서 감람 산 벳바게에 이르렀을 때에 예수께서 두 제자를 보내시며
2 이르시되 너희는 맞은편 마을로 가라 그리하면 곧 매인 나귀와 나귀 새끼가 함께 있는 것을 보리니 풀어 내게로 끌고 오라
3 만일 누가 무슨 말을 하거든 주가 쓰시겠다 하라 [1]그리하면 즉시 보내리라 하시니
4 이는 선지자를 통하여 하신 말씀을 이루려 하심이라 일렀으되
5 [ㄱ]시온 딸에게 이르기를 네 왕이 네게 임하나니 그는 겸손하여 나귀, 곧 멍에 메는 짐승의 새끼를 탔도다 하라
하였느니라
6 제자들이 가서 예수께서 명하신 대로 하여
7 나귀와 나귀 새끼를 끌고 와서 자기들의 겉옷을 그 위에 얹으매 예수께서 그 위에 타시니
8 무리의 대다수는 그들의 겉옷을 길에 펴고 다른 이들은 나뭇가지를 베어 길에 펴고
9 앞에서 가고 뒤에서 따르는 무리가 소리 높여 이르되 호산나 다윗의 자손이여 찬송하리로다 주의 이름으로 오시는 이여 가장 높은 곳에서 호산나 하더라
10 예수께서 예루살렘에 들어가시니 온 성이 소동하여 이르되 이는 누구냐 하거늘
11 무리가 이르되 갈릴리 나사렛에서 나온 선지자 예수라 하니라

1) 또는 즉시 돌려보내리라 하라 하시니 ㄱ. 사 62:11; 슥 9:9

1. 본문에 나타난 예수님은 어떤 분이십니까?

2. 오늘 하나님께서 나에게 주신 깨달음은 무엇입니까?

3. 말씀을 어떻게 내 삶에 구체적으로 적용해야 합니까?

절별 해설

2 예루살렘을 향하여 가시는 예수님은 제자들을 시켜 나귀와 나귀 새끼를 끌고 오게 하셨고, 아직 아무도 타 보지 않은 나귀 새끼를 타고 입성하셨다(막 11:2,7절). 예수님이 나귀 새끼를 타고 입성하신 까닭은 선지자의 예언을 성취하시기 위한 것이었다(4절).

3 주가 쓰시겠다 하라 제자들이 가서 남의 나귀를 끌고 오면 그 주인이 당연히 제지하며 물을 것을 염두에 둔 말씀이다. 이 말씀처럼 누가복음에 보면 주인이 물었고(눅 19:33), 제자들이 예수님의 말씀처럼 대답했을 때 즉시 허락하였다. 하나님이 나귀 주인의 마음을 감동시키셔서 이런 반응이 나오도록 역사하신 것이다.

5 그는 겸손하여 나귀, 곧 멍에 메는 짐승의 새끼를 탔도다 이는 스가랴 9장 9절에 나온 예언의 인용으로, 유대인의 왕 메시아가 오시면 행할 일을 미리 예언한 부분이다. 왕이 나귀 새끼를 탄 이유를 '그는 겸손하여'라고 기록한다. 제자들은 예수님을 통해 서로 높아지려고 다툼을 벌였지만, 예수님은 나귀 새끼를 타고 세상을 섬기러 오신 겸손한 모습을 보여주셨다.

7 제자들은 나귀 새끼 등에 자신들의 겉옷을 깔았는데, 이것은 당시에 왕의 즉위식에 따른 백성이 보이는 경의의 표시였다(왕하 9:13). 자신들이 입었던 옷을 왕의 밑에 깐다는 것은 왕에 대한 복종을 상징한다. 제자들은 예수님의 입성을 왕의 입성으로 생각하고 있었으며, 이어지는 사람들의 반응도 역시 그러했다(8절).

9 호산나 다윗의 자손이여 '다윗의 자손'이란 표현은 유대인들이 기다렸던 메시아를 가리키는 말이며, '호산나'는 '구원하소서'라는 뜻으로, 예수님 당시에는 왕을 환호하는 의미로 사용되었다.

10 온 성이 소동하여 원문에서는 '지진이 일어나서 땅이 진동했다'는 의미의 단어가 사용되었다. 예수님의 예루살렘 입성은 그만큼 사람들의 열광적이고 뜨거운 관심을 받았다. 또 당시 예루살렘은 유월절을 지키려고 찾아온 수많은 순례자들이 있었기에 그 반응이 더 컸던 것으로 보인다.

쉬운성경

1 예수님과 제자들이 예루살렘에 가까이 오시다가, 올리브 산 기슭에 있는 벳바게라는 곳에 이르렀습니다. 예수님께서는 거기서 두 명의 제자들을 마을로 보내셨습니다.

2 예수님께서 말씀하셨습니다. "너희는 맞은편 마을로 들어가거라. 그러면 당나귀 한 마리가 새끼와 함께 묶여 있는 것을 발견할 것이다. 그 당나귀를 풀어서 나에게 가져오너라.

3 만일 누가 너희에게 무슨 말을 하거든, '주님이 필요하시답니다'라고 하여라. 그러면 즉시 내어줄 것이다."

4 이것은 예언자가 말한 것을 이루려고 하신 것이었습니다.

5 "시온의 딸에게 말하여라. '보아라. 네 왕이 네게로 오신다. 그는 겸손하여 당나귀를 탔는데, 어린 당나귀, 곧 나귀 새끼를 타고 오신다.'"*

6 두 제자들이 가서 예수님께서 지시하신 그대로 했습니다.

7 그들은 당나귀와 그 새끼를 데리고 와서, 그 등에 자기들의 옷을 깔았습니다. 예수님께서는 그 위에 앉으셨습니다.

8 수많은 사람들이 자기 옷을 벗어 길에 깔았고, 나뭇가지를 잘라 똑같이 했습니다.

9 예수님의 앞뒤에서 따라가던 사람들이 소리쳤습니다. "다윗의 아들에게 호산나! 주님의 이름으로 오시는 분이 복되도다! 높은 곳에서 호산나!"*

10 예수님께서 예루살렘으로 들어가셨을 때, 온 도시는 흥분으로 가득 찼습니다. 사람들이 물었습니다. "이 사람이 누구냐?"

11 사람들이 대답했습니다. "이 사람은 갈릴리 나사렛 출신의 예수라는 예언자입니다."

*21:5 슥 9:9에 기록되어 있다.
*21:9 시 118:26과 148:1에 기록되어 있다.

저자의 묵상

예루살렘에 입성하시는 예수님을 제자들과 사람들은 왕으로 영접했고 열광적으로 환영했으나, 정작 예수님은 겸손하게 나귀 새끼를 타고 입성하셨다. 이것은 예수님이 하시려는 일의 본질을 드러내는 것이었다. 즉, 사람들의 기대와 달리 왕으로서의 영광을 취하시려는 입성이 아니라, 죄인들을 섬기기 위해 죽으러 감을 보이신 입성이었다.

오늘날도 사람들 가운데는 예수님을 열광적으로 찾는 사람들이 있으나, 그 이유가 이 땅에서 자신의 목적을 이루기 위함인 사람들이 많다. 그러나 예수님은 그것을 거절하시며 세상적인 기대에 겸손함과 초라함을 보이심으로 기독교의 본질을 드러내실 것이다. 진정한 기독교는 육신의 영광이 아니라 영혼의 구원이다. 교회와 성도는 세상적인 영광을 취하려 하지 말고 영혼을 섬기는 일에 매진해야 한다.

무릎 기도 주님의 겸손하시고 초라한 입성을 보며 저희들이 갈 길을 깨닫게 됩니다. 복음으로 성공하려 하기보다는 하나님 나라를 위해 섬기고 헌신하는 삶을 살게 하소서.

NLT - Matthew 21

1 As Jesus and the disciples approached Jerusalem, they came to the town of Bethphage on the Mount of Olives. Jesus sent two of them on ahead.

2 "Go into the village over there," he said. "As soon as you enter it, you will see a donkey tied there, with its colt beside it. Untie them and bring them to me.

3 If anyone asks what you are doing, just say, 'The Lord needs them,' and he will immediately let you take them."

4 This took place to fulfill the prophecy that said,

5 "Tell the people of Jerusalem,* 'Look, your King is coming to you. He is humble, riding on a donkey? riding on a donkey's colt.'"*

6 The two disciples did as Jesus commanded.

7 They brought the donkey and the colt to him and threw their garments over the colt, and he sat on it.*

8 Most of the crowd spread their garments on the road ahead of him, and others cut branches from the trees and spread them on the road.

9 Jesus was in the center of the procession, and the people all around him were shouting, "Praise God* for the Son of David! Blessings on the one who comes in the name of the LORD! Praise God in highest heaven!"*

10 The entire city of Jerusalem was in an uproar as he entered. "Who is this?" they asked.

11 And the crowds replied, "It's Jesus, the prophet from Nazareth in Galilee."

*21:5a Greek *Tell the daughter of Zion.* Isa 62:11.
*21:5b Zech 9:9.
*21:7 Greek *over them, and he sat on them.*
*21:9a Greek *Hosanna,* an exclamation of praise that literally means "save now"; also in 21:9b, 15.
*21:9b Ps 118:25–26; 148:1.

1 approach 가까이 가다 on ahead 먼저 2 donkey 당나귀 colt 망아지 unite 풀다 3 immediately 즉시 4 fulfill 이행하다, 수행하다 prophecy 예언 5 humble 겸손한, 낮은 ride on ~ ~을 타고 가다 7 garment 의복 8 spread … on ~ ~을 …에 펼치다 9 procession 행렬 in the name of ~ ~의 이름으로 10 uproar 대소동 11 prophet 예언자, 선지자

82

월 일

기도하는 집

마태복음 21:12-17

새찬송 208장 | 통일 246장

• 먼저 묵상을 위한 기도를 드린 후, 성경 본문을 2번 이상 읽고 묵상하십시오.

본문요약 | 예루살렘에서 예수님은 성전에 들어가셔서 물건을 사고파는 사람들을 모두 몰아내시고 돈 바꾸어 주는 자들의 상을 엎으셨다. 또 '내 집은 기도하는 집'이라고 선언하시며 강도의 소굴로 만들지 말라고 하셨다. 예수님은 성전에서 병자들을 고치시며 어린 아기와 젖먹이들의 찬미를 받으셨다.

개역개정

12 예수께서 성전에 들어가사 성전 안에서 매
매하는 모든 사람들을 내쫓으시며 돈 바꾸
는 사람들의 상과 비둘기 파는 사람들의
의자를 둘러 엎으시고
13 그들에게 이르시되 기록된 바 ㄱ내 집은 기
도하는 집이라 일컬음을 받으리라 하였거
늘 너희는 ㄴ강도의 소굴을 만드는도다 하
시니라
14 맹인과 저는 자들이 성전에서 예수께 나아
오매 고쳐 주시니
15 대제사장들과 서기관들이 예수께서 하시
는 이상한 일과 또 성전에서 소리 질러 호
산나 다윗의 자손이여 하는 어린이들을 보
고 노하여
16 예수께 말하되 그들이 하는 말을 듣느냐
예수께서 이르시되 ㄷ그렇다 어린 아기와
젖먹이들의 입에서 나오는 찬미를 온전하
게 하셨나이다 함을 너희가 읽어 본 일이
없느냐 하시고
17 그들을 떠나 성 밖으로 베다니에 가서 거
기서 유하시니라

ㄱ. 사 56:7 ㄴ. 렘 7:11 ㄷ. 시 8:2

1. 본문에 나타난 예수님은 어떤 분이십니까?

2. 오늘 하나님께서 나에게 주신 깨달음은 무엇입니까?

3. 말씀을 어떻게 내 삶에 구체적으로 적용해야 합니까?

12 성전 헤롯에 의해 지어진 '헤롯 성전'을 가리킨다. 역사상 이스라엘에는 솔로몬 성전, 스룹바벨 성전, 헤롯 성전이 있었다. 헤롯 성전은 당시 헤롯이 유대인의 종교적 환심을 사기 위해 스룹바벨 성전을 헐고 다시 지은 것이다. 성전은 안쪽부터 성소와 지성소가 있는 성전 본체, 제사장의 뜰, 이스라엘 남자들을 위한 이스라엘인의 뜰, 여인의 뜰, 이방인의 뜰, 성전 외벽으로 구성되어 있었다. 그중 이방인의 뜰에서 장사가 이루어지고 있었다.

성전 안에서 매매하는 모든 사람들, 돈 바꾸는 사람들, 비둘기 파는 사람들 성전의 이방인의 뜰에서 제사를 위한 물품이 매매되었다. 먼 곳에서 예루살렘으로 오는 사람들은 소나 양 등의 제물을 직접 가지고 오기 곤란했고, 가지고 와도 검수과정에서 흠이 있어 탈락하는 경우가 많았다. 그래서 제사장들이 성전 장사꾼들과 결탁하여 성전에서 물건을 구입하도록 유도했던 것이다. 또한 한 해에 한 차례 성인 남성은 반 세겔의 성전세를 내야 했는데, 이것을 당시 널리 통용되던 로마 화폐가 아닌 유대 화폐로 내야만 했기에, 상인들은 이를 바꾸어 주며 이익을 취하고 일부를 제사장들에게 상납하였다. 모두가 성전 의식을 돕는다는 명목으로 행해지고 있었던 일이었지만, 사실상 검은돈이 오가며 하나님의 이름을 팔아 인간의 욕심을 채우는 현장이었다.

13 내 집은 기도하는 집이라 일컬음을 받으리라 이사야 56장 7절의 인용으로, 성전의 원래 기능은 하나님께 예배하며 만민이 기도하는 곳이었다. 그러나 유대인들이 이방인의 뜰에서 장사하며 흥정하였기에, 이방인들은 제대로 기도할 수가 없었을 것이다.

강도의 소굴 예수님은 예레미야 7장 11절을 인용하시며, 성전의 본래 기능이 사라지고 강도들의 소굴이 되어 버렸다고 한탄하신다.

14 유대인들은 레위기 21장 18절을 근거로 신체장애가 있는 사람들의 성전 출입을 제한하였다. 그러나 레위기 말씀은 신체장애를 가진 사람들을 차별할 의도로 주어진 것이 아니라, 하나님께 나아가는 제사장이 완전해야 함을 나타낸 규정이다. 이것은 신약에 와서 완전하신 제물이자 제사장이신 예수 그리스도를 예표하는 말씀이자(히 9:11-15), 성도가 하나님 앞에서 거룩하고 흠이 없어야 한다는 영적인 말씀으로 이해해야 한다(살전 5:23; 벧전 2:9). 그 때문에 예수님은 병자들을 고치심으로 성전의 진정한 의미를 드러내신 것이다.

쉬운성경

12 예수님께서 성전에 들어가셨습니다. 예수님께서는 성전에서 사고파는 사람들을 모두 내쫓으시며, 돈 바꾸어 주는 사람들의 책상과 비둘기 파는 사람들의 의자를 둘러엎으셨습니다.

13 그리고 사람들에게 말씀하셨습니다. "'내 집은 기도하는 집이라 불릴 것이다'*라고 성경에 기록되어 있는데, 너희는 오히려 '강도들의 소굴'*로 바꾸어 버렸다."

14 성전에서 보지 못하는 사람들과 다리를 저는 사람들이 예수님께 오자, 예수님께서는 그들을 고쳐 주셨습니다.

15 대제사장들과 율법학자들이, 예수님께서 하신 여러 가지 놀라운 일들과 "다윗의 자손에게 호산나!"라고 외치는 아이들을 보았습니다. 그들은 매우 화가 났습니다.

16 그래서 예수님께 말했습니다. "이 어린이들이 말하는 것이 들립니까?" 예수님께서 대답하셨습니다. "그렇다. 너희는 성경에서 읽지 못하였느냐? '어린이와 젖먹이들의 입으로 찬양을 준비하셨다.'"

17 예수님께서 그곳을 떠나 베다니라는 마을로 가셔서, 거기서 밤을 보내셨습니다.

*21:13 사 56:7에 기록되어 있고, 렘 7:11에 기록되어 있다.

16 어린 아기와 젖먹이들의 입에서 나오는 찬미를 온전하게 하셨나이다 시편 8편 2절의 인용이다. 가장 나약한 어린 아기와 젖먹이를 통해 하나님의 능력을 나타내셔서 대적들을 잠잠하게 하신다는 뜻으로 쓰였다. 본문에서도 아이들의 외침을 통해 당시 대제사장과 율법학자들의 지식을 무색하게 하신다는 의미로 사용되었다.

저자의 묵상

예루살렘의 헤롯 성전은 지어진 동기부터가 유대인의 환심을 사기 위한 목적이었고, 당시 그 안에서 행해지는 제사와 예배에도 많은 문제가 있었다. 예수님은 십자가에 달리시기 전 마지막 주간을 이 땅에서 지내시며 이런 성전 문제에 직면하셨다. 제사장들은 하나님을 위한다고 하면서 실제로는 성전의 의식을 이용해 정작 사람들의 배를 채우고 있었고, 검은돈이 오가며 온갖 타락이 난무하고 있었다. 그러므로 인간이 내세우는 명분을 볼 것이 아니라 실제의 모습이 어떠한가가 중요하다. 진정으로 하나님을 섬길 의사가 있는지를 확인해야 한다.

오늘날의 교회 예배도 하나님을 위한다고 하면서 실제로는 인간을 위한 온갖 편리주의와 상업주의가 판을 치고 있다. 진정으로 하나님이 기뻐하시는 것이 무엇인가를 생각하고, 우리가 드리는 모든 예배의 초점이 하나님께 맞추어져야 할 때다.

무릎 기도 하나님, 교회가 갖는 본래의 기능인 하나님을 향한 온전한 예배와 이웃을 향한 치유를 우리 교회도 추구할 수 있게 해 주소서.

NLT - Matthew 21

12 Jesus entered the Temple and began to drive out all the people buying and selling animals for sacrifice. He knocked over the tables of the money changers and the chairs of those selling doves.

13 He said to them, "The Scriptures declare, 'My Temple will be called a house of prayer,' but you have turned it into a den of thieves!"*

14 The blind and the lame came to him in the Temple, and he healed them.

15 The leading priests and the teachers of religious law saw these wonderful miracles and heard even the children in the Temple shouting, "Praise God for the Son of David." But the leaders were indignant.

16 They asked Jesus, "Do you hear what these children are saying?" "Yes," Jesus replied. "Haven't you ever read the Scriptures? For they say, 'You have taught children and infants to give you praise.'*"

17 Then he returned to Bethany, where he stayed overnight.

*21:13 Isa 56:7; Jer 7:11.
*21:16 Ps 8:2.

12 drive out 추방하다, 쫓아내다 knock over 뒤집어엎다 13 Scripture 성경 declare 선언하다 turn … into ~ …을 ~으로 바꾸다 den 소굴 thief 강도 14 blind 눈먼 lame 절름발이의 heal 치유하다, 고치다 15 priest 제사장 indignant 분개한, 화난 16 infant 유아 17 stay overnight 하룻밤 머무르다

83 무화과나무를 저주하시는 예수님

월 일

마태복음 21:18-22

새찬송 365장 | 통일 484장

• 먼저 묵상을 위한 기도를 드린 후, 성경 본문을 2번 이상 읽고 묵상하십시오.

본문요약 | 이른 아침에 시장기를 느끼신 예수님이 잎이 무성한 무화과나무에서 열매를 구하셨으나 얻지 못하신다. 이에 예수님은 나무를 저주하셨고 즉시 나무는 말라 버렸다. 제자들이 이 사건을 보고 놀라자, 예수님은 진정한 믿음으로 구하는 것은 무엇이든지 이루어진다고 말씀하신다.

개역개정

18 이른 아침에 성으로 들어오실 때에 시장
하신지라
19 길가에서 한 무화과나무를 보시고 그리로
가사 잎사귀밖에 아무것도 찾지 못하시고
나무에게 이르시되 이제부터 영원토록 네
가 열매를 맺지 못하리라 하시니 무화과나
무가 곧 마른지라
20 제자들이 보고 이상히 여겨 이르되 무화과
나무가 어찌하여 곧 말랐나이까
21 예수께서 대답하여 이르시되 내가 진실로
너희에게 이르노니 만일 너희가 믿음이 있
고 의심하지 아니하면 이 무화과나무에게
된 이런 일만 할 뿐 아니라 이 산더러 들려
바다에 던져지라 하여도 될 것이요
22 너희가 기도할 때에 무엇이든지 믿고 구하
는 것은 다 받으리라 하시니라

1. 오늘 하나님께서 나에게 주신 깨달음은 무엇입니까?

2. 말씀을 어떻게 내 삶에 구체적으로 적용해야 합니까?

절별 해설

18 이른 아침에 이때는 고난주간의 월요일 아침을 가리킨다. 예수님은 주일에 예루살렘에 입성하셨다가 예루살렘에서 3.2킬로미터 떨어진 베다니로 가셨고(17절), 월요일 아침에 다시 예루살렘으로 돌아오셨다. 이때 예수님은 시장기를 느끼셨다. 하나님이시지만 완전한 인성을 가지신 예수님은 우리와 똑같이 배고픔을 느끼셨고 슬픔과 기쁨도 느끼셨다. 즉, 인간이 체험하는 모든 감정과 고통을 함께 느끼시는 분으로 우리에게 오셨다.

19 무화과나무 무화과나무 열매는 가난한 사람들이 흔히 양식으로 사용하였다고 한다. 예수님은 시장기를 느끼시고 열매를 얻으려고 나무로 다가가셨다. 그러나 아무것도 얻지 못하셨는데, 그때는 무화과 열매가 열리는 계절이 아니었기 때문이다(막 11:13). 그럼에도 예수님은 무화과나무가 다시는 열매를 맺지 못할 것이라고 저주하셨고 즉시 나무는 말라 버린다. 이것은 예수님이 개인적으로 화가 나셔서 한 행동이 아니라, 무화과나무가 상징하는 이스라엘에 대한(호 9:10) 상징적 저주 사건으로 이해해야 한다. 성전 정화 사건에 이어 당시 이스라엘 백성의 온전한 마음이 없는 신앙생활에 대한 심판을 경고하신 것이다.

20 제자들이 보고 이상히 여겨 제자들은 나무가 신속하게 말라 버린 것을 보고 놀란다. 마가복음에 보면 예수님이 무화과나무를 저주하신 후 어느 정도 시간이 걸린 것으로 기록되었는데(막 11:12-14), 이는 마태가 예수님의 능력이 즉각적으로 나타나는 것을 시점으로 본문을 기록하고 있기 때문에 생기는 차이일 뿐이다.

21 예수님은 신속하게 나타난 결과를 보고 놀라는 제자들에게 믿음이 가지는 힘을 교훈하신다. 의심하지 않는 믿음은 나무뿐만이 아니라 더 큰 산이라도 옮길 수 있으며 불가능을 가능하게 한다고 하신다. 한편, 마태복음의 앞선 사건에서도 겨자씨 한 알만한 믿음만 있어도 산을 옮긴다고 하신 적이 있다(17:20). 작아도 겨자씨처럼 생명력이 있는 진정한 믿음은 어떤 일도 이룰 수 있다.

22 본절에서는 믿음이 있는 기도의 중요성을 말씀하신다. 그렇다고 아무것이나 믿고 구한다고 다 되는 것은 아니다. 잘못된 욕심으로 구하는 기도는 응답되지 않기 때문이다(약 4:3). 하나님을 온전히 믿고 말씀을 따라 구하는 기도는 모두 응답된다는 말씀이다.

쉬운성경

18 아침이 되어, 예수님께서 예루살렘으로 돌아오실 때, 몹시 시장하셨습니다.

19 마침 길 옆에 있는 무화과나무 한 그루를 보시고, 나무 곁으로 다가가셨습니다. 그러나 그 나무에는 잎사귀만 있을 뿐 열매는 보이지 않았습니다. 예수님께서 그 나무를 향해 말씀하셨습니다. "다시는 네가 열매를 맺지 못할 것이다!" 그러자 즉시 나무가 말라 버렸습니다.

20 이것을 본 제자들이 놀라서 물었습니다. "어떻게 무화과나무가 그렇게 빨리 말라 버렸습니까?"

21 예수님께서 제자들에게 대답하셨습니다. "내가 너희에게 진정으로 말한다. 너희가 만일 의심하지 않고 믿기만 한다면, 내가 이 나무에게 한 것을 너희도 할 수 있다. 그뿐 아니라 이 산더러 '산아, 들려서 바다에 떨어져라' 하고 말하면, 이것 역시 그대로 될 것이다.

22 너희가 믿고 기도로 구하는 것은 모두 받을 것이다."

저자의 묵상

예수님은 평소에 사랑이 많으신 분으로 성경에서 묘사된다. 물론 성전 정화 사건 때와 같이 가끔 분노하신 적도 있지만, 그분은 공생애 기간 동안 사람들을 살리고 고치는 일을 하신 분이다. 그런데 본문에서 보면, 예수님은 한낱 무화과나무에 저주를 내리신다. 그것도 표면적으로 보면, 예수님이 배가 고프신데 열매를 얻을 수 없자 분노하시어 그렇게 하신 것처럼 보인다. 그러나 본문의 진정한 의미는 그런 것이 아니다. 예수님은 열매 없이 잎만 무성한 무화과나무에 대한 저주를 통해, 하나님을 알고 있다고는 하지만 진정한 믿음이 없는 이스라엘 백성을 책망하고 심판을 경고하신 것이다.

예수님의 이 경고처럼 이스라엘과 예루살렘 성전은 AD 70년에 멸망한다. 성경은 열매를 강조한다. 아무리 신앙이 좋은 것처럼 보이고 겉이 번지르르해도 열매가 없다는 것은 진정한 믿음의 내용이 없는 것을 의미하기 때문이다.

무릎 기도 하나님, 그럴듯한 경건의 모양만 가진 신앙인이 되지 않게 하소서. 진정한 경건의 능력을 소유한 하나님의 백성이 되길 기도합니다.

NLT - Matthew 21

18 In the morning, as Jesus was returning to
Jerusalem, he was hungry,
19 and he noticed a fig tree beside the road. He
went over to see if there were any figs, but there
were only leaves. Then he said to it, "May you
never bear fruit again!" And immediately the fig
tree withered up.
20 The disciples were amazed when they saw this
and asked, "How did the fig tree wither so
quickly?"
21 Then Jesus told them, "I tell you the truth, if you
have faith and don't doubt, you can do things
like this and much more. You can even say to
this mountain, 'May you be lifted up and thrown
into the sea,' and it will happen.
22 You can pray for anything, and if you have faith,
you will receive it."

19 notice 주목하다, 알아차리다 fig 무화과 immediately 즉시 wither 시들다, 말라죽다 20 disciple 제자 be amazed 어안이 벙벙하다 21 doubt 의심하다 throw into ~ ~에 빠뜨리다 22 pray for ~ ~를 위해 기도하다 receive 받다

84

월 일

예수님의 권한과 두 아들의 비유

마태복음 21:23-32

새찬송 96장 | 통일 94장

• 먼저 묵상을 위한 기도를 드린 후, 성경 본문을 2번 이상 읽고 묵상하십시오.

본문요약 | 예수님이 성전에서 가르치실 때 유대의 종교지도자들이 나아와 트집을 잡는다. 이에 예수님은 역질문을 하심으로 그들의 말문을 막으신다. 또 예수님은 '두 아들의 비유'를 통해 세리들과 창녀들이 그들보다 먼저 하나님의 나라에 들어간다고 말씀하신다.

개역개정

23 예수께서 성전에 들어가 가르치실새 대제
사장들과 백성의 장로들이 나아와 이르되
네가 무슨 권위로 이런 일을 하느냐 또 누
가 이 권위를 주었느냐
24 예수께서 대답하시되 나도 한 말을 너희에
게 물으리니 너희가 대답하면 나도 무슨
권위로 이런 일을 하는지 이르리라
25 요한의 1)세례가 어디로부터 왔느냐 하늘
로부터냐 사람으로부터냐 그들이 서로 의
논하여 이르되 만일 하늘로부터라 하면 어
찌하여 그를 믿지 아니하였느냐 할 것이요
26 만일 사람으로부터라 하면 모든 사람이 요
한을 선지자로 여기니 백성이 무섭다 하여
27 예수께 대답하여 이르되 우리가 알지 못
하노라 하니 예수께서 이르시되 나도 무
슨 권위로 이런 일을 하는지 너희에게 이
르지 아니하리라
28 그러나 너희 생각에는 어떠하냐 어떤 사
람에게 두 아들이 있는데 맏아들에게 가
서 이르되 얘 오늘 포도원에 가서 일하라
하니
29 대답하여 이르되 아버지 가겠나이다 하더
니 가지 아니하고
30 둘째 아들에게 가서 또 그와 같이 말하니
대답하여 이르되 싫소이다 하였다가 그 후
에 뉘우치고 갔으니
31 그 둘 중의 누가 아버지의 뜻대로 하였느
냐 이르되 둘째 아들이니이다 예수께서 그
들에게 이르시되 내가 진실로 너희에게 이
르노니 세리들과 창녀들이 너희보다 먼저
하나님의 나라에 들어가리라
32 요한이 의의 도로 너희에게 왔거늘 너희는
그를 믿지 아니하였으되 세리와 창녀는 믿
었으며 너희는 이것을 보고도 끝내 뉘우쳐
믿지 아니하였도다

1) 헬, 또는 침례

1. 오늘 하나님께서 나에게 주신 깨달음은 무엇입니까?

2. 말씀을 어떻게 내 삶에 구체적으로 적용해야 합니까?

절별 해설

23 네가 무슨 권위로 이런 일을 하느냐 예수님을 곤경에 빠뜨리려는 부정적인 의도가 담긴 질문이었다. 그 권한을 하나님이 주셨다고 하면 신성모독죄로 몰아갈 수 있고, 특정 사람이 주었다고 하면 권한 자체를 인정하지 않으려는 속셈이었다. 대제사장들과 장로들은 자신들이야말로 하나님이 성전을 위해 세우신 유일한 권한을 가진 사람들이라고 자처하고 있었다. 그러나 이들의 입장이 예수님과 충돌하고 있다는 것 자체가 당시 종교지도자들이 하나님으로부터 멀어져 있다는 것을 증명해 준다.

26 백성이 무섭다 하여 대제사장들과 장로들이 서로 의논하며 하는 말이다. 이들은 하나님을 두려워하기보다는 백성을 두려워하고 있었다. 이 사실은 이들의 관심이 오직 자신들이 누리는 지위를 지키는 것에 있음을 보여준다.

27 우리가 알지 못하노라 이들은 예수님의 질문에 답변을 회피했다. 세례 요한의 권한이 하늘로부터인지 사람으로부터인지 확인해 줄 수 없는 것이 이들의 공식 입장이었다. 세례 요한은 예수님을 자신보다 높은 분으로 선포했기에, 요한을 인정하면 예수님을 부정할 수 없는 것이고, 그렇다고 요한을 부정하는 것은 백성 때문에 할 수 없었다.

28 본절에서 '어떤 사람'은 하나님을 가리킨다. '두 아들' 중 '맏아들'은 예수님을 음해하고 권위에 대해 질문한 유대 종교지도자들을 말하고(23절), '둘째 아들'은 세리들과 창녀들을 의미한다. '포도원'은 하나님의 명령을 따라 성도가 감당해야 하는 모든 일을 가리킨다.

29 맏아들은 말로는 하겠다고 했으나 실제 행동은 그렇지 않았다. 결국은 아버지의 말을 듣는 척한 것이지 진정한 경청은 아니었던 것이다. 즉, 유대 종교지도자들이 겉으로는 하나님의 말씀을 잘 듣는 것 같지만, 실제로는 자신들의 욕심을 채우고 세례 요한이나 예수님을 믿지 않았음을 비유적으로 말씀한 것이다.

30 둘째 아들에게 가서 또 그와 같이 말하니 둘째 아들도 맏아들과 똑같은 명령을 받았다. 하나님의 말씀이 받아들이는 자나 거절하는 자 모두에게 동일하게 주어졌다는 것이 중요하다. 그럼에도 다른 반응이 나타난 것은 결국 이들 각자의 책임인 것을 본문은 강하게 암시한다. 한편, 둘째 아들은 아버지의 명령을 받고 싫다고 말했으나 나중에 마음을 바꾸어 일하러 갔다.

쉬운성경

23 예수님께서 성전에 오셔서 가르치실 때, 대제사장과 백성의 장로들이 와서 물었습니다. "당신은 무슨 권한으로 이런 일을 하는 것이오? 누가 당신에게 이런 권한을 주었소?"

24 예수님께서 이들에게 대답하셨습니다. "나도 너희들에게 한 가지를 묻겠다. 만일 나에게 대답하면, 내가 무슨 권한으로 이런 일을 하는지 말해 주겠다.

25 요한의 세례가 하늘로부터 온 것이냐? 아니면 사람에게서 온 것이냐?" 제사장들과 장로들이 서로 의논을 하였습니다. "만일 우리가 '하늘로부터 왔다'고 하면, '그러면 어째서 너희는 요한을 믿지 않았느냐?'라고 말할 것이고,

26 그렇다고 '사람에게서 왔다'고 하자니, 백성들이 두렵구나. 왜냐하면 모든 백성들이 그를 예언자라고 믿고 있기 때문이다."

27 그래서 그들은 예수님께 대답했습니다. "우리는 알지 못하오." 그러자 예수님께서 말씀하셨습니다. "그러면 나도 너희에게 내가 어떤 권한으로 이런 일들을 하는지 말하지 않겠다!"

28 "너희는 어떻게 생각하느냐? 어떤 사람에게 두 아들이 있었다. 그가 첫째 아들에게 가서 말했다. '아들아, 오늘은 포도밭에 가서 일해라.'

29 그 아들은 '싫습니다'라고 대답했다. 그러나 나중에 마음을 바꾸고 포도밭으로 갔다.*

30 이번에는 둘째 아들에게 가서 아까와 똑같이 말했다. 둘째 아들은 대답했다. '예, 그렇게 하겠습니다.' 그러나 실제로는 가지 않았다.*

세리들과 창녀들은 처음에는 하나님의 말씀을 어기고 많은 세금을 거두어 백성을 어렵게 하거나 몸을 팔아 죄를 지었다. 그러나 그들은 하나님의 말씀에 반응하여 죄를 회개하고 하나님의 명령을 따랐다.

31 그 둘 중의 누가 아버지의 뜻대로 하였느냐 두 아들 모두 문제를 가지고 있었다. 맏아들은 말은 그럴듯하게 했으나 실제 행동은 하지 않았다. 둘째 아들은 처음에는 하나님의 말씀을 거절하고 듣지 않는 문제를 가졌다. 그러나 끝이 중요했다. 마지막에 누가 아버지의 뜻을 따랐느냐에 따라 그의 삶이 평가를 받는 것이다.

31 두 아들 가운데서 누가 아버지의 뜻대로 행했느냐?" 그들이 대답했습니다. "첫째 아들입니다."* 예수님께서 그들에게 말씀하셨습니다. "내가 너희에게 진정으로 말한다. 세리와 창녀들이 너희보다 먼저 하나님의 나라에 들어갈 것이다.

32 요한이 올바른 길로 너희에게 왔으나, 너희는 그를 믿지 않았다. 그러나 세리와 창녀들은 그를 믿었다. 너희는 이것을 보고도 여전히 회개하지 않고, 그를 믿지 않았다."

*21:29 다른 고대 사본들에는 "그런데 그는 '예, 가겠습니다. 아버지!' 하고서는 가지 않았다"라고 표기되어 있다.

*21:30 다른 고대 사본들에는 "아버지가 둘째 아들에게 가서 같은 말을 하였다. 둘째 아들은 '싫습니다' 하고 말하였다. 그러나 그 뒤에 뉘우치고 일하러 갔다"라고 표기되어 있다.

*21:31 다른 고대 사본들에는 "둘째 아들입니다"라고 표기되어 있다.

저자의 묵상

대제사장들과 백성의 장로들이 예수님께 의도적인 질문을 던지고 예수님을 적대시한 이유는 대중에 대한 통솔력을 유지하기 위해서였다. 그들은 예수님이 종교적으로 큰 영향력을 가지실수록 자신들의 입지가 좁아진다고 여겼기 때문이다. 그래서 그들은 질문을 통해 예수님을 곤경에 빠뜨리려고 했으나 이를 간파하신 예수님에 의해 오히려 곤경에 처한다. 하나님을 적대시하는 세력의 어떤 시도도 성공하지 못함을 알 수 있다.

한편, 예수님이 말씀하신 '두 아들의 비유'를 통해서, 우리는 두 아들이 같은 명령을 들었으나 서로 다른 반응을 보이는 것을 본다. 이 비유에서처럼 하나님은 구원받을 자에게만 더 큰 은혜로운 말씀을 하시고 그렇지 않은 자에게는 조금 말씀하신 것이 아니다. 하나님의 은혜는 언제나 누구에게나 동일하게 임하시는데, 그것에 대한 반응이 다른 것은 인간의 태도가 다르기 때문이다. 결국 인생의 진정한 문제는 외부에 있지 않으며 내 자신에게 있음을 말씀하신 것이다.

무릎 기도 | 하나님, 제 입장을 지키기 위해서 주님을 배반하지 않게 하소서. 또 하나님의 말씀을 끝까지 지켜 내는 믿음을 주셔서 언제나 충성하길 원합니다.

23 When Jesus returned to the Temple and began
teaching, the leading priests and elders came
up to him. They demanded, "By what authority
are you doing all these things? Who gave you
the right?"
24 "I'll tell you by what authority I do these things if
you answer one question," Jesus replied.
25 "Did John's authority to baptize come from
heaven, or was it merely human?" They talked it
over among themselves. "If we say it was from
heaven, he will ask us why we didn't believe
John.
26 But if we say it was merely human, we'll be
mobbed because the people believe John was
a prophet."
27 So they finally replied, "We don't know." And
Jesus responded, "Then I won't tell you by what
authority I do these things.
28 "But what do you think about this? A man with
two sons told the older boy, 'Son, go out and
work in the vineyard today.'
29 The son answered, 'No, I won't go,' but later he
changed his mind and went anyway.
30 Then the father told the other son, 'You go,' and
he said, 'Yes, sir, I will.' But he didn't go.
31 "Which of the two obeyed his father?" They
replied, "The first."* Then Jesus explained his
meaning: "I tell you the truth, corrupt tax
collectors and prostitutes will get into the
Kingdom of God before you do.
32 For John the Baptist came and showed you the
right way to live, but you didn't believe him,
while tax collectors and prostitutes did. And
even when you saw this happening, you
refused to believe him and repent of your sins.

*21:29–31 Other manuscripts read *"The second."* In still other manuscripts the first son says "Yes" but does nothing, the second son says "No" but then repents and goes, and the answer to Jesus' question is that the second son obeyed his father.

23 elder 장로 come up to ~ ~까지 오다 authority 권위, 권한 25 baptize 세례를 베풀다 merely 단지 (~에 불과한)
26 mob 떼를 지어 습격하다 31 obey 따르다, 순종하다 32 refuse to ~ ~하기를 거부하다 repent 회개하다

• MEMO •

85

월 일

악한 농부들의 비유

마태복음 21:33-46

새찬송 50장 | 통일 71장

• 먼저 묵상을 위한 기도를 드린 후, 성경 본문을 2번 이상 읽고 묵상하십시오.

본문요약 | 포도원 주인이 추수 때 밭을 빌려준 농부들에게 종들을 보낸다. 그런데 농부들은 종들을 죽이고 후에는 주인의 아들까지 죽이며 그의 유산을 강탈하고자 한다. 이 악한 농부들의 비유를 듣는 사람들은 악인이 죽고 다른 농부들이 포도원을 소작할 것이라고 대답한다. 이에 예수님은 하나님 나라를 거절하는 유대인은 빼앗기고 열매를 맺는 다른 민족이 차지하게 된다고 말씀하신다.

개역개정

33 다른 한 비유를 들으라 한 집주인이 포도
원을 만들어 산울타리로 두르고 거기에 즙
짜는 틀을 만들고 망대를 짓고 농부들에게
세로 주고 타국에 갔더니
34 열매 거둘 때가 가까우매 그 열매를 받으
려고 자기 종들을 농부들에게 보내니
35 농부들이 종들을 잡아 하나는 심히 때리고
하나는 죽이고 하나는 돌로 쳤거늘
36 다시 다른 종들을 처음보다 많이 보내니
그들에게도 그렇게 하였는지라
37 후에 자기 아들을 보내며 이르되 그들이
내 아들은 존대하리라 하였더니
38 농부들이 그 아들을 보고 서로 말하되 이
는 상속자니 자 죽이고 그의 유산을 차지
하자 하고
39 이에 잡아 포도원 밖에 내쫓아 죽였느니라
40 그러면 포도원 주인이 올 때에 그 농부들
을 어떻게 하겠느냐
41 그들이 말하되 그 악한 자들을 진멸하고
포도원은 제때에 열매를 바칠 만한 다른
농부들에게 세로 줄지니이다
42 예수께서 이르시되 너희가 성경에
ㄱ건축자들이 버린 돌이 모퉁이의 머릿
돌이 되었나니 이것은 주로 말미암아 된
것이요 우리 눈에 기이하도다
함을 읽어 본 일이 없느냐
43 그러므로 내가 너희에게 이르노니 하나님
의 나라를 너희는 빼앗기고 그 나라의 열
매 맺는 백성이 받으리라
44 이 돌 위에 떨어지는 자는 깨지겠고 이 돌
이 사람 위에 떨어지면 그를 가루로 만들
어 흩으리라 하시니
45 대제사장들과 바리새인들이 예수의 비유
를 듣고 자기들을 가리켜 말씀하심인 줄
알고
46 잡고자 하나 무리를 무서워하니 이는 그들
이 예수를 선지자로 앎이었더라

ㄱ. 시 118:22 이하

1. 오늘 하나님께서 나에게 주신 깨달음은 무엇입니까?

2. 말씀을 어떻게 내 삶에 구체적으로 적용해야 합니까?

절별 해설

33 다른 한 비유 바로 앞에서 예수님은 '두 아들의 비유'를 통해 하나님께 불순종한 유대 종교지도자들을 책망하셨고, 이어서 본 비유를 통해 하나님의 선지자들과 아들을 죽이고 배척한 죄를 언급하신다. 비슷한 내용의 다른 비유를 반복하시는 이유는 그들을 확실히 깨우치게 하려는 예수님의 배려다. 한편, 포도원 주인으로 묘사된 하나님은 포도원인 이스라엘을 일구고 담장과 포도즙을 짤 틀과 망대를 세우셨다. 이스라엘을 세우고 돌보는 모든 것은 하나님이 하셨고, 유대 종교지도자들로 비유된 농부들은 단지 그것을 빌린 것에 불과했다.

35 소작농들은 당연히 주인의 종에게 주인의 몫을 주어야 했으나 어떤 이유에서인지 종들을 죽였다. 당시 소작농과 소유주 사이에 갈등이 있어서 살인 사건이 발생하는 경우도 있었다고 한다. 예수님의 비유는 당시 사회상을 배경으로 하고 있어서 더 생생하게 이해되었을 것이다. 유대인들은 예수님의 비유처럼 하나님이 보내신 선지자들을 때리고 죽였다(왕상 19:14; 렘 20:2).

36 다시 다른 종들을 처음보다 많이 보내니 주인은 자신이 처음 보낸 종들이 죽자 곧장 군대를 보내 심판하지 않았다. 처음보다 더 많은 종들을 보내 그들에게 다시금 기회를 주었다. 이것은 이스라엘의 만행에도 불구하고 거듭되는 하나님의 사랑을 나타낸다. 하나님은 이스라엘이 거절할수록 더 많은 선지자들을 보내 그들을 설득하셨다.

40 포도원 주인이 올 때에 당시 유대인의 입장에서 보자면, 가깝게는 AD 70년에 있을 로마의 침공을 통한 심판을 가리키는 말씀이고, 멀게는 예수 그리스도의 재림으로 이루어지는 종말을 의미한다고 볼 수 있다.

42 건축자들이 버린 돌이 모퉁이의 머릿돌이 되었나니 이것은 주로 말미암아 된 것이요 우리 눈에 기이하도다 시편 118편 22–23절의 인용이다. '건축자들'은 유대인을 가리키며, '버린 돌'은 예수 그리스도를 상징한다. 유대인이 알아보지 못하고 버린 예수님이 실제로는 건물의 가장 중요한 역할을 차지하는 모퉁이의 머릿돌이 된다는 말씀이다. '모퉁이의 머릿돌'은 건물의 가장 핵심적인 부분으로 이 돌로부터 건물이 지어져 간다. 즉, 예수 그리스도를 중심으로 교회가 세워져 갈 것임을 말씀하는 대목이다(엡 2:20–22).

43 하나님의 나라를 너희는 빼앗기고 그 나라의 열매 맺는 백성이 받으리라 유대인들은 아브라함의 자손인 자신들만이 하나님 나라의 주역이라고 믿고 있었다. 그러나 하나님은 복음을

쉬운성경

33 "다른 비유도 잘 들어 보아라. 어떤 밭 주인이 있었다. 그가 포도밭을 일구고, 담장을 두르고, 포도즙을 짤 구덩이를 파고, 망대를 세웠다. 그리고 포도밭을 농부들에게 빌려주고 여행을 떠났다.

34 추수할 때가 다가오자, 주인은 농부들에게 종을 보내어 자기 몫의 수확을 받아 오게 했다.

35 그러나 농부들은 그 종들을 잡아서, 하나는 때리고, 하나는 죽이고, 또 하나는 돌로 쳐 죽였다.

36 그 주인은 처음보다 더 많은 종들을 그들에게 보냈다. 그러나 농부들은 그 종들에게 똑같은 짓을 했다.

37 결국 주인은 자기 아들을 농부들에게 보냈다. 그는 '농부들이 내 아들은 존중할 것이다'라고 생각했다.

38 그러나 농부들은 아들을 보며 서로 말했다. '이 아들은 상속자니, 이 사람을 죽이고 유산을 가로채자.'

39 농부들은 그 아들을 잡아, 포도밭 밖으로 끌고 가서 죽였다.

40 그렇다면 포도밭 주인이 왔을 때, 이 농부들을 어떻게 하겠느냐?"

41 그들이 예수님께 대답했습니다. "그 못된 농부들을 죽일 것입니다. 그리고 그 포도밭은 제때에 수확한 것을 바칠 수 있는 다른 농부들에게 빌려줄 것입니다."

42 예수님께서 그들에게 말씀하셨습니다. "성경에서 이 말씀을 읽지 못하였느냐?

> '건축자가 버린 돌이 모퉁이의 머릿돌이 되었다. 이것은 주님께서 하신 일이니, 우리 눈에 놀라운 일이다.'*

듣고 열매를 맺는 이방 민족에게 하나님 나라의 영광을 주실 것이다. 혈통이나 전통이 아니라 실제로 현재의 삶에서 복음의 열매를 맺는지의 여부가 기준이 될 것이라 하셨다.

44 돌 위에 떨어지는 사람이나 돌이 사람 위에 떨어지는 모든 경우가 다 하나님을 배척하는 사람들에 대한 심판을 의미한다. 그들이 깨어지고 산산조각이 날 것이라 하시는 말씀을 보면, 심판이 얼마나 처절할 것인가를 알 수 있다.

43 그러므로 내가 너희에게 말한다. 하나님께서는 하나님의 나라를 너희에게서 빼앗아 열매를 맺는 민족에게 주실 것이다.

44 이 돌 위에 떨어진 사람은 깨어질 것이며, 또한 이 돌이 사람 위에 떨어지면, 그는 산산조각이 날 것이다."

45 대제사장들과 바리새파 사람들은 예수님의 이 비유를 듣고, 자신들을 두고 하시는 말씀이란 것을 알았습니다.

46 그들은 예수님을 체포하고 싶었지만 사람들이 두려웠습니다. 왜냐하면 사람들은 예수님을 예언자로 생각하고 있었기 때문입니다.

*21:42 시 118:22-23에 기록되어 있다.

저자의 묵상

'두 아들의 비유'가 하나님께 대한 불순종을 언급했다면, '악한 농부들의 비유'는 그들이 불순종을 넘어 더 적극적으로 하나님을 대적하는 모습을 그리고 있다. 포도원으로 비유된 이스라엘은 그 주인 되시는 하나님이 세우고 돌보고 지키신 하나님의 소유였음에도, 유대인들과 종교지도자들은 종 된 자신들의 본분을 잊고 이스라엘을 자신들의 소유로 착각하였다. 따라서 우리에게 주어진 교회와 직장과 가정을 포함한 모든 삶의 터전은 내 것이 아닌 하나님의 것임을 잊지 말아야 한다. 우리는 단지 그것을 맡아서 관리하는 소작농에 불과하며, 때가 되어 하나님이 요구하시면 그분의 소유권을 인정해야 한다.

한편, 악한 농부들은 포도원 주인에 의해 최후를 맞이하게 된다. 이처럼 예수 그리스도를 거절한 유대인들은 하나님 나라를 빼앗기게 되고, 그 주도권이 이방 민족에게로 넘어간다. 하나님 나라의 일은 인간이 거절한다고 멈추지 않는다. 거절하면 그것의 가치를 알아보는 자들에게로 끊임없이 이어진다. 이것이 복음이 갖는 생명력이다. 그러므로 우리가 전하는 복음은 인간적인 반대로 멈춰지지 않음을 확신할 필요가 있다. 복음이 하찮게 보이는 이 시대에 성도들은 그것이 가장 중요한 것임을 확신하며 살아가야 한다.

무릎 기도 | 하나님, 주님이 쓰시겠다고 하시면 언제든지 저의 모든 것을 드릴 준비를 하게 하소서. 또한 삶에서 풍성한 복음의 열매 맺기를 기도합니다.

33 "Now listen to another story. A certain
landowner planted a vineyard, built a wall
around it, dug a pit for pressing out the grape
juice, and built a lookout tower. Then he leased
the vineyard to tenant farmers and moved to
another country.
34 At the time of the grape harvest, he sent his
servants to collect his share of the crop.
35 But the farmers grabbed his servants, beat one,
killed one, and stoned another.
36 So the landowner sent a larger group of his
servants to collect for him, but the results were
the same.
37 "Finally, the owner sent his son, thinking, 'Surely
they will respect my son.'
38 "But when the tenant farmers saw his son
coming, they said to one another, 'Here comes
the heir to this estate. Come on, let's kill him
and get the estate for ourselves!'
39 So they grabbed him, dragged him out of the
vineyard, and murdered him.
40 "When the owner of the vineyard returns,"
Jesus asked, "what do you think he will do to
those farmers?"
41 The religious leaders replied, "He will put the
wicked men to a horrible death and lease the
vineyard to others who will give him his share of
the crop after each harvest."
42 Then Jesus asked them, "Didn't you ever read
this in the Scriptures? 'The stone that the
builders rejected has now become the
cornerstone. This is the LORD's doing, and it is
wonderful to see.'*
43 I tell you, the Kingdom of God will be taken
away from you and given to a nation that will
produce the proper fruit.
44 Anyone who stumbles over that stone will be
broken to pieces, and it will crush anyone it falls
on.*"
45 When the leading priests and Pharisees heard
this parable, they realized he was telling the
story against them—they were the wicked
farmers.
46 They wanted to arrest him, but they were afraid
of the crowds, who considered Jesus to be a
prophet.

*21:42 Ps 118:22–23.

*21:44 This verse is not included in some early manuscripts. Compare Luke 20:18.

33 landowner 지주 dig a pit for ~ ~을 위해 구덩이를 파다 lookout 망보는 곳 tenant farmer 소작농 35 grab 부여잡다 37 respect 존중하다 38 estate 소유지 heir 상속자 39 murder 살해하다 41 wicked 사악한 horrible 무서운, 끔찍한 42 scripture 성경 cornerstone 모퉁잇돌 43 be taken away from ~ ~로부터 빼앗기다 proper 합당한 44 stumble 넘어지다 be broken to pieces 산산조각이 나다 crush 짓밟다 45 parable 비유 46 arrest 체포하다

• MEMO •

86

월 일

혼인 잔치 비유

마태복음 22:1-14

새찬송 175장 | 통일 162장

• 먼저 묵상을 위한 기도를 드린 후, 성경 본문을 2번 이상 읽고 묵상하십시오.

본문요약 | 본문은 '혼인 잔치 비유'로, 예수님은 천국을 혼인 잔치를 마련한 임금에 비유하신다. 잔치가 준비되자 임금은 초대한 사람들을 오라고 청하나 여러 차례 거절당한다. 이에 임금은 종들에게 네거리 길에서 만나는 사람들을 초대하라고 명한다. 잔치에 온 손님들 중에 예복을 입지 않은 사람이 있었다. 이를 본 임금은 그를 결박하여 바깥 어두운 곳에 던져 버리라고 명령한다.

개역개정

1 예수께서 다시 비유로 대답하여 이르시되
2 천국은 마치 자기 아들을 위하여 혼인 잔
치를 베푼 어떤 임금과 같으니
3 그 종들을 보내어 그 청한 사람들을 혼인
잔치에 오라 하였더니 오기를 싫어하거늘
4 다시 다른 종들을 보내며 이르되 청한 사
람들에게 이르기를 내가 오찬을 준비하되
나의 소와 살진 짐승을 잡고 모든 것을 갖
추었으니 혼인 잔치에 오소서 하라 하였
더니
5 그들이 돌아 보지도 않고 한 사람은 자기
밭으로, 한 사람은 자기 사업하러 가고
6 그 남은 자들은 종들을 잡아 모욕하고 죽
이니
7 임금이 노하여 군대를 보내어 그 살인한
자들을 진멸하고 그 동네를 불사르고
8 이에 종들에게 이르되 혼인 잔치는 준비되
었으나 청한 사람들은 합당하지 아니하니
9 네거리 길에 가서 사람을 만나는 대로 혼
인 잔치에 청하여 오라 한대
10 종들이 길에 나가 악한 자나 선한 자나 만
나는 대로 모두 데려오니 혼인 잔치에 손
님들이 가득한지라
11 임금이 손님들을 보러 들어올새 거기서 예
복을 입지 않은 한 사람을 보고
12 이르되 친구여 어찌하여 예복을 입지 않
고 여기 들어왔느냐 하니 그가 아무 말도
못하거늘
13 임금이 사환들에게 말하되 그 손발을 묶
어 바깥 어두운 데에 내던지라 거기서 슬
피 울며 이를 갈게 되리라 하니라
14 청함을 받은 자는 많되 택함을 입은 자는
적으니라

1. 오늘 하나님께서 나에게 주신 깨달음은 무엇입니까?

2. 말씀을 어떻게 내 삶에 구체적으로 적용해야 합니까?

절별 해설

2 혼인 잔치 신약은 메시아를 통해 이루어지는 천국을 종종 '혼인 잔치'에 비유한다(25:10; 계 21:9). 이는 천국이 가진 풍성한 은혜와 기쁨을 상징한다. 여기서 '임금'은 하나님을, '아들'은 예수 그리스도를 상징한다.

3 유대인은 혼인 잔치 때 보통 초대를 두 번 한다. 혼인날이 잡히면 우선 그 날짜에 맞추어 초청하고, 혼인 잔치 당일에 다시 종들을 보내어 초대한 사람들을 모셔 오게 한다. 이는 갑작스러운 초대로 인해 손님들이 참석하지 못하는 일이 없게 하기 위함이다. 그런데도 본문의 청함 받은 사람들은 오기를 거절했다. 여기서 '청한 사람들'은 유대인들로, 그들이 하나님의 천국 잔치에 초대되었지만 거절했음을 뜻한다. 그러나 하나님은 그들을 갑작스럽게 초청하신 것이 아니라 오랜 시간에 걸쳐 준비하고 초청하셨다. 먼저 선지자들을 보내어 메시아가 올 것을 예언하셨고, 또 메시아가 올 때는 세례 요한을 통해 유대인들을 초청하셨다. 그러나 유대인들은 메시아 되신 예수님의 천국 잔치를 거절했다. 이러한 임금의 혼인 잔치를 거절했다는 것은 임금에 대한 반역을 암시한다.

6 그 남은 자들은 종들을 잡아 모욕하고 죽이니 본절은 하나님의 뜻을 전하는 선지자들을 죽이기까지 한 유대인들의 만행을 설명한다.

7 군대를 보내어 그 살인한 자들을 진멸하고 그 동네를 불사르고 본절은 예루살렘이 AD 70년에 로마 군대의 침공으로 멸망할 것에 대한 예언이다. 이때 메시아를 거절했던 수많은 유대인들이 죽임을 당했다.

9 네거리 길에 가서 사람을 만나는 대로 혼인 잔치에 청하여 오라 '네거리 길'은 사거리나 교차로라는 뜻으로, 당시 사람들의 왕래가 가장 많았던 곳이다. 이 구절은 복음이 이스라엘이라는 한정된 곳에서만 비밀스럽게 전파되지 않고, 모든 사람이 듣고 접할 수 있게 세계 각처로 퍼져 나갈 것을 암시하는 말씀이다(행 1:8).

12 어찌하여 예복을 입지 않고 여기 들어왔느냐 당시 왕이 베푼 결혼식과 같은 성대한 잔치에는 손님들도 잔치 예복을 입는 것이 필수였으며, 보통 이런 예복은 왕이 미리 준비하여 손님들에게 나누어 주었다고 한다(참고. 왕하 10:22). 즉, 예복은

쉬운성경

1 예수님께서 사람들에게 다른 비유를 들어 말씀하셨습니다.

2 "하늘나라는 아들의 결혼 잔치를 마련한 왕에 빗댈 수 있다.

3 왕이 종들을 보내어 잔치에 초대한 사람들을 모셔 오게 하였다. 그러나 이들은 오려고 하지 않았다.

4 그러자 왕은 다시 다른 종들을 보내며 말했다. '초대받은 사람들에게 잔치가 준비되었다고 말해라. 소와 살진 송아지도 잡았고, 모든 것이 다 준비되었으니, 어서 결혼 잔치에 오라고 하여라.'

5 그러나 사람들은 종들의 말을 듣지 않고, 제 갈 길로 갔다. 어떤 사람은 밭에 나갔고, 어떤 사람은 장사하러 갔다.

6 나머지 사람들은 종들을 잡아다가, 그들을 모욕하고 죽였다.

7 왕은 매우 화가 났다. 그는 군사를 보내어 살인자들을 죽였다. 그리고 온 도시를 불태워 버렸다.

8 그리고 자기 종들에게 말했다. '결혼 잔치가 준비되었으나, 초대받은 사람들은 자격이 없다.

9 너희는 큰길에 가서, 너희가 만나는 사람마다 결혼 잔치에 초대하여라.'

10 종들은 거리에 나가, 만나는 사람들이 좋은 사람이건 나쁜 사람이건 가리지 않고 불러들였다. 그래서 결혼 잔치 마당은 잔치 손님들로 가득 찼다.

11 왕이 그들을 보러 들어왔다가 결혼 잔치 예복을 입지 않은 사람을 보았다.

왕이 미리 준비해서 나누어 주었기에 '왜 예복을 입지 않았느냐?'라는 왕의 질문에 예복을 입지 않은 사람은 핑계를 댈 수가 없었다. 여기서의 '예복'은 하나님 나라 어린양의 혼인 잔치에 들어가기 위해 입어야 하는 성도들의 옳은 행실, 곧 믿음을 가리킨다(계 19:7-8).

14 청함을 받은 자는 많되 택함을 입은 자는 적으니라 핵심은 처음에 초대받은 사람이나 나중에 네거리 길에서 초대받은 사람 할 것 없이 택함을 입은(선택된) 사람이 적다는 것이다. 이는 믿음에 올바로 반응하는 사람이 많지 않다는 뜻이다.

12 그 사람에게 왕이 말했다. '친구여, 결혼 잔치 예복을 입지 않고 어떻게 여기에 들어왔는가?' 그 사람은 아무 말도 하지 못했다.

13 왕이 종들에게 말했다. '이 사람의 손과 발을 묶어서 바깥 어두운 곳에 던져 버려라. 그곳에서 슬피 울고 고통스럽게 이를 갈 것이다.'

14 초대받은 사람은 많으나, 선택된 사람은 적다."

저자의 묵상

천국을 혼인 잔치에 비유한 본문에서 처음에 초대받은 유대인들이나 나중에 네거리 길에서 초대받은 사람들 모두에게 발견할 수 있는 특징은, 초대받은 사람들보다 임금의 잔치에 합당하게 선택된 사람들이 적다는 것이다. 많은 사람이 예수님의 이름을 부르며 신앙생활을 하고 있지만, 모두가 천국에 합당한 믿음의 예복을 입고 있지는 않다는 뜻이다. 우리는 이를 경고의 말씀으로 받아야 한다. 예수님을 진정으로 믿는 믿음의 사람들이 생각보다 적음을 경고하고 있다. 오늘날 교회는 많은 사람들로 넘쳐 나지만 진정한 신앙인은 많지 않다. 교회는 날로 외적으로 성장하고 화려해지지만 사회를 향한 영향력은 한국 초대교회 때보다 크다고 하기 어렵다. 그만큼 진정한 믿음을 추구하는 성도나 교회가 계속 줄고 있다는 뜻도 될 것이다.

무릎 기도 하나님, 천국 잔치에 선택된 자로서 곧은 믿음을 소유하기 원합니다. 세상 가운데 그리스도의 복음을 전하는 참된 신자로 살게 하소서.

NLT - Matthew 22

1 Jesus also told them other parables. He said,
2 "The Kingdom of Heaven can be illustrated by the story of a king who prepared a great wedding feast for his son.
3 When the banquet was ready, he sent his servants to notify those who were invited. But they all refused to come!
4 "So he sent other servants to tell them, 'The feast has been prepared. The bulls and fattened cattle have been killed, and everything is ready. Come to the banquet!'
5 But the guests he had invited ignored them and went their own way, one to his farm, another to his business.
6 Others seized his messengers and insulted them and killed them.
7 "The king was furious, and he sent out his army to destroy the murderers and burn their town.
8 And he said to his servants, 'The wedding feast is ready, and the guests I invited aren't worthy of the honor.
9 Now go out to the street corners and invite everyone you see.'
10 So the servants brought in everyone they could find, good and bad alike, and the banquet hall was filled with guests.
11 "But when the king came in to meet the guests, he noticed a man who wasn't wearing the proper clothes for a wedding.
12 'Friend,' he asked, 'how is it that you are here without wedding clothes?' But the man had no reply.
13 Then the king said to his aides, 'Bind his hands and feet and throw him into the outer darkness, where there will be weeping and gnashing of teeth.'
14 "For many are called, but few are chosen."

1 parable 비유 2 illustrate 설명하다 3 banquet 잔치 4 fatten 살찌우다 cattle 소, 가축 5 ignore 무시하다 6 seize 잡다 7 furious 격노한 murderer 살인자 8 be worthy of ~ ~에 알맞은 11 proper 적합한 13 aide 측근자 weep 울다 gnash 이를 갈다

• MEMO •

87

월 일

세금에 관한 문제

마태복음 22:15-22

새찬송 68장 | 통일 32장

• 먼저 묵상을 위한 기도를 드린 후, 성경 본문을 2번 이상 읽고 묵상하십시오.

본문요약 | 바리새인들이 예수님을 함정에 빠뜨리려고 상의하고, 자기 제자들을 보내어 로마 황제 가이사에게 세금을 바치는 것이 옳으냐는 질문을 한다. 그들의 악한 의도를 다 아시는 예수님은 가이사의 것은 가이사에게 주고, 하나님의 것은 하나님께 바치라고 답하신다.

개역개정

15 이에 바리새인들이 가서 어떻게 하면 예
수를 말의 올무에 걸리게 할까 상의하고
16 자기 제자들을 헤롯 당원들과 함께 예수께
보내어 말하되 선생님이여 우리가 아노니
당신은 참되시고 진리로 하나님의 도를 가
르치시며 아무도 꺼리는 일이 없으시니 이
는 사람을 외모로 보지 아니하심이니이다
17 그러면 당신의 생각에는 어떠한지 우리에
게 이르소서 가이사에게 세금을 바치는 것
이 옳으니이까 옳지 아니하니이까 하니
18 예수께서 그들의 악함을 아시고 이르시
되 외식하는 자들아 어찌하여 나를 시험
하느냐
19 세금 낼 돈을 내게 보이라 하시니 [1]데나리
온 하나를 가져왔거늘
20 예수께서 말씀하시되 이 형상과 이 글이
누구의 것이냐
21 이르되 가이사의 것이니이다 이에 이르시
되 그런즉 가이사의 것은 가이사에게, 하
나님의 것은 하나님께 바치라 하시니
22 그들이 이 말씀을 듣고 놀랍게 여겨 예수
를 떠나가니라

1) 은전의 명칭

1. 오늘 하나님께서 나에게 주신 깨달음은 무엇입니까?

2. 말씀을 어떻게 내 삶에 구체적으로 적용해야 합니까?

15 예수를 말의 올무에 걸리게 할까 상의하고 바리새인들은 앞서 예수님께 권위 문제에 대해 질문하여 예수님을 함정에 빠뜨리려 했으나 실패했다(21:23-27). 그럼에도 그들은 포기하지 않고 또다시 예수님께 대답하기 어려운 질문을 하여 예수님을 함정에 빠뜨리자고 서로 의논했다.

16 자기 제자들을 헤롯 당원들과 함께 예수께 보내어 바리새인들이 헤롯 당원들을 제자들과 함께 예수님께 보낸 이유는, 아마도 신분을 철저히 숨기고 예수님을 시험하기 위함이었을 것이다. 당시 바리새인들과 헤롯 당원은 서로 적대 관계였다. 바리새인들은 하나님을 공경한다고 자처하며 로마에 내는 세금을 반대했으며 민족주의적 경향이 강한 집단이었다. 반면에 헤롯 당원들은 당시 로마의 위임을 받아 유다를 통치하는 헤롯을 지지하며 세금 징수에 적극적으로 찬성했다. 이러한 두 적대 세력이 예수님을 제거하는 악한 일에는 하나가 되었음을 볼 수 있다. **선생님이여 우리가 아노니 당신은 참되시고 진리로 하나님의 도를 가르치시며 아무도 꺼리는 일이 없으시니 이는 사람을 외모로 보지 아니하심이니이다** 이는 예수님에 대한 진정한 고백이 아니다. 예수님의 경계심을 약화해 그분을 무너뜨리려는 간교한 자들의 거짓 칭찬이다.

17 가이사에게 세금을 바치는 것이 옳으니이까 옳지 아니하니이까 세금 문제는 당시에 매우 민감한 사안으로, 갈릴리의 유다는 AD 6년경 세금 징수를 위한 인구조사를 반대하며 반란을 일으키기도 했다(행 5:37). 이 예민한 질문에 만약 황제 가이사에게 세금을 바치는 것이 옳다고 하면 예수님은 바리새인들에 의해 당장 반민족주의자로 몰릴 것이다. 반면에 세금을 바치지 말라고 하면 헤롯 당원들에 의해 로마 정부에 고발당할 것이 뻔했다. 즉, 어떤 답변을 하셔도 예수님은 곤란할 수밖에 없었다.

18 예수께서 그들의 악함을 아시고 하나님의 아들이신 예수님이 그들의 악한 의도를 모르실 리가 없었다. 누구도 예수님을 속일 수 없었던 것은, 예수님이 인간의 생각과 의도를 꿰뚫어 보시는 분이기 때문이다.

19 데나리온 당시 널리 통용되던 로마 화폐다. 한 데나리온은 노동자 한 사람의 하루 임금에 해당했다. 여기에는 가이사의 초상과 그를 높이는 글귀가 새겨져 있었다.

21 가이사의 것은 가이사에게, 하나님의 것은 하나님께 바치라 예수님은 제삼의 답변으로 그들의 나쁜 의도를 타파하셨다. 가이사의 것과 하나님의 것을 각각 구별하여 바치라는 대답으로, 국가에 대한 의무와 하나님에 대한 의무가 서로 상충하지 않음을 말씀하셨다.

쉬운성경

15 그때, 바리새파 사람들이 가서, 예수님의 말씀을 트집 잡아 예수님을 함정에 빠뜨리려고 공모했습니다.

16 그들은 자기들의 제자들을 헤롯 당원들과 함께 예수님께 보냈습니다. 이들이 말했습니다. "선생님, 우리는 선생님이 진실한 분이며, 하나님의 길을 올바르게 가르치시며, 사람의 얼굴을 보지* 않으시므로 아무에게도 치우치지 않으신다고 생각합니다.

17 선생님이 생각하시는 것을 우리에게 말씀해 주십시오. 가이사에게 세금을 바치는 것이 옳습니까? 옳지 않습니까?"

18 예수님께서는 이 사람들의 악한 생각을 아셨습니다. 그래서 말씀하셨습니다. "너희 위선자들아! 왜 나를 시험하느냐?

19 세금으로 내는 돈을 내게 보여라." 사람들이 은돈 한 데나리온을 예수님께 보여 드렸습니다.

20 예수님께서 물으셨습니다. "이것은 누구의 얼굴이고, 누구라고 쓰여 있느냐?"

21 사람들이 대답했습니다. "가이사의 것입니다." 그러자 예수님께서 그들에게 말씀하셨습니다. "가이사의 것은 가이사에게 주어라. 그리고 하나님의 것은 하나님께 바쳐라."

22 사람들이 예수님의 말씀을 듣고 놀랐습니다. 그리고 예수님께로부터 떠나갔습니다.

*22:16 사람을 겉모습으로 판단하지

저자의 묵상

당시 민감한 사안이었던 세금에 관한 질문에 예수님은 가이사의 것은 가이사에게 주고, 하나님의 것은 하나님께 바치라고 명하셨다. 이처럼 그리스도인들은 국가에 대한 의무와 하나님께 대한 의무가 결국은 같음을 깨달아야 한다. 국가도 하나님께서 만드신 단체이므로 국가에 충성하는 것은 곧 하나님께 충성하는 것이 된다. 그런데 국가가 반기독교적인 정책을 펼치고 진리에 위배될 때에는 합법적인 방법으로 저항해야 한다. 또한 하나님께 우리의 몸과 마음을 드려 충성하는 것은 무엇보다 우선하는 우리의 당연한 의무다.

기독교 세계관은 세상과 교회를 구분하지만 결국 그 모든 것이 하나님의 것임을 인정한다. 그렇기 때문에 세상적인 일도 하나님의 것으로 생각하고 적극적으로 참여하며, 그것을 통해 하나님의 통치가 이 세상에 이루어지게 해야 한다.

무릎 기도 하나님, 세상의 일과 하나님의 일이 결국은 모두 하나님의 일임을 깨닫습니다. 세상 속에서 하나님의 통치를 이루어 가는 삶을 살아가기를 소망합니다.

NLT - Matthew 22

15 Then the Pharisees met together to plot how to
trap Jesus into saying something for which he
could be arrested.
16 They sent some of their disciples, along with the
supporters of Herod, to meet with him.
"Teacher," they said, "we know how honest you
are. You teach the way of God truthfully. You are
impartial and don't play favorites.
17 Now tell us what you think about this: Is it right
to pay taxes to Caesar or not?"
18 But Jesus knew their evil motives. "You
hypocrites!" he said. "Why are you trying to trap
me?
19 Here, show me the coin used for the tax." When
they handed him a Roman coin,*
20 he asked, "Whose picture and title are stamped
on it?"
21 "Caesar's," they replied. "Well, then," he said,
"give to Caesar what belongs to Caesar, and give
to God what belongs to God."
22 His reply amazed them, and they went away.

*22:19 Greek *a denarius.*

15 arrest 체포하다, 구속하다 16 supporter 지지자 truthfully 진실하게, 참되게 impartial 공정한 play favorites 편애하다 17 tax 세금 18 motive 동기 hypocrite 위선자, 거짓 태도를 취하는 사람 trap 함정에 빠뜨리다 19 used for ~ ~에 사용하는 20 stamp 각인하다

88

월 일

부활에 관한 논쟁

마태복음 22:23-33

새찬송 170장 | 통일 16장

• 먼저 묵상을 위한 기도를 드린 후, 성경 본문을 2번 이상 읽고 묵상하십시오.

본문요약 | 사두개인들이 예수님을 찾아와 모세가 기록한 결혼법을 언급하며, 일곱 형제가 한 여자와 결혼하면 부활 때에 그가 누구의 아내가 되느냐고 질문한다. 예수님은 사두개인들이 성경을 알지 못하고 부활도 믿지 못한다고 말씀하시며, 하나님은 살아 있는 자의 하나님이시라고 대답하신다.

개역개정

23 부활이 없다 하는 사두개인들이 그날 예수께 와서 물어 이르되
24 선생님이여 모세가 일렀으되 ㄱ사람이 만일 자식이 없이 죽으면 그 동생이 그 아내에게 장가들어 형을 위하여 상속자를 세울지니라 하였나이다
25 우리 중에 칠 형제가 있었는데 맏이가 장가 들었다가 죽어 상속자가 없으므로 그 아내를 그 동생에게 물려주고
26 그 둘째와 셋째로 일곱째까지 그렇게 하다가
27 최후에 그 여자도 죽었나이다
28 그런즉 그들이 다 그를 취하였으니 부활 때에 일곱 중의 누구의 아내가 되리이까
29 예수께서 대답하여 이르시되 너희가 성경도, 하나님의 능력도 알지 못하는 고로 오해하였도다
30 부활 때에는 장가도 아니 가고 시집도 아니 가고 하늘에 있는 천사들과 같으니라
31 죽은 자의 부활을 논할진대 하나님이 너희에게 말씀하신 바
32 ㄴ나는 아브라함의 하나님이요 이삭의 하나님이요 야곱의 하나님이로라 하신 것을 읽어 보지 못하였느냐 하나님은 죽은 자의 하나님이 아니요 살아 있는 자의 하나님이시니라 하시니
33 무리가 듣고 그의 가르치심에 놀라더라

ㄱ. 신 25:5 ㄴ. 출 3:6

1. 오늘 하나님께서 나에게 주신 깨달음은 무엇입니까?

2. 말씀을 어떻게 내 삶에 구체적으로 적용해야 합니까?

절별 해설

23 부활이 없다 하는 사두개인들이 그날 예수께 와서 물어 이르되 바리새인과 헤롯 당원에 이어, 이번에는 부활과 천사와 영을 믿지 않는 사두개인들(행 23:8)이 나서서 예수님을 시험한다. 당시 예수님을 무너뜨리기 위해 모든 종파의 지도자들이 나섰음을 알 수 있다. 아마도 종교지도자들은 예수님을 곤란하게 만듦으로써 자신들의 지위를 확고히 하려는 경쟁적 의도를 가졌던 것 같다.

24-27 본문의 내용은 신명기 25장 5-6절에 나오는 말씀으로, 흔히 '계대 혼인법'이라고 불리는 제도다. 이는 어떤 사람이 자식이 없이 죽으면 형제가 그 미망인과 결혼하여 형제의 대를 잇고 미망인을 보호하는 취지로 세워진 제도였다. 이 제도가 얼마나 잘 지켜졌는지는 알 수 없으나, 성경에 보아스가 룻과 결혼한 경우에서 그 예를 찾아볼 수 있다. 한편, 사두개인들은 모세오경만을 믿었기 때문에 신명기 말씀을 토대로 예수님을 시험하였다.

28 그들이 다 그를 취하였으니 부활 때에 일곱 중의 누구의 아내가 되리이까 사두개인들은 일곱 형제가 한 여자와 결혼한다는 매우 극단적인 경우를 설정해 놓고 부활이 없음을 주장하려 했다. 즉, 만약 부활이 있다면 성경의 명령을 지키고 죽은 일곱 형제가 부활할 때에 한 여자를 두고 얼마나 난감한 상황에 빠지게 되겠느냐는 질문이다. 신명기 말씀을 잘 지키기 위해서라도 부활은 있을 수 없다는 취지의 질문이다.

29 사두개인들의 질문에 예수님은 그들이 성경도 모르고 하나님의 능력도 모른다고 하셨다. 그들이 믿는 모세오경이 이미 부활을 말씀하고 있으며(32절 해설 참조), 하나님은 죽은 자를 얼마든지 살리는 능력의 하나님이시기 때문이다. 이들의 잘못된 교리는 성경과 하나님에 대한 잘못된 생각에서 비롯되었다.

30 하늘에 있는 천사들과 같으니라 예수님은 부활이 반드시 있으며, 그때에는 사람들이 이 세상에서처럼 결혼하지 않고 천사들과 같이 된다고 말씀하신다. 부활 이후의 삶은 이 땅에서의 삶과 본질적으로 완전히 다름을 말씀하신 것이다. 그때에는 이 세상의 법칙에 따라 살아가지 않는다. 사두개인들은 부활 이후의 삶에 대한 인식이 없었기에 이런 어처구니없는 주장을 펼쳤던 것이다.

32 본절은 출애굽기 3장 6절의 인용이다. 이 말씀에 예수님이 언급하신 족장들은 이미 죽었다. 그러나 예수님이 하나님을 그들의 하나님이라고 말씀하신 것은, 그들이 부활하여 천국에서 살아 있음을 전제로 하신 것이다.

쉬운성경

23 같은 날, 부활이 없다고 말하는 사두개파 사람 몇 명이 예수님께 나아와 질문했습니다.

24 "선생님, 모세는 '남자가 아들이 없이 죽으면, 그 동생이 형수와 결혼해서 형을 대신하여 아들을 낳아 주어야 한다'라고 했습니다.

25 우리 가운데 일곱 형제가 있었습니다. 첫째가 결혼했지만 아들을 낳지 못하고 죽어, 아내를 자기 동생에게 남겨 놓았습니다.

26 그런데 둘째도, 셋째도, 그리고 일곱째까지 첫째와 똑같이 되었습니다.

27 결국엔 그 여자도 죽었습니다.

28 일곱 형제 모두가 이 여자를 아내로 맞아들였으니, 부활 때에 이 여자는 이 일곱 형제 중에 누구의 아내가 되겠습니까?"

29 예수님께서 이들에게 대답하셨습니다. "너희는 성경도 알지 못하고, 하나님의 능력도 알지 못하므로, 잘못 생각하고 있다.

30 부활할 때에는 누구도 장가가거나, 시집가지 않으며, 오직 사람들이 하늘에 있는 천사처럼 될 것이다.

31 죽은 자의 부활에 대해 말하자면, 하나님께서 이렇게 말씀하신 것을 읽어 보지 못했느냐?

32 '나는 아브라함의 하나님, 이삭의 하나님, 야곱의 하나님이다.' 하나님은 살아 있는 사람들의 하나님이시지, 죽은 사람들의 하나님이 아니시다."

33 사람들이 이 말씀을 듣고, 예수님의 가르침에 놀랐습니다.

저자의 묵상

사두개인들은 성경과 하나님에 대해 제대로 알지 못했기 때문에 부활이 없다고 주장했다. 또 그들은 믿는 바를 뒷받침하기 위해 본문처럼 이상한 예를 들어 예수님께 질문했다. 모두가 제대로 알지 못하기 때문에 벌어진 일이었다. 성경과 하나님을 부분적으로만 믿고 하나님에 대한 온전한 지식이 없으면, 하나님이 기뻐하시지 않는 주장과 일을 하기 쉽다. 그래서 바르게 알고 믿으며 깨닫는 것이 그만큼 중요하다.

한편, 하나님은 자신을 아브라함, 이삭, 야곱의 하나님이라 하시며 그들이 죽지 않고 살아 있다고 표현하셨다. 그래서 비록 그들이 이 세상에 없어도 하나님은 그들과 맺은 언약을 영원히 그 후손과 지키셨던 것이다. 성경의 인물들을 통해 주신 말씀이 오늘 우리에게도 유효한 이유는, 그들이 지금도 살아서 하나님과 함께하고 있기 때문이다.

무릎 기도 하나님, 부활을 믿으며 그것을 이루실 하나님의 능력을 믿습니다. 먼저 천국에 간 성도들을 언젠가는 모두 함께 만날 것을 믿고 소망합니다.

NLT - Matthew 22

23 That same day Jesus was approached by some Sadducees—religious leaders who say there is no resurrection from the dead. They posed this question:
24 "Teacher, Moses said, 'If a man dies without children, his brother should marry the widow and have a child who will carry on the brother's name.'*
25 Well, suppose there were seven brothers. The oldest one married and then died without children, so his brother married the widow.
26 But the second brother also died, and the third brother married her. This continued with all seven of them.
27 Last of all, the woman also died.
28 So tell us, whose wife will she be in the resurrection? For all seven were married to her."
29 Jesus replied, "Your mistake is that you don't know the Scriptures, and you don't know the power of God.
30 For when the dead rise, they will neither marry nor be given in marriage. In this respect they will be like the angels in heaven.
31 "But now, as to whether there will be a resurrection of the dead—haven't you ever read about this in the Scriptures? Long after Abraham, Isaac, and Jacob had died, God said,*
32 'I am the God of Abraham, the God of Isaac, and the God of Jacob.'* So he is the God of the living, not the dead."
33 When the crowds heard him, they were astounded at his teaching.

*22:24 Deut 25:5–6.
*22:31 Greek *read about this? God said.*
*22:32 Exod 3:6.

23 approach 접근하다, 다가오다 religious 종교(상)의 resurrection 부활 pose 제기하다 24 carry on 계속하다, 유지하다 25 suppose 가정하다 27 last of all 최후로 31 long after 오랜 뒤에 33 be astounded at ~ ~에 몹시 놀라다

89

월 일

가장 큰 계명과 그리스도

마태복음 22:34-46

새찬송 293장 | 통일 414장

• 먼저 묵상을 위한 기도를 드린 후, 성경 본문을 2번 이상 읽고 묵상하십시오.

본문요약 | 한 율법사가 예수님께 율법의 가장 큰 계명을 묻는다. 이에 예수님은 첫째로, 모든 것을 다하여 하나님을 사랑하고, 둘째로, 이웃을 사랑하라고 말씀하셨다. 예수님은 다윗의 시편을 말씀하시면서 그리스도가 다윗의 자손을 뛰어넘는 존재임을 드러내셨다.

개역개정

34 예수께서 사두개인들로 대답할 수 없게 하셨다 함을 바리새인들이 듣고 모였는데
35 그중의 한 율법사가 예수를 시험하여 묻되
36 선생님 율법 중에서 어느 계명이 크니이까
37 예수께서 이르시되 ㄱ네 마음을 다하고 목숨을 다하고 뜻을 다하여 주 너의 하나님을 사랑하라 하셨으니
38 이것이 크고 첫째 되는 계명이요
39 둘째도 그와 같으니 ㄴ네 이웃을 네 자신같이 사랑하라 하셨으니
40 이 두 계명이 온 율법과 선지자의 강령이니라
41 바리새인들이 모였을 때에 예수께서 그들에게 물으시되
42 너희는 그리스도에 대하여 어떻게 생각하느냐 누구의 자손이냐 대답하되 다윗의 자손이니이다
43 이르시되 그러면 다윗이 성령에 감동되어 어찌 그리스도를 주라 칭하여 말하되
44 ㄷ주께서 내 주께 이르시되 내가 네 원수를 네 발 아래에 둘 때까지 내 우편에 앉아 있으라 하셨도다

하였느냐
45 다윗이 그리스도를 주라 칭하였은즉 어찌 그의 자손이 되겠느냐 하시니
46 한마디도 능히 대답하는 자가 없고 그날부터 감히 그에게 묻는 자도 없더라

ㄱ. 신 6:5 ㄴ. 레 19:18 ㄷ. 시 110:1

1. 본문에 나타난 예수님은 어떤 분이십니까?

2. 오늘 하나님께서 나에게 주신 깨달음은 무엇입니까?

3. 말씀을 어떻게 내 삶에 구체적으로 적용해야 합니까?

절별 해설

36 율법 중에서 어느 계명이 크니이까 당시 유대 랍비들은 율법을 613가지 조항으로 구분하여 백성에게 지키라고 가르쳤다. 그러나 현실적으로 그 많은 조항을 다 지키기 어려웠기 때문에 다시 보다 중요하고 우선적인 248가지를 정했고, 나머지 365가지는 덜 중요한 조항으로 구분했다. 본문의 율법사는 당시 이런 배경에서 예수님께 자신이 가장 궁금한 것을 질문했던 것이다.

37 네 마음을 다하고 목숨을 다하고 뜻을 다하여 주 너의 하나님을 사랑하라 예수님은 신명기 6장 5절 말씀을 인용하여 그에게 답하신다. 첫 번째 계명은 한마디로 전인격을 다하여 하나님을 사랑하라는 말씀이다. 유대 종교지도자들은 율법의 많은 조항을 준수할 것을 강조하였으나, 예수님은 하나님을 사랑할 것을 강조하셨다. 사랑은 모든 율법의 완성이기 때문이다(롬 13:10). 사실 하나님을 전심으로 사랑하면 모든 율법의 조항들을 지킬 수 있다. 예수님은 당시 개개의 조항에 얽매여 무거운 신앙생활을 하던 그들에게 사랑으로 말미암는 진정한 경배를 명령하신 것이다.

39 네 이웃을 네 자신같이 사랑하라 예수님은 두 번째 계명으로 이웃 사랑을 명하셨다. 눈에 보이는 이웃을 사랑하지 않으면서 보지 못하는 하나님을 사랑한다고 하는 것은 거짓이다(요일 4:20). 진정한 신앙은 이웃 사랑으로 나타나야 한다. 예수님은 하나님 사랑과 이웃 사랑이 똑같이 중요하다고 하심으로 이 두 계명이 서로 분리될 수 없음을 강조하셨다. 또한 '네 자신같이 사랑하라'고 하심으로 가장 높은 수준의 사랑을 말씀하셨다. 한편, 당시 유대인들은 이웃의 범주를 유대인으로 한정하고, 사마리아 사람이나 이방인은 이웃으로 생각하지 않았다. 그러나 예수님은 도움이 필요한 모든 사람을 이웃이라고 가르치셨다(눅 10:29-37).

42 그리스도 히브리어로는 '메시아'이며, 헬라어로 '그리스도'다. '기름부음을 받은 자'라는 뜻으로, 구약 시대에는 왕, 제사장, 선지자에게 기름을 부어 하나님의 직분자라는 표시를 하였다. 이러한 기름부음은 궁극적으로 역사 가운데 오실 메시아를 가리키는 것으로, 예수님은 우리를 구원할 '왕'과 하나님 앞에 온전한 '대제사장'과 말씀을 전하는 '선지자'로 이 땅에 오셨다.

다윗의 자손이니이다 메시아가 육적으로는 다윗의 자손으로 올 것은 구약에 예언되었다(사 11:10). 다윗은 유대인들이 가장 영광스럽게 생각하는 왕으로, 그들은 그 자손인 메시아가 오시면 당연히 자신들에게 그런 영광을 재현해 줄 것이라고 기대하고 있었다.

쉬운성경

34 예수님께서 사두개파 사람들의 말문을 막으셨다는 소식을, 바리새파 사람들이 듣고 함께 모였습니다.

35 그 가운데 율법의 전문가 한 사람이 예수님을 시험하려고 질문을 하였습니다.

36 "선생님, 율법에서 어느 것이 가장 중요합니까?"

37 예수님께서 그에게 대답하셨습니다. "'네 모든 마음과 모든 목숨과 모든 정성을 다해서, 네 하나님을 사랑하여라.'

38 이것이 가장 중요하고, 우선되는 계명이다.

39 두 번째 계명은 '네 이웃을 네 자신처럼 사랑하여라'인데 이것도 첫째 계명과 똑같이 중요하다.

40 모든 율법과 예언자들의 말씀이 이 두 계명에서 나온 것이다."

41 바리새파 사람들이 함께 모여 있을 때, 예수님께서 그들에게 질문하셨습니다.

42 "너희는 그리스도에 대해서 어떻게 생각하느냐? 그가 누구의 자손이냐?" 바리새파 사람들이 대답했습니다. "다윗의 자손입니다."

43 그러자 예수님께서 그들에게 말씀하셨습니다. "그러면 다윗이 성령의 감동을 받아, 어찌 그리스도를 '주님'이라고 불렀겠느냐? 그는,

44 '여호와께서 내 주님에게 말씀하셨습니다. 내가 네 원수를 네 발 아래 굴복시킬 때까지, 너는 내 오른쪽에 앉아 있어라'*하고 말하였다.

45 다윗이 이처럼 그리스도를 '주님'이라고 불렀는데, 어떻게 그리스도가 다윗의 자손이 되느냐?"

46 아무도 예수님께 한마디도 대답하지 못했습니다. 그 이후로 아무도 예수님께 감히 질문을 하려고 하지 않았습니다.

*22:44 시 110:1에 기록되어 있다.

45 다윗이 그리스도를 주라 칭하였은즉 예수님은 다윗이 자신의 자손으로 오실 메시아를 '주'라고 부른 사실을 강조하셨다. 그 이유는 유대인들이 '오실' 메시아를 육적이고 정치적인 분으로 생각했기 때문이다. 이에 반해 메시아는 신적인 존재로서, 그분이 하실 일도 유대인들이 생각하는 것과 다름을 강조하고 드러내시려는 의도였다. 예수님은 유대인들의 잘못된 메시아관을 수정하신다.

저자의 묵상

율법의 가장 중요한 계명을 묻는 질문에 예수님은 '사랑'이라고 답하셨다. 그렇다. 사랑은 모든 율법의 완성이다. 하나님을 사랑하면 율법의 개개 조항에 얽매이는 것이 해결된다. 사랑하고 행동하면 사랑하는 대상에게 죄를 지을 수가 없으며, 혹 실수를 하더라도 진정한 사랑이 있으면 그것은 곧 회복될 수 있기 때문이다. 그러므로 우리도 하나님을 사랑해야 한다. 성경을 우리가 지켜야 하는 무거운 짐이 아니라 하나님을 사랑하는 방법을 기록한 책으로 생각하면 훨씬 성경이 친숙하게 느껴질 것이다.

또한 하나님을 사랑하는 그 크기만큼 이웃을 사랑해야 한다. 하나님이 우리를 먼저 사랑하셨기 때문에 우리가 하나님을 사랑하듯이 우리 이웃을 내 몸처럼 사랑해야 한다. 그리고 예수님은 이웃의 범주를 제한하지 않으셨다. 불신자도 우리가 사랑해야 할 대상임을 잊지 말자.

무릎 기도 하나님, 날마다 하나님의 크신 사랑을 더 깨달아 알게 하시고, 저 또한 전인격을 다하여 하나님을 사랑하게 하소서. 그 사랑이 자연스럽게 이웃에게도 흘러가기 원합니다.

NLT - Matthew 22

34 But when the Pharisees heard that he had silenced the Sadducees with his reply, they met together to question him again.
35 One of them, an expert in religious law, tried to trap him with this question:
36 "Teacher, which is the most important commandment in the law of Moses?"
37 Jesus replied, "'You must love the LORD your God with all your heart, all your soul, and all your mind.'*
38 This is the first and greatest commandment.
39 A second is equally important: 'Love your neighbor as yourself.'*
40 The entire law and all the demands of the prophets are based on these two commandments."
41 Then, surrounded by the Pharisees, Jesus asked them a question:
42 "What do you think about the Messiah? Whose son is he?" They replied, "He is the son of David."
43 Jesus responded, "Then why does David, speaking under the inspiration of the Spirit, call the Messiah 'my Lord'? For David said,
44 'The LORD said to my Lord, Sit in the place of honor at my right hand until I humble your enemies beneath your feet.'*
45 Since David called the Messiah 'my Lord,' how can the Messiah be his son?"
46 No one could answer him. And after that, no one dared to ask him any more questions.

*22:37 Deut 6:5. *22:39 Lev 19:18. *22:44 Ps 110:1.

34 silence 침묵시키다 35 expert 전문가 36 commandment 계명, 명령 39 equally 똑같이 neighbor 이웃 40 entire 전체의, 온 prophet 예언자, 선지자 be based on ~ ~에 근거하다 41 surround 둘러싸다 43 respond 대답하다 inspiration (신의) 영감 44 humble 겸손하게 하다, 낮추다 beneath one's feet ~의 발밑에 굴복하여 46 dare 감히 ~하다

90

월 일

종교지도자들을 꾸짖으심

마태복음 23:1-15

새찬송 322장 | 통일 357장

• 먼저 묵상을 위한 기도를 드린 후, 성경 본문을 2번 이상 읽고 묵상하십시오.

본문요약 | 예수님은 당시 서기관들과 바리새인들이 모세의 자리에 앉아서 말만 하고 행하지 않는다고 책망하신다. 예수님은 랍비나 지도자라 칭함을 받지 말고, 땅에 있는 자를 아버지라고 부르지 말라고 말씀하신다. 그것은 오직 한 분이신 하나님과 그리스도만이 높임을 받으셔야 하기 때문이다.

개역개정

1 이에 예수께서 무리와 제자들에게 말씀하여 이르시되
2 서기관들과 바리새인들이 모세의 자리에 앉았으니
3 그러므로 무엇이든지 그들이 말하는 바는 행하고 지키되 그들이 하는 행위는 본받지 말라 그들은 말만 하고 행하지 아니하며
4 또 무거운 짐을 묶어 사람의 어깨에 지우되 자기는 이것을 한 손가락으로도 움직이려 하지 아니하며
5 그들의 모든 행위를 사람에게 보이고자 하나니 곧 그 경문 띠를 넓게 하며 옷술을 길게 하고
6 잔치의 윗자리와 회당의 높은 자리와
7 시장에서 문안 받는 것과 사람에게 랍비라 칭함을 받는 것을 좋아하느니라
8 그러나 너희는 랍비라 칭함을 받지 말라 너희 선생은 하나요 너희는 다 형제니라
9 땅에 있는 자를 아버지라 하지 말라 너희의 아버지는 한 분이시니 곧 하늘에 계신 이시니라
10 또한 지도자라 칭함을 받지 말라 너희의 지도자는 한 분이시니 곧 그리스도시니라
11 너희 중에 큰 자는 너희를 섬기는 자가 되어야 하리라
12 누구든지 자기를 높이는 자는 낮아지고 누구든지 자기를 낮추는 자는 높아지리라
13 화 있을진저 외식하는 서기관들과 바리새인들이여 너희는 천국 문을 사람들 앞에서 닫고 너희도 들어가지 않고 들어가려 하는 자도 들어가지 못하게 하는도다

1) 어떤 사본에, 14절에 막 12:40과 눅 20:47과 유사한 구절이 있음

14 [1](없음)
15 화 있을진저 외식하는 서기관들과 바리새인들이여 너희는 교인 한 사람을 얻기 위하여 바다와 육지를 두루 다니다가 생기면 너희보다 배나 더 지옥 자식이 되게 하는도다

1. 오늘 하나님께서 나에게 주신 깨달음은 무엇입니까?

2. 말씀을 어떻게 내 삶에 구체적으로 적용해야 합니까?

절별 해설

2 모세의 자리에 앉았으니 22장에 이어 예수님은 본격적으로 서기관들과 바리새인들의 위선을 책망하신다. '서기관들'은 율법을 가르치고 해석하는 일을 했던 율법학자들로, 주로 바리새인들 가운데서 배출되었다. '모세의 자리에 앉았다'라는 표현은, 모세가 율법을 가르쳤듯이 그들이 율법을 가르치고 주관하는 자리를 차지했다는 뜻이다. 당시 사두개인들과 헤롯 당원들이 주로 정치적·경제적인 세력을 가졌다면, 서기관들과 바리새인들은 종교적·율법적인 우위를 차지하고 있었다.

4 무거운 짐 율법 자체를 의미하는 것이 아니다. 서기관들이 율법을 가지고 만들어 낸 각종 조항들과 해설들을 말한다. 여기에는 율법과 상관없이 그들이 자의적으로 만들어 낸 많은 조항들이 포함되어 있었다. 즉, 서기관들은 율법을 통해 진정으로 사람들을 돕고 하나님의 은혜를 가르치는 정신을 전달하기보다는, 사람들이 지키기 어려운 율법 조항과 규칙을 부과함으로 백성의 삶을 피폐하게 만들었다.

5 경문 띠 '경문'은 바리새인들이 율법의 몇 구절을(출 13:8-9, 14-16; 신 6:4-9; 11:13-21) 양피지 조각에 적어 넣고 다니는 작은 상자다. 그들은 이것을 이마나 왼팔 안쪽에 묶고 다녔다. **옷술** '옷술'은 민수기 말씀에 근거하여 옷자락에 매달고 다닌 흰색과 청색 실로 짠 장식을 말한다(민 15:38-41). 바리새인들은 이 옷술을 더 화려하고 크게 장식함으로 자신들의 종교적 열심을 과시했다.

8 랍비 '선생'이라는 말로 '나의 위대한 분'이라는 뜻이다. '랍비'는 율법을 가르치는 선생을 일컫는 말이다. 그들은 율법에 정통했기에 백성과 그들의 제자들에게 존경을 받았으며 '랍비'라 칭함을 받았다. 그러나 나중에는 인위적으로 자신들을 높이려고 애쓰며 제자들에게 랍비라 부르라고 강요하기도 했다고 전한다.

11 너희 중에 큰 자는 너희를 섬기는 자가 되어야 하리라 바리새인들은 종교적으로 우월한 지위를 이용하여 일반 백성 위에 '선생'으로 혹은 '지도자'로 군림하려 들었다. 그러나 예수님은 이와는 반대로 큰 자는 섬기는 자가 되는 것이 옳다고 하신다. 진정한 높아짐이란 섬김을 통하여 이루어지는 것으로, 이것이 하나님 나라의 특징이다(18:4).

쉬운성경

1 그때, 예수님께서 무리들과 제자들에게 말씀하셨습니다.

2 "율법학자들과 바리새파 사람들은 모세의 자리에 앉았다.

3 그러므로 너희는 그들이 말하는 것을 다 행하고 지켜라. 그러나 그들의 행동을 따라하지는 마라. 그들은 말만 하고 행하지는 않는다.

4 그들은 무거운 짐을 묶어 다른 사람들의 어깨에 올리지만 정작 자신들은 그 짐을 지기 위해 손가락 하나 움직이려고 하지 않는다.

5 그들은 다른 사람들에게 보이려고 모든 일을 한다. 그래서 말씀 상자*를 크게 만들고, 옷술을 길게 늘어뜨린다.

6 이들은 잔치에서 윗자리에 앉기를 좋아하고, 회당에서 높은 자리에 앉기를 좋아한다.

7 이들은 장터에서 인사받는 것을 좋아하고, 선생이라고 불리는 것을 좋아한다.

8 그러나 너희는 '선생'이라는 소리를 듣지 마라. 너희의 선생님은 오직 한 분이고, 너희 모두는 형제들이다.

9 그리고 세상에서 그 누구에게도 '아버지'라고 부르지 마라. 아버지는 오직 한 분인데, 하늘에 계시다.

10 너희는 '지도자' 소리를 듣지 마라. 너희의 지도자는 오직 한 분뿐인 그리스도시다.

11 너희 가운데 큰 자는, 너희의 종이 될 것이다.

12 누구든지 자신을 높이는 사람은 낮아질 것이고, 낮추는 사람은 높아질 것이다.

12 예수님은 교만을 경고하시며 겸손이 갖는 복을 말씀하신다. 여기서의 '겸손', 즉 낮아짐은 8-11절의 문맥을 통해 이해해야 한다. 진정한 겸손이란 단순히 자신을 낮추는 것만이 아닌 하나님을 진정으로 높이는 것을 포함한다. 또한 하나님을 진정으로 알고 높이는 사람은 세상에서 교만할 수 없다.

13 **외식하는 서기관들과 바리새인들이여** '외식'은 본래 '연극하는 사람'이란 뜻이다. 이는 겉과 속이 다르고 이론과 실제가 다른 사람을 뜻한다. 서기관들과 바리새인들은 율법을 세분화하여 결국 자기들도 지키지 않으면서 백성들도 지킬 수 없는 무거운 짐이 되게 만들었다.

13 율법학자와 바리새파 위선자들이여, 너희에게 화가 있다! 너희는 사람들 앞에서 하늘나라의 문을 막는다. 너희가 들어가지 않으면서, 다른 사람들도 들어가지 못하게 막는다.

14 (없음)*

15 율법학자와 바리새파 위선자들이여, 너희에게 화가 있다! 너희는 개종자 하나를 만들려고 바다와 육지를 두루 다닌다. 그러다가 한 사람을 찾으면 너희보다 더한 지옥의 아들로 만든다.

*23:5 개역 성경에는 '경문'이라 되어 있다.
*23:14 어떤 사본에는 다음과 같은 구절이 있다. "율법학자와 바리새파 위선자들이여, 너희에게 화가 있다. 너희는 과부의 집을 삼키고, 거짓으로 길게 기도한다. 그러므로 너희가 더 큰 심판을 받을 것이다."

저자의 묵상

예수님은 바리새인들의 행태를 책망하셨는데, 그 책망의 내용을 자세히 살펴보아야 한다. 예수님은 바리새인들의 모든 것을 부정하지는 않으셨다. 그들의 위선적인 행동만을 선별적으로 책망하셨다. 즉, 그들이 가르치는 율법 자체는 부정하지 않으셨다. 우리는 어떤 사람이 잘못한다고 판단하면 그 사람의 모든 것을 부정하려는 경향이 있다. 그러나 그중에서 옳은 것은 취하고 잘못된 것은 버려야 한다. 잘못했다고 해서 그 사람의 모든 것을 부정하는 것은 지혜로운 태도가 아니다.

한편, 당시 바리새인들은 자신들의 종교적 열심을 통해서 세상에서의 명예를 얻으려고 혈안이 되어 있었다. 경문과 옷술을 통해서 볼 수 있는 것도 그들이 자신들의 신앙과 열심을 자랑했다는 것이다. 이처럼 우리도 자칫 신앙적인 열심을 사람에게 보이려고 행하는 어리석음을 범할 수 있음을 기억하고 조심해야 한다.

무릎 기도 하나님, 혹 저를 포장하고 자랑하기 위해 신앙적 열심을 낸 적이 있다면 용서해 주소서. 저의 모든 것이 오직 주님의 영광만을 위해서 쓰이기를 기도합니다.

NLT - Matthew 23

1 Then Jesus said to the crowds and to his disciples,
2 "The teachers of religious law and the Pharisees are the official interpreters of the law of Moses.*
3 So practice and obey whatever they tell you, but don't follow their example. For they don't practice what they teach.
4 They crush people with unbearable religious demands and never lift a finger to ease the burden.
5 "Everything they do is for show. On their arms they wear extra wide prayer boxes with Scripture verses inside, and they wear robes with extra long tassels.*
6 And they love to sit at the head table at banquets and in the seats of honor in the synagogues.
7 They love to receive respectful greetings as they walk in the marketplaces, and to be called 'Rabbi.'*
8 "Don't let anyone call you 'Rabbi,' for you have only one teacher, and all of you are equal as brothers and sisters.*
9 And don't address anyone here on earth as 'Father,' for only God in heaven is your spiritual Father.
10 And don't let anyone call you 'Teacher,' for you have only one teacher, the Messiah.
11 The greatest among you must be a servant.
12 But those who exalt themselves will be humbled, and those who humble themselves will be exalted.
13 "What sorrow awaits you teachers of religious law and you Pharisees. Hypocrites! For you shut the door of the Kingdom of Heaven in people's faces. You won't go in yourselves, and you don't let others enter either.*
15 "What sorrow awaits you teachers of religious law and you Pharisees. Hypocrites! For you cross land and sea to make one convert, and then you turn that person into twice the child of hell* you yourselves are!

*23:2 Greek *and the Pharisees sit in the seat of Moses.*
*23:5 Greek *They enlarge their phylacteries and lengthen their tassels.*
*23:7 *Rabbi*, from Aramaic, means "master" or "teacher."
*23:8 Greek *brothers.*
*23:13 Some manuscripts add verse 14, *What sorrow awaits you teachers of religious law and you Pharisees. Hypocrites! You shamelessly cheat widows out of their property and then pretend to be pious by making long prayers in public. Because of this, you will be severely punished.* Compare Mark 12:40 and Luke 20:47.
*23:15 Greek *of Gehenna;* also in 23:33.

2 interpreter 해석자 3 practice 행하다 obey 준수하다, 따르다 4 crush 누르다 unbearable 견딜 수 없는, 참기 어려운 burden 짐, 부담감 5 robe 겉옷 extra 추가의, 여분의 tassel (장식) 술 6 synagogue 회당 7 respectful 존경심을 보이는, 경의를 표하는 8 equal 평등한, 동등한 9 address 부르다 spiritual 영적인 11 servant 종 12 exalt 높이다 humble 낮추다 13 hypocrite 위선자 in people's faces 사람들의 면전에서 15 convert 개종자 turn … into ~ …을 ~로 바꾸다

• MEMO •

91

월 일

잘못된 가르침과 위선

마태복음 23:16-28

새찬송 204장 | 통일 379장

• 먼저 묵상을 위한 기도를 드린 후, 성경 본문을 2번 이상 읽고 묵상하십시오.

본문요약 | 바리새인들은 성전이나 제단을 두고 맹세하면 아무 일이 없지만, 성전 안의 금이나 예물을 두고 맹세하면 반드시 지켜야 한다고 가르쳤다. 또 바리새인들은 박하와 회향과 근채의 십일조까지 바치면서도 정작 율법의 더 중요한 부분인 정의와 긍휼과 믿음은 무시했다. 예수님은 각각 그들의 가르침의 잘못과 위선을 지적하셨다.

개역개정

16 화 있을진저 눈먼 인도자여 너희가 말하되 누구든지 성전으로 맹세하면 아무 일 없거니와 성전의 금으로 맹세하면 지킬지라 하는도다
17 어리석은 맹인들이여 어느 것이 크냐 그 금이냐 그 금을 거룩하게 하는 성전이냐
18 너희가 또 이르되 누구든지 제단으로 맹세하면 아무 일 없거니와 그 위에 있는 예물로 맹세하면 지킬지라 하는도다
19 맹인들이여 어느 것이 크냐 그 예물이냐 그 예물을 거룩하게 하는 제단이냐
20 그러므로 제단으로 맹세하는 자는 제단과 그 위에 있는 모든 것으로 맹세함이요
21 또 성전으로 맹세하는 자는 성전과 그 안에 계신 이로 맹세함이요
22 또 하늘로 맹세하는 자는 하나님의 보좌와 그 위에 앉으신 이로 맹세함이니라
23 화 있을진저 외식하는 서기관들과 바리새인들이여 너희가 박하와 회향과 근채의 십일조는 드리되 율법의 더 중한 바 정의와 긍휼과 믿음은 버렸도다 그러나 이것도 행하고 저것도 버리지 말아야 할지니라
24 맹인 된 인도자여 하루살이는 걸러 내고 낙타는 삼키는도다
25 화 있을진저 외식하는 서기관들과 바리새인들이여 잔과 대접의 겉은 깨끗이 하되 그 안에는 탐욕과 방탕으로 가득하게 하는도다
26 눈먼 바리새인이여 너는 먼저 안을 깨끗이 하라 그리하면 겉도 깨끗하리라
27 화 있을진저 외식하는 서기관들과 바리새인들이여 회칠한 무덤 같으니 겉으로는 아름답게 보이나 그 안에는 죽은 사람의 뼈와 모든 더러운 것이 가득하도다
28 이와 같이 너희도 겉으로는 사람에게 옳게 보이되 안으로는 외식과 불법이 가득하도다

1. 오늘 하나님께서 나에게 주신 깨달음은 무엇입니까?

2. 말씀을 어떻게 내 삶에 구체적으로 적용해야 합니까?

절별 해설

16 누구든지 성전으로 맹세하면 아무 일 없거니와 구약에는 하나님의 이름으로만 맹세하라는 명령이 나오며(신 6:13), 이에 따라 그런 맹세가 자주 등장한다(삿 8:19; 삼상 19:6; 렘 42:5). 이것은 맹세를 반드시 지킬 것을 강조한 명령이다. 그런데 예수님은 맹세하지 말라고 가르치셨다(5:33-37). 이는 구약의 명령 자체를 부정하신 것이 아니라, 예수님 당시에 사람들이 지키지 않을 잘못된 맹세들을 남발하는 것을 한탄하며 금하신 것이다. 바리새인들은 성경에도 없는 복잡한 규례들을 만들어 사람들로 하여금 본문처럼 어떤 맹세는 지키지 않아도 문제가 없다고 가르쳤다. 예수님은 이런 잘못된 맹세들을 금지하신 것이며, 맹세는 반드시 지켜야 한다고 말씀하셨다.

18 누구든지 제단으로 맹세하면 아무 일 없거니와 '제단과 예물'로 맹세하는 일에도 바리새인들은 터무니없는 주장을 이어갔다. 일설에 의하면, 바리새인들이 제단보다 예물을 통한 맹세를 강조한 이유는, 그것이 백성으로 하여금 더 많은 예물을 가져오게 독려하는 수단이 되었기 때문이라고 한다. 즉, 맹세를 통해 예물의 중요성을 강조함으로 사람들이 성전에 올 때 더 많은 예물을 가져오게 하려는 의도였다.

20 제단으로 맹세하는 자는 제단과 그 위에 있는 모든 것으로 맹세함이요 바리새인들은 제단을 두고 한 맹세는 어겨도 괜찮다고 가르쳤지만(18절), 예수님은 제단이 의미하는 것은 제단 위의 모든 것과 함께 궁극적으로 하나님을 섬기는 것이라고 설명하신다. 제단이 하나님에 대한 예배를 상징하기 때문에, 제단으로 한 맹세라고 해서 마음대로 어겨서는 안 됨을 분명히 하신다.

23 너희가 박하와 회향과 근채의 십일조는 드리되 원래 율법에 의하면 곡식이나 포도주 또는 짐승에 관하여 하나님께 그 십일조를 드리게 되어 있었다(레 27:30-33). 이러한 십일조는 하나님께 드려진 뒤에 레위 사람들과 제사장들의 분깃이 되었다. 레위 지파는 가나안 땅을 분배받을 때 하나님을 섬기기 위해 아무런 분깃도 받지 않았기 때문에 이스라엘 백성이 십일조를 통해 그들을 섬겨야 했다. '박하와 회향과 근채'는 음식의 양념으로 사용되던 것으로 율법의 십일조 규정에는 없었으나, 바리새인들은 이런 작은 것들에도 십일조를 드리는 열심을 냈다. **이것도 행하고 저것도 버리지 말아야 할지니라** 예수님은 바리새인들이 작은 채소의 십일조까지 철저히 드리면서도 더 중요한 정의, 긍휼, 믿음은 무시했다고 하신다. 즉, 그들이 형식적 삶에 치우쳐 이웃과 하나님을 향한 진정한 삶을 살지 않은 것을 말씀하시는 것이다. 하나님은 삶이 결여된 형식주의를 싫

쉬운성경

16 앞 못 보는 인도자인 너희에게 화가 있다! 너희는 '만일 너희가 성전을 두고 맹세하면 아무래도 좋지만 성전에 있는 금을 두고 맹세하면 반드시 지켜야 한다'라는 말을 한다.

17 바보 같고 눈이 먼 너희들아! 어느 것이 더 중요하냐? 금이냐, 그 금을 거룩하게 만드는 성전이냐?

18 또한 너희는 이런 말도 한다. '만일 어떤 사람이 제단을 두고 맹세하면 아무래도 좋지만 제단 위에 있는 제물을 두고 맹세하면 반드시 지켜야 한다.'

19 너희 눈먼 사람들아! 어느 것이 더 중요하냐? 제물이냐, 제물을 거룩하게 하는 제단이냐?

20 제단을 두고 맹세하는 사람은 제단과 제단 위에 있는 모든 것을 두고 맹세하는 것이다.

21 성전을 두고 맹세하는 사람은 성전과 성전 안에 계신 분을 두고 맹세하는 것이다.

22 하늘을 두고 맹세하는 사람은 하나님의 보좌와 거기에 앉으신 분을 두고 맹세하는 것이다.

23 율법학자와 바리새파 위선자들이여, 너희에게 화가 있다! 너희는 박하와 회향과 뿌리채소의 십일조까지 드리면서, 정의, 자비, 믿음과 같은 율법의 더 중요한 부분은 무시한다. 십일조도 중요하지만, 더 중요한 일을 무시해서는 안 된다.

24 눈이 먼 너희여, 너희는 모기는 걸러 내어도 낙타는 삼켜 버린다!"

25 율법학자와 바리새파 위선자들이여, 너희에게 화가 있다! 너희가 잔과

어하시기에, 예수님은 십일조와 그보다 더 중요한 율법의 정신, 둘 다 행할 것을 당부하셨다. 더불어 이는 자칫 형식주의를 비판하며 내용만 강조하다가 형식을 잃어버리는 어리석음도 경계하신 것이다.

27 회칠한 무덤 죽은 사람이 묻혀 있는 무덤은 유대인에게 부정한 것이다. 그 때문에 무덤 겉에 하얗게 회칠을 하여 사람들이 무의식중에라도 접촉하는 일이 없게 방지하였다.

접시의 겉을 깨끗하게 하지만 그 안에는 탐욕과 방종이 가득 차 있다.

26 너희 눈먼 바리새파 사람들이여, 먼저 잔과 접시의 안을 깨끗하게 하여라. 그래야 겉도 깨끗해질 것이다.

27 율법학자와 바리새파 위선자들이여, 너희에게 화가 있다! 너희는 하얗게 칠한 무덤과 같다. 겉은 아름다워 보이지만 그 안은 시체들의 뼈와 온갖 더러운 것으로 가득 차 있다.

28 너희가 겉으로는 사람들에게 의롭게 보이지만, 속에는 위선과 악이 가득하다.

저자의 묵상

당시 바리새인들은 자신들의 이익을 위해 성경 말씀을 마음대로 바꾸었다. 맹세에 대해서도 어떤 맹세는 지키지 않아도 된다고 완화함으로써 사람들이 맹세를 남발하고 지키지 않을 가능성을 열어 두었다. 그러나 예수님은 하나님을 믿는 백성이 무엇으로 맹세했든, 그것은 하나님을 두고 한 맹세이기에 반드시 지켜야 한다고 말씀하신다. 이 세상의 모든 피조물은 하나님의 것이므로, 우리가 무엇으로 맹세하든 그것은 하나님을 두고 맹세하는 것이 된다. 그러므로 그리스도인들은 입으로 말한 것을 반드시 지켜야 한다. 우리의 입과 말은 하나님이 주신 것이므로, 그것으로 죄를 짓고 남을 속이는 것은 결국 하나님께 죄를 짓는 것이다. 지킬 수 없는 것에는 약속이나 맹세를 하지 않는 편이 더 낫다

무릎 기도 하나님, 주님의 자녀로 정직한 삶을 살게 하소서. 지킬 수 없는 약속은 하지 않으며 맹세를 남용하지 않음으로써 주님의 정직함을 드러내는 삶을 살게 하소서.

16 "Blind guides! What sorrow awaits you! For you
say that it means nothing to swear 'by God's
Temple,' but that it is binding to swear 'by the
gold in the Temple.'
17 Blind fools! Which is more important—the gold
or the Temple that makes the gold sacred?
18 And you say that to swear 'by the altar' is not
binding, but to swear 'by the gifts on the altar' is
binding.
19 How blind! For which is more important—the
gift on the altar or the altar that makes the gift
sacred?
20 When you swear 'by the altar,' you are swearing
by it and by everything on it.
21 And when you swear 'by the Temple,' you are
swearing by it and by God, who lives in it.
22 And when you swear 'by heaven,' you are
swearing by the throne of God and by God, who
sits on the throne.
23 "What sorrow awaits you teachers of religious
law and you Pharisees. Hypocrites! For you are
careful to tithe even the tiniest income from
your herb gardens,* but you ignore the more
important aspects of the law—justice, mercy,
and faith. You should tithe, yes, but do not
neglect the more important things.
24 Blind guides! You strain your water so you won't
accidentally swallow a gnat, but you swallow a
camel!*
25 "What sorrow awaits you teachers of religious
law and you Pharisees. Hypocrites! For you are
so careful to clean the outside of the cup and
the dish, but inside you are filthy—full of greed
and self-indulgence!
26 You blind Pharisee! First wash the inside of the
cup and the dish,* and then the outside will
become clean, too.
27 "What sorrow awaits you teachers of religious
law and you Pharisees. Hypocrites! For you are
like whitewashed tombs—beautiful on the
outside but filled on the inside with dead
people's bones and all sorts of impurity.
28 Outwardly you look like righteous people, but
inwardly your hearts are filled with hypocrisy
and lawlessness.

*23:23 Greek *tithe the mint, the dill, and the cumin.*
*23:24 See Lev 11:4, 23, where gnats and camels are both forbidden as food.
*23:26 Some manuscripts do not include *and the dish.*

16 sorrow 슬픔 binding 구속력이 있는 17 sacred 신성한, 성스러운 18 altar 제단 22 throne 왕위, 보좌
23 tithe 십일조를 바치다 ignore 무시하다, 간과하다 aspect 관점, 태도 neglect 무시하다, 거절하다 24 strain 거르다
accidentally 실수로 gnat 각다귀, 모기 swallow 삼키다 25 filthy 불결한 self-indulgence 방종, 탐닉
27 whitewash 희게 회칠하다

• MEMO •

92

월 일

심판을 선언하시는 하나님

마태복음 23:29-39

새찬송 179장 | 통일 167장

• 먼저 묵상을 위한 기도를 드린 후, 성경 본문을 2번 이상 읽고 묵상하십시오.

본문요약 | 서기관들과 바리새인들은 선지자들의 무덤을 꾸미고 자신들은 조상들과 같지 않다고 주장했지만, 예수님은 그들이 살인자들의 자손이므로 조상들의 남은 죄를 채우라고 하신다. 그들은 지옥의 심판을 피할 수 없다. 그들은 하나님이 보내신 사람들을 핍박하고 죽일 것이다. 의인을 박해한 바리새인들과 서기관들은 피 흘린 의인에 대한 죄값을 받게 될 것이다.

개역개정

29 화 있을진저 외식하는 서기관들과 바리새
인들이여 너희는 선지자들의 무덤을 만들
고 의인들의 비석을 꾸미며 이르되
30 만일 우리가 조상 때에 있었더라면 우리는
그들이 선지자의 피를 흘리는 데 참여하지
아니하였으리라 하니
31 그러면 너희가 선지자를 죽인 자의 자손임
을 스스로 증명함이로다
32 너희가 너희 조상의 분량을 채우라
33 뱀들아 독사의 새끼들아 너희가 어떻게 지
옥의 판결을 피하겠느냐
34 그러므로 내가 너희에게 선지자들과 지혜
있는 자들과 서기관들을 보내매 너희가 그
중에서 더러는 죽이거나 십자가에 못 박
고 그중에서 더러는 너희 회당에서 채찍
질하고 이 동네에서 저 동네로 따라다니
며 박해하리라
35 그러므로 의인 아벨의 피로부터 성전과 제
단 사이에서 너희가 죽인 바라갸의 아들
사가랴의 피까지 땅 위에서 흘린 의로운
피가 다 너희에게 돌아가리라
36 내가 진실로 너희에게 이르노니 이것이 다
이 세대에 돌아가리라
37 예루살렘아 예루살렘아 선지자들을 죽이
고 네게 파송된 자들을 돌로 치는 자여 암
탉이 그 새끼를 날개 아래에 모음같이 내
가 네 자녀를 모으려 한 일이 몇 번이더냐
그러나 너희가 원하지 아니하였도다
38 보라 너희 집이 황폐하여 버려진 바 되리
라
39 내가 너희에게 이르노니 이제부터 너희는
찬송하리로다 주의 이름으로 오시는 이여
할 때까지 나를 보지 못하리라 하시니라

1. 오늘 하나님께서 나에게 주신 깨달음은 무엇입니까?

2. 말씀을 어떻게 내 삶에 구체적으로 적용해야 합니까?

절별 해설

30 만일 우리가 조상 때에 있었더라면 우리는 그들이 선지자의 피를 흘리는 데 참여하지 아니하였으리라 서기관들과 바리새인들은 서기관들은 역사 속에서 하나님의 선지자들이 다름 아닌 자신들의 조상 유대인들에 의해 핍박과 죽임을 당한 것을 너무도 잘 알고 있었다. 일례로 예레미야는 의로운 선지자였으나 하나님의 뜻을 전하다가 많은 고난을 겪었다. 이제 서기관들과 바리새인들은 자신들의 행위를 조상들과 구분함으로써 자신들이 조상들보다 우월하다고 말하는 것이다. 그러나 그들은 역사는 알았지만 정작 자신들에 대해서는 몰랐다. 그들은 세례 요한이 죽임을 당할 때에 어떤 변호나 항의도 하지 않았다.

31 죽인 자의 자손 서기관들과 바리새인들이 스스로 조상들이 한 일을 고백함으로써 자신들이 살인자들의 자손임을 입증하고 있다는 말씀이다. 유대 사회에서 '자손'이라는 의미는 조상과의 동질성을 설명하는 말로 사용되었다. 그러므로 예수님의 말씀은 서기관들과 바리새인들이 지금도 그 조상들처럼 행동하고 있으며, 예수님을 죽이려 하고 있음을 드러내시는 것이다.

32 너희가 너희 조상의 분량을 채우라 예수님은 조상들이 시작한 악한 일을 마무리하라고 하신다. '채우라'는 표현은 말 그대로 어떤 양의 부족한 부분을 채워 넣는 것이다. 그동안 조상 때부터 저질러 온 악의 대미를 그들이 장식하라는 뜻이다. 이 말은 예수 그리스도의 죽음과 관련된 표현이다. 서기관들과 바리새인들은 결국 예수님을 죽게 할 것이며, 그것이 그들이 행하는 가장 악독한 행위가 될 것이다. 그들은 조상보다 더 의로운 자들이 아니라 더 악한 자들이 될 것이다.

35 의인 아벨의 피로부터 성전과 제단 사이에서 너희가 죽인 바가랴의 아들 사가랴의 피까지 '아벨'은 창세기에 나오는 최초의 순교자다. '사가랴(스가랴)'는 제사장 여호야다의 아들로 이스라엘 백성의 우상숭배를 책망하다가 성전 뜰 안에서 돌에 맞아 죽임을 당한 사람이다(대하 24:20-22). 원래 히브리 구약성경의 순서에는 역대하가 가장 마지막에 나온다. 따라서 사가랴는 구약 최후의 순교자가 된다. 즉, 예수님은 구약성경 전체의 순교자를 처음과 마지막 사람으로 표현하신 것이다.

땅 위에서 흘린 의로운 피가 다 너희에게 돌아가리라 이 말씀은 그들이 조상들의 행위에서 돌이키지 않고 그대로 이어받아 예수님을 죽이고, 계속해서 예수님의 사람들을 박해하고 죽이는 죗값을 치르게 된다는 말씀이다.

36 이것이 다 이 세대에 돌아가리라 실제로 유대인들은 AD 70년에 로마 디도 장군의 공격을 받아 예루살렘이 멸망하고 수많

쉬운성경

29 율법학자와 바리새파 위선자들이여, 너희에게 화가 있다! 너희는 예언자들의 무덤을 만들고, 의인의 묘비를 꾸미면서

30 '만일 우리가 우리 조상들이 살았던 때에 살았더라면, 우리는 예언자의 피를 흘리는 데 함께 하지 않았을 것이다'라고 말한다.

31 그러나 너희는 예언자들을 죽인 살인자들의 자손이라는 것을 스스로 나타내고 있구나.

32 그러므로 너희는 너희 조상들의 악한 일을 마저 채워라.

33 뱀들아, 너희 독사의 자식들아! 지옥의 심판을 너희가 어떻게 피할 수 있느냐?

34 그러므로 내가 너희에게 예언자와 지혜 있는 사람과 율법학자들을 보낸다. 너희는 이 사람들 가운데서 몇 명은 죽이고, 십자가에 못박고, 몇 명은 회당에서 때릴 것이다. 그리고 이 마을에서 저 마을로 뒤쫓으며 박해할 것이다.

35 따라서 의인 아벨의 피로부터, 성전과 제단 사이에서 살해당한 바라갸의 아들 스가랴*의 피에 이르기까지, 너희는 세상에서 피를 흘린 의인에 대한 죄값을 치를 것이다.

36 내가 너희에게 진정으로 말한다. 이 모든 것들이 이 세대에 올 것이다."

37 "예루살렘아, 예언자들을 죽이고 하나님께서 네게 보내신 사람들을 돌로 친 예루살렘아! 암탉이 병아리들을 날개 아래에 품듯이, 얼마나 내가 너희 자녀를 모으려고 했느냐! 그러나 너희들은 원하지 않았다.

94

월 일

종말에 일어날 일

마태복음 24:15-28

새찬송 348장 | 통일 388장

• 먼저 묵상을 위한 기도를 드린 후, 성경 본문을 2번 이상 읽고 묵상하십시오.

본문요약 | 예수님은 다니엘의 예언이 이루어지는 것을 보거든 무엇을 챙기러 집에 돌아가지 말고 서둘러 도망하라고 하신다. 엄청난 환난이 일어날 것이지만 하나님은 그 기간을 줄여 주실 것이다. 또한 예수님은 심판 때가 되면 사람들이 그리스도가 여기 있다 저기 있다 말할 것이고, 거짓 그리스도들과 선지자들이 큰 증거를 보일 것이나 믿지 말라고 하신다.

개역개정

15 그러므로 너희가 선지자 다니엘이 말한 바 ㄱ멸망의 가증한 것이 거룩한 곳에 선 것을 보거든 (읽는 자는 깨달을진저)
16 그때에 유대에 있는 자들은 산으로 도망할지어다
17 지붕 위에 있는 자는 집 안에 있는 물건을 가지러 내려가지 말며
18 밭에 있는 자는 겉옷을 가지러 뒤로 돌이키지 말지어다
19 그날에는 아이 밴 자들과 젖 먹이는 자들에게 화가 있으리로다
20 너희가 도망하는 일이 겨울에나 안식일에 되지 않도록 기도하라
21 이는 그때에 큰 환난이 있겠음이라 창세로부터 지금까지 이런 환난이 없었고 후에도 없으리라
22 그날들을 감하지 아니하면 모든 육체가 구원을 얻지 못할 것이나 그러나 택하신 자들을 위하여 그날들을 감하시리라
23 그때에 사람이 너희에게 말하되 보라 그리스도가 여기 있다 혹은 저기 있다 하여도 믿지 말라
24 거짓 그리스도들과 거짓 선지자들이 일어나 큰 [1]표적과 기사를 보여 할 수만 있으면 택하신 자들도 미혹하리라
25 보라 내가 너희에게 미리 말하였노라
26 그러면 사람들이 너희에게 말하되 보라 그리스도가 광야에 있다 하여도 나가지 말고 보라 골방에 있다 하여도 믿지 말라
27 번개가 동편에서 나서 서편까지 번쩍임같이 인자의 임함도 그러하리라
28 주검이 있는 곳에는 독수리들이 모일 것이니라

1) 또는 이적 ㄱ. 단 9:27; 11:31; 12:11

1. 오늘 하나님께서 나에게 주신 깨달음은 무엇입니까?

2. 말씀을 어떻게 내 삶에 구체적으로 적용해야 합니까?

절별 해설

15 멸망의 가증한 것이 거룩한 곳에 선 것을 보거든 예수님은 다니엘의 예언을 인용하시며(단 11:31;12:11) 예루살렘의 멸망과 세상의 종말을 동시에 언급하신다. 이 예언은 가깝게는 AD 66년에 로마가 예루살렘을 포위한 사건을 가리킨다(눅 21:20). '멸망의 가증한 것이 거룩한 곳에 선 것'은 로마를 가리키며, 그 로마가 거룩한 예루살렘에 선 것을 보면 이어지는 말씀대로 하라는 당부다. 또 세상 종말 때에는 적그리스도가 예수 그리스도의 자리를 차지하는 일이 나타날 것이다(살후 2:4).

19 그날에는 아이 밴 자들과 젖 먹이는 자들에게 화가 있으리로다 유대인 역사가 요세푸스에 의하면, 로마가 유대를 침공할 때 남녀노소를 가리지 않고 학살을 자행했으며 100만 명 이상 죽임을 당했다고 한다. 이런 전쟁의 참상 속에서 임신한 여자와 젖 먹이는 여자는 그 자녀 때문에 재빠르게 몸을 움직일 수 없으므로 더 큰 피해를 볼 수밖에 없다.

22 택하신 자들을 위하여 그날들을 감하시리라 하나님은 택함 받은 성도들을 위하여 그 기간을 줄여 주신다. 이런 은혜가 없다면 누구도 구원을 받을 수 없다. 아무리 큰 환난이 있더라도 그 가운데 그것보다 더 큰 하나님의 배려와 은혜가 있다는 사실을 명심하고 믿음을 지키라는 권면이다.

23 그리스도가 여기 있다 혹은 저기 있다 역사적으로 보면, AD 70년에 예루살렘이 로마에 의해 멸망할 당시의 혼란을 틈타 많은 거짓 그리스도들이 등장했다. 마지막 종말 때에도 이런 현상은 재현될 것이다. 그리스도를 가장하는 사람들이 나타나는 것은 앞서 언급한 환난과 함께(21절) 종말이 왔다는 큰 증거 중 하나다.

24 큰 표적과 기사를 보여 '큰 표적'은 거짓 그리스도들과 거짓 선지자들이 사람들로 하여금 자신들을 믿게 하기 위해 내보일 초자연적인 기적을 의미한다. 거짓 그리스도들과 거짓 선지자들의 활동이 단순히 인간적인 속임수가 아니라, 사탄이 그 배후가 되어 나타나는 초자연적이고 초월적인 활동이 될 것을 말씀하신 것이다(살후 2:9). 그 때문에 기적과 초자연적 현상만으로 참 그리스도와 종교의 유무를 따지는 것은 위험하다.

쉬운성경

15 "그러므로 예언자 다니엘이 말한 '멸망케 하는 혐오할 만한 것'이 거룩한 곳에 서 있는 것을 보면 (읽는 사람은 깨달아라)

16 유대에 있는 사람들은 산으로 도망하여라.

17 지붕 위에 있는 사람은 집 안에 있는 것을 가지러 내려가지 마라.

18 밭에 있는 사람은 겉옷을 가지러 되돌아가지 마라.

19 그때에는 임신한 여자와 젖 먹이는 여자에게 화가 있을 것이다!

20 너희가 도망하는 때가 겨울이나 안식일이 아니기를 기도하여라.

21 그때에는 많은 어려움이 있을 것이기 때문이다. 세상이 생기고 나서 지금까지 이 같은 환난은 일어난 적이 없었고, 이후로도 없을 것이다.

22 하나님께서 그 기간을 줄여 주시지 않으시면, 아무도 구원받지 못할 것이다. 그러나 하나님께서는 선택한 사람들을 위하여 그 기간을 줄여 주실 것이다.

23 그때에 사람들이 '여보시오, 그리스도가 여기 계십니다!' 또는 '저기 계십니다!'라고 할 것이다. 그러나 믿지 마라.

24 거짓 그리스도들과 거짓 예언자들이 일어나서 큰 증거를 내보일 것이고, 기적을 일으킬 것이다. 그래서 사람들을 속일 것이다. 그리고 할 수만 있으면 선택하신 사람까지 속일 것이다.

25 보아라. 내가 미리 너희에게 일러주었다.

26 광야, 골방 '광야'는 참된 선지자들이 세속에 물드는 것을 포기하고 하나님의 참된 소식을 전하던 장소였다. 그 때문에 사람들은 광야의 선지자에게 깊은 인상을 받고 모여들었다(3:1). 그런데 거짓 그리스도들도 이를 이용한다는 말씀이다. '골방'은 비밀 집회를 가리킨다. 광야가 좀 더 공개적인 의미라면, 골방은 비밀스럽게 사람들을 초대하는 곳이다. 즉, 무언가 신비감을 주려고 하는 것이다. 종말에는 광야나 골방이나 이것이 진정한 계시임을 믿게 하기 위해 거짓 그리스도가 연출하는 경건의 모양이다.

27 번개가 동편에서 나서 서편까지 번쩍임같이 인자의 임함도 그러하리라 26절과 연결하여 진정한 그리스도가 오시는 것은 어떤 한 지역에서가 아니라, 번개가 온 세상에 다 보이듯이 전 세계적으로 동시에 나타날 현상임을 강조한 표현이다. 예수님은 구름을 타고 오실 것이며, 땅에 있는 모든 사람이 동시에 그분을 볼 것이다(계 1:7).

26 그러므로 사람들이 '여보시오, 그가 광야에 계십니다'라고 말해도 거기에 가지 마라. '여보시오, 그리스도가 골방에 계십니다'라고 말해도 믿지 마라.

27 번개가 동쪽에서 서쪽까지 번쩍이듯이 인자가 오는 것도 이와 같을 것이다.

28 시체가 있는 곳에는 독수리가 모여들 것이다."

저자의 묵상

종말의 현상 가운데 하나는 가짜가 늘어난다는 사실이다. 그리스도를 모방하고 자신이 진정한 선지자라고 말하는 자들이 늘어날 것이다. 또 그들은 초자연적인 능력을 나타내며 사람들을 현혹할 것이다. 진품이 가치 있을수록 가짜나 모조품이 많아지듯이, 사탄에 의한 이런 거짓 그리스도들의 출현은 예수 그리스도의 재림이 실제로 존재한다는 것을 역설적으로 나타내고 있다. 그러므로 성도들은 성경이 말하는 대로 세상에 죄가 넘쳐나고 사탄의 활동이 왕성해질수록 오히려 더욱 예수 그리스도의 존재를 믿어야 한다. 세상이 우리를 힘들게 할수록 더욱 강해지는 것이 성도의 정체성이 되어야 한다. 왜냐하면 그리스도의 말씀이 이루어지고 있기 때문이다. 사탄의 활동이 갈수록 치밀해지고 있으므로 우리의 분별력도 더욱 예리해져야 한다.

무릎 기도 하나님, 거짓된 소리를 분별해 내는 믿음을 주소서. 생각 없이 살아가지 않게 하시고 늘 주님의 말씀을 사랑하며 가까이에서 묵상하며 따르기를 원합니다.

15 "The day is coming when you will see what Daniel the prophet spoke about—the sacrilegious object that causes desecration* standing in the Holy Place." (Reader, pay attention!)

16 "Then those in Judea must flee to the hills.

17 A person out on the deck of a roof must not go down into the house to pack.

18 A person out in the field must not return even to get a coat.

19 How terrible it will be for pregnant women and for nursing mothers in those days.

20 And pray that your flight will not be in winter or on the Sabbath.

21 For there will be greater anguish than at any time since the world began. And it will never be so great again.

22 In fact, unless that time of calamity is shortened, not a single person will survive. But it will be shortened for the sake of God's chosen ones.

23 "Then if anyone tells you, 'Look, here is the Messiah,' or 'There he is,' don't believe it.

24 For false messiahs and false prophets will rise up and perform great signs and wonders so as to deceive, if possible, even God's chosen ones.

25 See, I have warned you about this ahead of time.

26 "So if someone tells you, 'Look, the Messiah is out in the desert,' don't bother to go and look. Or, 'Look, he is hiding here,' don't believe it!

27 For as the lightning flashes in the east and shines to the west, so it will be when the Son of Man* comes.

28 Just as the gathering of vultures shows there is a carcass nearby, so these signs indicate that the end is near.*

*24:15 Greek *the abomination of desolation*. See Dan 9:27; 11:31; 12:11.

*24:27 "Son of Man" is a title Jesus used for himself.

*24:28 Greek *Wherever the carcass is, the vultures gather.*

15 sacrilegious 신성을 더럽히는, 모독적인 object 물체, 물건 desecration 신성 모독 16 flee 도망치다 19 pregnant 임신한 nursing mother 유모 20 flight 도피 21 anguish (극심한) 고통 22 calamity 재앙 for the sake of ~ ~을 위하여 24 so as to ~ ~하기 위해 deceive 속이다 25 warn 경고하다 ahead of time 미리 26 bother to ~ 일부러 ~하다 27 flash 번쩍이다

• MEMO •

95

월 일

인자가 올 징조

마태복음 24:29-35

새찬송 180장 | 통일 168장

• 먼저 묵상을 위한 기도를 드린 후, 성경 본문을 2번 이상 읽고 묵상하십시오.

본문요약 | 예수님의 재림 때에 천지개벽과 같은 자연현상이 있을 것이며, 인자가 올 징조가 하늘에 나타날 것이다. 모든 민족은 울며 인자의 오심을 맞이하고, 인자는 택한 백성을 모으실 것이다. 무화과나무의 성장으로 여름이 왔음을 짐작하듯이, 이러한 징조들로 인자의 오심을 알아야 한다.

개역개정

29 그날 환난 후에 즉시 해가 어두워지며 달이 빛을 내지 아니하며 별들이 하늘에서 떨어지며 하늘의 권능들이 흔들리리라
30 그때에 인자의 징조가 하늘에서 보이겠고 그때에 땅의 모든 족속들이 통곡하며 그들이 인자가 구름을 타고 능력과 큰 영광으로 오는 것을 보리라
31 그가 큰 나팔소리와 함께 천사들을 보내리니 그들이 그의 택하신 자들을 하늘 이 끝에서 저 끝까지 사방에서 모으리라
32 무화과나무의 비유를 배우라 그 가지가 연하여지고 잎사귀를 내면 여름이 가까운 줄을 아나니
33 이와 같이 너희도 이 모든 일을 보거든 [1]인자가 가까이 곧 문 앞에 이른 줄 알라
34 내가 진실로 너희에게 말하노니 이 세대가 지나가기 전에 이 일이 다 일어나리라
35 천지는 없어질지언정 내 말은 없어지지 아니하리라

1) 또는 때가

1. 본문에 나타난 예수님은 어떤 분이십니까?

2. 오늘 하나님께서 나에게 주신 깨달음은 무엇입니까?

3. 말씀을 어떻게 내 삶에 구체적으로 적용해야 합니까?

절별 해설

29 본장은 AD 70년의 예루살렘 멸망과 종말의 사건을 동시에 예언한다. 그중 본절은 재림 때의 종말 사건을 가리킨다. 그 이유는 자연현상의 혼돈은 종말의 때에나 있을 일이기 때문이다. 성경은 종말의 때에 현재의 자연 질서가 붕괴되고 새 하늘과 새 땅이 이루어질 것을 예언한다(벧후 3:12-13). 순서적으로는 대환란이 있은 후 천지가 흔들리고 재림이 이루어진다.

30 모든 족속들이 통곡하며 인자이신 예수님이 임하실 때 하늘에 징조가 있게 된다. 그 징조가 무엇인지는 정확히 알 수 없으나 모든 사람이 그 징조를 보게 될 것이다. 그때 예수 그리스도를 배척한 세상의 모든 민족이 애곡하게 된다(계 1:7). 그 이유는 더 이상 그들에게 회개가 없고, 예수님의 모든 말씀이 진실이며, 그때가 마지막인 것을 깨닫기 때문이다.

31 그들이 그의 택하신 자들을 하늘 이 끝에서 저 끝까지 사방에서 모으리라 세상 민족들이 통곡하는 것과는 대조적으로 택함받은 백성은 예수님의 부름을 받게 된다. 특히 '하늘 이 끝에서 저 끝까지 사방에서'라는 표현은 예수님이 그들을 부르실 때 한 사람도 낙오되지 않게 모두 부르실 것을 뜻한다.

33 유대 땅에서 무화과나무에 새 잎사귀가 나온다는 것은 여름이 가까웠음을 의미한다. 자연현상으로 때를 알 수 있듯이, 예수님이 24장에서 언급하신 내용들이 나타나면, 그 징조로 재림의 때가 임박한 줄 깨달아야 한다는 말씀이다. 성경은 재림의 시기에 관해서는 아무도 모르며 심지어 예수님도 모르신다고 말씀한다(36절). 그러나 나타나는 현상과 징조를 통해 임박한 때를 분별하라고 예수님은 말씀하셨다.

34 이 세대가 지나가기 전에 이 일이 다 일어나리라 여기서 말하는 '이 세대'는 좁은 의미로는 예수님이 사시던 시대를 말하며, 넓은 의미로는 현존하는 세상의 전체 기간을 말한다. 예루살렘이 멸망할 때 예수님의 예언은 이루어졌으며, 재림과 종말의 때에도 예수님의 모든 말씀이 이루어진다는 의미다.

35 천지는 없어질지언정 내 말은 없어지지 아니하리라 하늘과 땅이 없어지는 것은 종말의 현상이다(벧후 3:12-13). 예수님의 말씀은 어떤 경우에도 절대로 없어지지 않고 반드시 이루어짐을 강조하는 표현이다.

쉬운성경

29 "그 환난의 날이 지난 직후에 '태양이 어두워지고, 달이 그 빛을 잃을 것이다. 별들이 하늘에서 떨어지고, 하늘에 있는 모든 권세가 흔들릴 것이다.'*

30 그때에 인자가 올 징조가 하늘에 있을 것이다. 그때에 세상의 모든 민족들이 울며, 인자가 큰 권능과 영광으로 하늘 구름을 타고 오는 것을 볼 것이다.

31 인자가 큰 나팔소리와 함께 천사들을 보낼 것이다. 그들은 하늘 이 끝에서 저 끝까지 사방에서 택함받은 백성들을 모을 것이다."

32 "무화과나무의 비유를 배우라. 그 가지가 연해지고, 새 잎을 내면 여름이 가까운 줄 안다.

33 마찬가지로 이 모든 것이 일어나는 것을 보면, 인자가 가까이 와 문 앞에 있는 줄을 알아라.

34 내가 너희에게 진정으로 말한다. 이 세대가 지나가기 전에 이 모든 것이 일어날 것이다!

35 하늘과 땅이 없어질지라도, 내 말은 결코 없어지지 않을 것이다!"

*24:29 사 13:10과 34:4에 기록되어 있다.

저자의 묵상

예수님은 재림의 정확한 시기는 알 수 없으나 징조를 통해 예수님의 재림이 가까이 온 것을 분별하라고 명하신다(33절). 왜 이런 분별이 필요할까? 종말의 때가 되면 세상이 혼란스러워지고 환난이 있기 때문에 더욱 깨어서 기도하고 예수님의 재림을 준비하기 위해 분별이 필요하다는 말씀이다. 재림의 때를 아무도 알 수 없으니 관심도 갖지 말아야 하는 것이 아니다. 그럴수록 더 깨어 그때를 준비하며 분별하는 작업이 필요하다.

한편, 예수님의 재림 때에는 세상 사람들의 통곡이 이어질 것이다. 왜냐하면 그때서야 사람들은 예수님이 하나님의 아들이며 그분의 말씀이 진실함을 깨닫게 되지만, 더 이상 회개의 기회가 없기 때문이다. 그러므로 더 늦기 전에 그들이 예수님의 품으로 돌아올 수 있도록 성도들은 세상을 향한 복음 전파의 사명을 최선을 다해 감당해야 할 것이다.

무릎 기도 | 하나님, 시대를 분별하는 눈을 주소서. 때가 악할수록 더욱 깨어 기도하고 주님의 재림을 준비하는 신앙생활을 하며, 한 사람에게라도 더 복음을 전하게 하소서.

NLT - Matthew 24

29 "Immediately after the anguish of those days,
the sun will be darkened, the moon will give no
light, the stars will fall from the sky, and the
powers in the heavens will be shaken.*
30 And then at last, the sign that the Son of Man is
coming will appear in the heavens, and there
will be deep mourning among all the peoples
of the earth. And they will see the Son of Man
coming on the clouds of heaven with power
and great glory.*
31 And he will send out his angels with the mighty
blast of a trumpet, and they will gather his
chosen ones from all over the world*—from the
farthest ends of the earth and heaven.
32 "Now learn a lesson from the fig tree. When its
branches bud and its leaves begin to sprout, you
know that summer is near.
33 In the same way, when you see all these things,
you can know his return is very near, right at the
door.
34 I tell you the truth, this generation* will not pass
from the scene until all these things take place.
35 Heaven and earth will disappear, but my words
will never disappear.

*24:29 See Isa 13:10; 34:4; Joel 2:10.
*24:30 See Dan 7:13.
*24:31 Greek *from the four winds.*
*24:34 Or *this age, or this nation.*

29 fall from 떨어지다 30 appear 보이다 mourn 슬퍼하다 31 send out 보내다, 방출하다 blast (나팔, 피리 등의) 소리 32 fig 무화과 sprout 싹트다

96

월 일

종말의 시기

마태복음 24:36-44

새찬송 94장 | 통일 102장

• 먼저 묵상을 위한 기도를 드린 후, 성경 본문을 2번 이상 읽고 묵상하십시오.

본문요약 | 예수님은 재림의 날은 아무도 모르며 오직 아버지만 아신다고 말씀하신다. 그때는 노아의 때처럼 사람들이 일상적인 일을 하며 종말이 닥쳤음을 깨닫지 못할 것이다. 그러나 종말은 갑작스럽게 도둑이 드는 것 같이 임할 것이기에 늘 준비하고 있어야 한다.

개역개정

36 그러나 그날과 그때는 아무도 모르나니 하늘의 천사들도, 아들도 모르고 오직 아버지만 아시느니라
37 노아의 때와 같이 인자의 임함도 그러하리라
38 홍수 전에 노아가 방주에 들어가던 날까지 사람들이 먹고 마시고 장가들고 시집가고 있으면서
39 홍수가 나서 그들을 다 멸하기까지 깨닫지 못하였으니 인자의 임함도 이와 같으리라
40 그때에 두 사람이 밭에 있으매 한 사람은 데려가고 한 사람은 버려둠을 당할 것이요
41 두 여자가 맷돌질을 하고 있으매 한 사람은 데려가고 한 사람은 버려둠을 당할 것이니라
42 그러므로 깨어 있으라 어느 날에 너희 주가 임할는지 너희가 알지 못함이니라
43 너희도 아는 바니 만일 집주인이 도둑이 어느 시각에 올 줄을 알았더라면 깨어 있어 그 집을 뚫지 못하게 하였으리라
44 이러므로 너희도 준비하고 있으라 생각하지 않은 때에 인자가 오리라

1. 오늘 하나님께서 나에게 주신 깨달음은 무엇입니까?

2. 말씀을 어떻게 내 삶에 구체적으로 적용해야 합니까?

절별 해설

36 그날과 그때는 아무도 모르나니 문자적으로 '날'과 '때'는 어느 특정 '일'(day)과 특정 '시간'(hour)이다. 그래서 이단들은 종말의 날과 시간은 인간이 알 수 없지만, 자신들이 '연도'(year)와 '달'(month)은 맞출 수 있다고 주장한다. 그러나 예수님은 재림에 관한 그 어떤 것도 인간이 알 수 없음을 말씀하셨다. 심지어 예수님 자신도 모르며 오직 하나님만 아신다고 하셨다. 그렇다고 해서 이것이 예수님의 신성이 부족함을 뜻하지는 않는다. 다만 제한적 인성을 입으신 예수님이 아버지께 대해 전적으로 복종함을 보여주는 표현이다(참고. 빌 2:8).

38 노아가 방주에 들어가던 날까지 사람들이 먹고 마시고 장가들고 시집가고 있으면서 예수님은 재림의 때가 노아의 때와 비슷하다고 하셨다. 재림의 때에도 사람들은 노아 때처럼 일상적인 삶을 살아갈 것이다. 이것은 그 자체로는 정죄받을 대상이 아니다. 그러나 예수님은 사람들이 이런 일상적인 삶을 영위하는 것 외에는 영적으로 전혀 무감각한 삶을 사는 것을 지적하신 것이다.

39 깨닫지 못하였으니 성경에 보면 노아는 하나님의 명령으로 방주를 만들면서 사람들을 향하여 경고의 메시지를 전하였다(히 11:7; 벧전 3:20; 벧후 2:5). 그러나 사람들은 전혀 깨닫지 못하고 이를 무시하였기 때문에 결국 심판을 받은 것이다. 예수님이 재림하실 때에도 복음은 전해지고 사람들을 구원하시려는 하나님의 열심이 계속되지만, 사람들이 끝내 이를 거절하여 멸망하게 될 것이다.

40-41 여기에 등장하는 '두 사람'은 같은 일을 하고 있다는 것이 특징이다. 모든 조건은 같은데 심판 날 두 사람의 운명은 갈리게 된다. 그 기준은 영적인 차이에 있다. 한편, 본문이 휴거의 증거 구절은 아니며, 단지 인간이 심판에 의해 다른 길을 가는 것을 설명하신 것이다.

42 깨어 있으라 이 말씀은 영적인 각성을 촉구하는 것이다. 사람들이 일상적인 밭일과 맷돌을 가는 일을 하고 있을 때, 다시 말해서 예수님이 오실 것이라고는 전혀 예측할 수 없을 때 예수님이 오실 것이다(44절). 따라서 성도는 영적으로 깨어 하나님의 말씀을 따르는 삶에 주력해야 한다는 명령이다.

43 성경은 예수님의 임함을 도둑이 드는 것에 비유한다(벧후 3:10). 이는 두 가지 의미를 내포한다. 예수님이 생각지도 않을 때 오신다는 것과, 그것이 믿지 않는 자들에게는 도둑이 드는 것같이 불행한 일이 된다는 것이다. 그러나 성도에게는 영광스러운 날이 될 것이다.

쉬운성경

36 "그날과 그때는 아무도 모른다. 심지어 하늘의 천사와 아들까지도 모르고, 오직 아버지께서만 아신다.

37 노아의 때처럼 인자가 다시 올 때도 그와 비슷할 것이다.

38 홍수가 나기 전, 노아가 배에 들어가기 전까지도 사람들은 먹고 마시며, 장가가고 시집가며 지냈다.

39 홍수가 나서 모든 사람들을 쓸어가기 직전까지, 사람들은 전혀 깨닫지 못하였다. 인자가 올 때도 그와 같을 것이다.

40 두 사람이 밭에 있는데 한 사람은 데려가고 다른 사람은 남겨 둘 것이다.

41 두 여자가 맷돌을 갈고 있는데 한 사람은 데려가고, 다른 사람은 남겨 둘 것이다.

42 그러므로 항상 깨어 있어라. 왜냐하면 언제 너희 주님께서 오실지 너희가 알지 못하기 때문이다.

43 이것을 명심하여라. 만약 도둑이 언제 들어올지 집주인이 안다면 미리 준비를 하고, 도둑이 집에 들지 못하도록 할 것이다.

44 그러므로 너희도 준비를 해야 한다. 인자는 생각지도 않은 때에 올 것이다."

저자의 묵상

본문은 종말과 재림의 시기에 관한 예수님의 말씀이다. 그런데 이단들은 이 말씀을 제멋대로 해석하여 종말의 연도와 달은 알 수 있다고 주장하기도 한다. 그러나 예수님은 그 무엇도 인간이 알 수 없다고 말씀하셨다. 또 노아의 때와 같이, 하나님이 여러 가지 징조와 경고를 통하여 성도들이 그때를 어느 정도는 알 수 있게 하실 것도 예수님은 말씀하셨다. 그러므로 깨어 있지 않으면 하나님의 경고를 보고서도 보지 못하는 어리석음에 빠질 것이다. 성도는 늘 깨어 있어야 한다. 평소에 믿음으로 살며 하나님 앞에서 온전한 신앙생활을 하는 사람은 특별히 준비할 것이 없다. 그대로 살아가면 되는 것이다. 특별한 삶을 주장하는 잘못된 종말론에 휩쓸리지 말고 평소 신앙을 건강하게 유지하자.

무릎기도 하나님, 종말에 관해 특별한 지식을 주장하는 이단을 경계하게 하소서. 주어진 일상의 삶에서 하나님의 주권을 인정하는 건강한 신앙인으로 살아가기 원합니다.

NLT - Matthew 24

36 "However, no one knows the day or hour when these things will happen, not even the angels in heaven or the Son himself.* Only the Father knows.
37 "When the Son of Man returns, it will be like it was in Noah's day.
38 In those days before the flood, the people were enjoying banquets and parties and weddings right up to the time Noah entered his boat.
39 People didn't realize what was going to happen until the flood came and swept them all away. That is the way it will be when the Son of Man comes.
40 "Two men will be working together in the field; one will be taken, the other left.
41 Two women will be grinding flour at the mill; one will be taken, the other left.
42 "So you, too, must keep watch! For you don't know what day your Lord is coming.
43 Understand this: If a homeowner knew exactly when a burglar was coming, he would keep watch and not permit his house to be broken into.
44 You also must be ready all the time, for the Son of Man will come when least expected.

*24:36 Some manuscripts do not include *or the Son himself.*

38 in those days 그때, 당시 flood 홍수 banquet 잔치 right up to ~ ~까지 계속해서 39 sweep away 완전히 없애다, 휩쓸어 가다 41 grind (맷돌을) 갈다 flour 밀가루 42 keep watch 감시하다, 경계하다 43 exactly 정확하게 burglar 강도 break into 침입하다 44 all the time 언제나, 항상 expect 기대하다

97

월 일

충성되고 지혜로운 종

마태복음 24:45-51

새찬송 333장 | 통일 381장

• 먼저 묵상을 위한 기도를 드린 후, 성경 본문을 2번 이상 읽고 묵상하십시오.

본문요약 | 예수님이 종말의 때를 준비하는 태도를 비유로 말씀하신다. 주인에게 집안일을 위임받은 종이 일을 잘하면 주인이 돌아와 모든 소유를 그에게 맡긴다. 그러나 악한 종은 주인이 더디 올 것이라고 생각하여 자기 마음대로 하다가 갑자기 온 주인에게 벌을 받게 된다.

개역개정

45 충성되고 지혜 있는 종이 되어 주인에게 그 집 사람들을 맡아 때를 따라 양식을 나눠 줄 자가 누구냐
46 주인이 올 때에 그 종이 이렇게 하는 것을 보면 그 종이 복이 있으리로다
47 내가 진실로 너희에게 이르노니 주인이 그의 모든 소유를 그에게 맡기리라
48 만일 그 악한 종이 마음에 생각하기를 주인이 더디 오리라 하여
49 동료들을 때리며 술친구들과 더불어 먹고 마시게 되면
50 생각하지 않은 날 알지 못하는 시각에 그 종의 주인이 이르러
51 [1]엄히 때리고 외식하는 자가 받는 벌에 처하리니 거기서 슬피 울며 이를 갈리라

1) 헬, 쪼개어 내고

1. 오늘 하나님께서 나에게 주신 깨달음은 무엇입니까?

2. 말씀을 어떻게 내 삶에 구체적으로 적용해야 합니까?

절별 해설

45-46 충성되고 지혜 있는 종 주인으로부터 집안일을 위임받은 종으로, 여기서는 교회의 지도자들을 가리킨다. 성경은 지도자의 자질로 충성과 지혜를 꼽는다(행 6:3; 고전 4:2). 진실하고 충성됨과 동시에 지혜를 겸비해야 온전한 하나님의 지도자가 될 수 있다. 진실하지만 지혜롭지 못하면 교회 공동체를 제대로 이끌 수 없으며, 지혜롭지만 진실하지 못하면 자신의 이득을 취하는 일에 빠지기 쉽다.

때를 따라 양식을 나눠 줄 자가 누구냐 본문이 종말을 배경으로 주어진 말씀임을 생각할 때, 이 구절은 마지막 때가 될수록 제대로 된 지도자들이 많지 않을 것을 깨닫게 해 준다. 앞에서 예수님이 말씀하신 대로, 세상이 흉흉해지고 환난이 있으면 배교하고 돌아서서 자신만을 돌보는 지도자들이 늘어나게 될 것은 자명하다. 그러나 그때에도 자리를 지킨 종은 복되다 하신다.

47 주인이 그의 모든 소유를 그에게 맡기리라 처음 종이 맡았던 일은 주인의 전부가 아니다. 주인으로부터 위임받은 일부에 불과했다. 그러나 종이 그 일에 충성했을 때, 주인이 돌아와서 그의 모든 소유를 맡긴다. 현재 우리가 부여받은 일은 작은 일이다. 그러나 그 일에 충성하는 사람은 하나님 나라의 전부를 맡아 누리는 복을 받게 될 것이다.

48 악한 종이 악한 마음을 먹은 이유는 주인이 오랫동안 돌아오지 않을 것이라고 생각했기 때문이다. 종은 기본적으로 자신의 생각을 버리고 주인이 원하는 것을 생각해야 하는 존재다. 그러나 악한 종은 자신의 본분을 잊었다.

49 동료들을 때리며 술친구들과 더불어 먹고 마시게 되면 세상에 취해 주인이 온다는 사실을 잊어버린 종의 모습이다. 특히 '동료들을 때렸다'는 말은 자신과 같이 게으르게 행동하지 않는 동료들을 핍박하는 모습이다. 악한 종이 자신의 임무를 다하지 않았을 뿐만 아니라, 충성스럽게 행하는 다른 종들을 박해하는 것은 함께 망하려는 죄의 본성을 보여준다.

50 생각하지 않은 날 알지 못하는 시각에 그 종의 주인이 이르러 예수님은 주인 되신 예수님이 다시 오시는 종말의 때는 누구도 알 수 없다고 강조하신다(36,42,44절). 또한 '생각하지 않은 날'에 온다고 하심으로, 사람들이 짐작할 수 없는 극히 평범한 날에 이루어질 것을 암시하셨다.

51 악한 종은 외식하는 자와 같이 여겨져 처벌을 받는다. 겉으로는 예수님의 종인 척하지만 속으로는 세상에 물들어 사는 많은 종교지도자들의 허상이 예수님의 다시 오심으로 드러나게 될 것이다.

쉬운성경

45 "주인이 집안을 맡기고, 제때에 양식을 내주도록 맡긴, 신실하고 슬기로운 종이 누구겠느냐?

46 주인이 돌아와서 볼 때, 주인이 명한 대로 일하고 있는 종은 복되다.

47 내가 너희에게 진정으로 말한다. 주인은 그 종에게 자신의 모든 소유를 맡길 것이다.

48 그러나 악한 종이, 주인이 오랫동안 돌아오지 않을 것이라고 마음속으로 생각하여,

49 다른 종들을 때리기 시작하고 술꾼들과 함께 먹고 마신다면,

50 생각지도 않은 날, 알지 못하는 때에 그 종의 주인이 올 것이다.

51 그때에 주인은 그 종에게 벌을 내리고 그 종을 위선자처럼 여길 것이다. 그 종은 거기서 슬피 울고, 고통스럽게 이를 갈 것이다."

저자의 묵상

종말이 가까울수록 충성되고 지혜로운 종을 찾아보기 힘들다. 주인이 더디 오는 것처럼 보이기 때문에 자신의 임무를 잊고 욕심에 빠져 세속화되는 종들이 많기 때문이다. 교회의 지도자는 자신이 하나님의 종임을 늘 잊지 말아야 한다. 내가 하고 있는 일은 주님이 맡기신 일이며(45절), 언젠가는 주인이 돌아와서 내가 맡은 일을 충성스럽게 했는지 확인하실 것임을 명심해야 한다. 세상 사람들이 다 자기 욕심을 따라 살 때에도 종은 주인의 당부를 잊지 않고 지키는 삶을 살아야 한다. 바로 그것이 충성되고 지혜로운 종의 모습이다.

반면에, 악한 종은 자신의 직무를 잊어버림과 동시에 선한 종들이 충성하는 것까지 방해하려는 것을 본다. 죄는 언제나 같이 망하려는 경향성을 가진다. 내가 죄를 지으면 내 주변도 결국 함께 영향을 받게 된다는 사실을 명심하고 죄를 멀리해야 한다.

무릎 기도 | 하나님, 마지막 때가 가까울수록 더욱 주님의 선한 종으로 남길 원합니다. 함께하는 동역자들을 귀히 여기며 맡겨진 일에 온전히 충성하게 하소서.

NLT - Matthew 24

45 "A faithful, sensible servant is one to whom the master can give the responsibility of managing his other household servants and feeding them.
46 If the master returns and finds that the servant has done a good job, there will be a reward.
47 I tell you the truth, the master will put that servant in charge of all he owns.
48 But what if the servant is evil and thinks, 'My master won't be back for a while,'
49 and he begins beating the other servants, partying, and getting drunk?
50 The master will return unannounced and unexpected,
51 and he will cut the servant to pieces and assign him a place with the hypocrites. In that place there will be weeping and gnashing of teeth.

45 sensible 분별 있는 responsibility 책임 47 put … in charge of ~ …에게 ~를 맡기다 50 unannounced 예고 없는 unexpected 예상치 못한 51 cut ~ to pieces ~을 잘게 자르다, 혹평하다 assign 배정하다, 맡기다 weep 울다, 눈물 흘리다 gnash 이를 갈다

98

월 일

열 처녀 비유

마태복음 25:1-13

새찬송 175장 | 통일 162장

• 먼저 묵상을 위한 기도를 드린 후, 성경 본문을 2번 이상 읽고 묵상하십시오.

본문요약 | 예수님은 천국을 등을 들고 신랑을 맞으러 나가는 열 처녀에 비유하신다. 슬기로운 다섯 처녀는 등과 함께 기름을 준비했으나, 미련한 다섯 처녀는 기름을 준비하지 않았다. 신랑이 늦은 밤중에 오자 잠들었던 열 처녀 중 기름을 준비한 다섯 처녀만 혼인 잔치에 들어가고, 미련한 처녀들은 잔치에 들어가지 못한다.

개역개정

1 그때에 천국은 마치 등을 들고 신랑을 맞으러 나간 열 처녀와 같다 하리니
2 그중의 다섯은 미련하고 다섯은 슬기 있는 자라
3 미련한 자들은 등을 가지되 기름을 가지지 아니하고
4 슬기 있는 자들은 그릇에 기름을 담아 등과 함께 가져갔더니
5 신랑이 더디 오므로 다 졸며 잘새
6 밤중에 소리가 나되 보라 신랑이로다 맞으러 나오라 하매
7 이에 그 처녀들이 다 일어나 등을 준비할새
8 미련한 자들이 슬기 있는 자들에게 이르되 우리 등불이 꺼져 가니 너희 기름을 좀 나눠 달라 하거늘
9 슬기 있는 자들이 대답하여 이르되 우리와 너희가 쓰기에 다 부족할까 하노니 차라리 파는 자들에게 가서 너희 쓸 것을 사라 하니
10 그들이 사러 간 사이에 신랑이 오므로 준비하였던 자들은 함께 혼인 잔치에 들어가고 문은 닫힌지라
11 그 후에 남은 처녀들이 와서 이르되 주여 주여 우리에게 열어 주소서
12 대답하여 이르되 진실로 너희에게 이르노니 내가 너희를 알지 못하노라 하였느니라
13 그런즉 깨어 있으라 너희는 그날과 그때를 알지 못하느니라

1. 오늘 하나님께서 나에게 주신 깨달음은 무엇입니까?

2. 말씀을 어떻게 내 삶에 구체적으로 적용해야 합니까?

절별 해설

1 유대인의 결혼 풍습을 배경으로 한 말씀이다. 유대인의 결혼식은 저녁 때 시작되었다. 저녁부터 다음 날 저녁까지를 하루라고 보는 풍속 때문이다. 보통 신랑이 신부 집으로 신부를 데리러 왔는데, 이때 신부 집에는 신부 친구들 열 명이 들러리로 구성되어 예복을 입고 신랑을 맞이할 준비를 한다. 이들은 횃불 형태의 등불을 준비하여 신랑을 맞이했으며, 신부와 함께 신랑 집으로 가는 동안 횃불을 비추며, 때로는 춤을 추는 일을 했다고 한다.

2 **그중의 다섯은 미련하고 다섯은 슬기 있는 자라** '미련하다'는 표현은 게으르고 생각이 부족한 상태를 의미하고, '슬기롭다'는 것은 생각이 민첩하고 준비성이 있다는 뜻이다. 본 비유의 핵심은 열 명의 처녀가 모두 신랑을 기다리는 들러리인데, 그들이 미련한 자와 슬기로운 자로 나뉜다는 것이다. 이와 같이 예수님이 재림하실 때 교회 안에도 이런 구분이 있게 될 것이다.

3 **미련한 자들은 등을 가지되 기름을 가지지 아니하고** 본문이 의미하는 '등'은 예수님을 맞이하기 위한 성도의 신앙생활을 상징한다. 미련한 다섯 처녀는 외적으로는 신앙인의 모습을 가지고 있지만, 내적인 신앙의 동력이 되는 성령은 소유하지 못한 사람들이었다(요일 2:27).

5 **신랑이 더디 오므로 다 졸며 잘새** 당시에는 신랑이 신부를 데려오려면 신부 집에 지참금을 주어야 했다. 그런데 때로는 지참금 액수 때문에 실랑이가 벌어지기도 했고, 결과적으로 그 일이 타결될 때까지 신랑이 오는 것이 늦어지곤 했다고 한다. 이에 기다리던 처녀들은 모두 졸다가 잠이 들었다. 그러나 진짜 문제는 잠든 것이 아니라 기름을 준비하지 못한 것이었다.

6 **밤중에 소리가 나되** '밤중'은 자정을 가리킨다. 신랑이 예상보다 많이 늦어졌음을 보여주는 표현이다. 갑작스러운 외침과 함께 신랑이 온다. 이것은 예수님의 재림이 예상 밖으로 늦어지며 갑작스럽게 이루어질 것을 암시한다.

8 **너희 기름을 좀 나눠 달라 하거늘** 이 비유가 종말의 비유인 만큼, 본절은 스스로 신앙생활을 잘하고 있다고 생각하던 사람이 정작 예수님이 재림하시는 순간에 자신의 부족함을 깨닫게 됨을 뜻한다. 그러므로 미리미리 자신을 살펴 어리석게 구원에서 제외되는 일이 없어야 한다. 구원은 예수님의 은혜이나 참 구원은 성도 스스로도 늘 겸손함으로 이루어 가야 한다(참고. 고전 9:27; 빌 2:12).

9 **우리와 너희가 쓰기에 다 부족할까 하노니** 슬기 있는 자들이 준비하는 기름은 '성령'을 의미하기에, 이것은 누군가의 도움으로 이룰 수 없는 부분이다. 신앙은 하나님과 개인 사이에 각자

쉬운성경

1 "하늘나라는 등을 들고 신랑을 맞으러 나간, 열 명의 처녀에 빗댈 수 있다.

2 그 가운데 다섯 명의 처녀는 어리석고, 다섯 명의 처녀는 지혜로웠다.

3 어리석은 처녀들은 등을 가지고 있었지만 기름이 없었다.

4 지혜로운 처녀들은 등뿐만 아니라 통에 기름까지 넣어 가지고 있었다.

5 신랑이 오는 것이 매우 늦어져서, 처녀들이 모두 졸다가 잠이 들었다.

6 한밤중에 어떤 사람이 소리쳤다. '여보시오. 신랑이 옵니다! 나와서 맞이하십시오!'

7 그러자 모든 처녀들이 깨어나 등불을 준비하였다.

8 어리석은 처녀들이 지혜로운 처녀들에게 말했다. '등불이 꺼져 가니, 우리에게 기름을 조금만 나누어 다오.'

9 지혜로운 처녀들이 대답했다. '안 돼! 우리가 함께 쓰기엔 기름이 충분치 않아. 기름 파는 사람에게 가서 사렴.'

10 어리석은 다섯 처녀가 기름을 사러 간 사이에 신랑이 왔다. 준비된 처녀들은 신랑과 함께 결혼 잔치에 들어가고, 문은 닫혀 잠겼다.

11 나중에 나머지 처녀들이 와서 '주님, 주님, 문 좀 열어 주세요'라고 간청했다.

12 그러나 신랑이 대답했다. '내가 너희에게 진정으로 말한다. 나는 너희를 알지 못한다.'

13 그러므로 항상 깨어 있어라. 그 까닭은 너희가 그날과 그때를 알지 못하기 때문이다."

가 해결해야 하는 것임을 보여준다.

12 내가 너희를 알지 못하노라 남은 처녀들이 누구인지 지식적으로 모른다는 말씀이 아니다. 그들을 알고 있지만 문을 열어야 할 이유를 모르겠다는 준엄한 말씀이다.

저자의 묵상

예수님은 천국을 신랑을 맞이할 준비를 하는 들러리 열 처녀에 비유하셨다. 이 비유의 핵심은 신랑을 맞이하기 위해 기름을 준비한 처녀와 기름을 준비하지 않은 처녀로 구분된다는 것이다. 이처럼 마지막 때에 교회 안에서도 알곡과 가라지 신앙을 가진 자들이 나뉠 것이다. 교회를 다닌다고 해서 모두가 신자는 아니다. 물론 우리가 판단할 수는 없지만, 가짜 성도들도 교회 안에 상당수 존재한다. 오늘날 교회는 새신자들에게 복음을 전하고 교세를 늘리는 것에 관심을 갖고 교회 문턱을 낮추어 사람들을 받아들이고 있다. 이 일도 물론 중요하고 필요하다. 그러나 더불어 이미 교회 안에 들어와 있는 사람들이 과연 신앙적으로 제대로 준비가 되고 성장하고 있는지에도 깊은 관심을 가져야 한다. 어쩌면 진정한 선교는 교회 안에서 이루어져야 할지도 모른다.

무릎 기도 하나님, 늘 깨어 기도하며 두렵고 떨림으로 구원을 이루기를 기도합니다. 늘 자신을 반성하며 하나님 앞에 부족한 성도는 아닌지 살펴보게 하소서.

NLT - Matthew 25

1 "Then the Kingdom of Heaven will be like ten bridesmaids* who took their lamps and went to meet the bridegroom.
2 Five of them were foolish, and five were wise.
3 The five who were foolish didn't take enough olive oil for their lamps,
4 but the other five were wise enough to take along extra oil.
5 When the bridegroom was delayed, they all became drowsy and fell asleep.
6 "At midnight they were roused by the shout, 'Look, the bridegroom is coming! Come out and meet him!'
7 "All the bridesmaids got up and prepared their lamps.
8 Then the five foolish ones asked the others, 'Please give us some of your oil because our lamps are going out.'
9 "But the others replied, 'We don't have enough for all of us. Go to a shop and buy some for yourselves.'
10 "But while they were gone to buy oil, the bridegroom came. Then those who were ready went in with him to the marriage feast, and the door was locked.
11 Later, when the other five bridesmaids returned, they stood outside, calling, 'Lord! Lord! Open the door for us!'
12 "But he called back, 'Believe me, I don't know you!'
13 "So you, too, must keep watch! For you do not know the day or hour of my return.

*25:1 Or *virgins;* also in 25:7, 11.

1 bridesmaid 신부 들러리 bridegroom 신랑 2 foolish 어리석은, 미련한 5 delay 늦추다 drowsy 졸리는 fall asleep 잠들다 6 midnight 한밤중, 자정 rouse 깨우다 8 go out 불이 꺼지다 9 enough for ~ ~에 있어서 충분한 10 those who ~ ~하는 사람들 feast 잔치 lock 잠기다, 닫히다 13 keep watch 감시하다, 철야하다(밤새우다)

99

월 일

달란트 비유(1)

마태복음 25:14-19

새찬송 212장 | 통일 347장

• 먼저 묵상을 위한 기도를 드린 후, 성경 본문을 2번 이상 읽고 묵상하십시오.

본문요약 | 천국은 주인이 타국에 갈 때 종들에게 재산을 맡김과 같다. 주인은 종들에게 각각 그 능력에 따라 다섯, 둘, 한 달란트를 맡겼다. 다섯 달란트와 두 달란트 받은 종은 바로 가서 그것으로 장사하여 두 배의 이윤을 남겼으나, 한 달란트 받은 종은 그것을 땅에 묻었다. 오랜 후에 주인이 돌아와 종들과 결산을 한다.

개역개정

14 또 어떤 사람이 타국에 갈 때 그 종들을 불러 자기 소유를 맡김과 같으니
15 각각 그 재능대로 한 사람에게는 금 다섯 [1]달란트를, 한 사람에게는 두 [1]달란트를, 한 사람에게는 한 [1]달란트를 주고 떠났더니
16 다섯 [1]달란트 받은 자는 바로 가서 그것으로 장사하여 또 다섯 [1]달란트를 남기고
17 두 [1]달란트 받은 자도 그같이 하여 또 두 [1]달란트를 남겼으되
18 한 [1]달란트 받은 자는 가서 땅을 파고 그 주인의 돈을 감추어 두었더니
19 오랜 후에 그 종들의 주인이 돌아와 그들과 결산할새

1) 금은의 중량

1. 오늘 하나님께서 나에게 주신 깨달음은 무엇입니까?

2. 말씀을 어떻게 내 삶에 구체적으로 적용해야 합니까?

절별 해설

14 어떤 사람이 타국에 갈 때 그 종들을 불러 자기 소유를 맡김과 같으니 예수님은 '열 처녀 비유'에 이어 '달란트 비유'를 말씀하시는데, '천국'을 종들에게 자신의 재산을 맡기고 타국에 가는 주인으로 묘사하신다. '열 처녀 비유'가 성도 모두에게 준비되어야 하는 성령의 증거를 요구했다면, '달란트 비유'는 성도 개개인에게 주어진 은사[재능] 사용에 대한 말씀이다.

15 각각 그 재능대로 주인은 종들 각자의 능력을 잘 알고 있었다. 그 때문에 차등을 두어 재산을 맡긴다. 원래 '공평한 배분'은 똑같이 준다는 의미가 아니라 각자의 능력에 맞게 맡긴다는 뜻이다. 사람은 각자의 능력을 정확하게 헤아리는 것이 불가능하지만, 하나님은 정확하게 각 사람의 능력을 아시기에 이 부분에 실수가 없으시다. 하나님은 성도 개개인의 능력 차이를 누구보다도 잘 아시며, 그에 따라 감당할 만큼의 은사를 주신다.
달란트 원래는 무게의 단위로 쓰이던 것인데, 나중에는 화폐 단위로 쓰였다. 1달란트는 6,000데나리온에 해당하는 금액으로, 당시 노동자 한 사람의 하루 임금이 1데나리온인 것을 감안하면, 1달란트는 엄청난 금액이다(일반 노동자의 약 20년 연봉). 오늘날에 달란트(talent)는 하나님이 주신 모든 재능과 소명을 뜻하는 단어로 쓰인다.

16–17 다섯 달란트 받은 종은 지체하지 않고 그것으로 장사하여 두 배의 이윤을 남겼다. 이런 모습은 두 달란트 받은 종에게서도 그대로 나타난다. 이 두 종의 특징은 자신에게 주어진 은사와 재능을 곧바로 사용하여 주인을 위하여 두 배의 이윤을 남겼다는 것이다. 이들은 자신이 받은 것을 남이 받은 것과 비교하거나 쓸데없이 시간을 낭비하지 않고, 주어진 것에 최선을 다하는 성실함을 보였다. 반면에, 한 달란트 받은 종은 자신이 받은 것에 불만을 가졌다(25:24). 주님이 각자에게 주신 것이 최선임을 깨닫고 그것에 집중하는 것이 종이 가져야 하는 태도다.

18 한 달란트 받은 자는 가서 땅을 파고 그 주인의 돈을 감추어 두었더니 땅을 파고 그곳에 자신의 소유를 묻는 것은 당시로서는 재산을 안전하게 지키는 방법 가운데 하나였다. 그러나 한 달란트 받은 종은 그것을 안전하게 지키려 함이 아니라 주인에 대한 불만의 표시로 이와 같이 하여 주어진 것에 최선을 다하지 않았다.

19 오랜 후에 그 종들의 주인이 돌아와 그들과 결산할새 주인과 종들이 상봉하여 맡겨진 일에 얼마만큼 최선을 다했는지를 결산하는 날이 반드시 있을 것이란 뜻이다. 이것은 예수님의 재림의 때에 이루어진다.

쉬운성경

14 "하늘나라는 여행을 떠날 때, 종들
을 불러서 자기 재산을 맡긴 사람과
같다.

15 주인은 종들의 능력에 따라, 어떤
사람은 다섯 달란트*를, 어떤 사람에
게는 두 달란트를, 또 어떤 사람에게
는 한 달란트를 맡기고 여행을 떠났
다.

16 다섯 달란트를 받은 종은 얼른 가
서, 그것으로 장사를 하였다. 그래서
다섯 달란트를 더 벌었다.

17 마찬가지로 두 달란트를 받은 종도
두 달란트를 더 벌었다.

18 그러나 한 달란트를 받은 종은 나
가서 땅을 파고 그곳에 주인의 은돈을
숨겼다.

19 세월이 오래 지난 뒤에, 종들의 주
인이 집에 돌아와서 종들과 셈을 하였
다.

*25:15 1달란트가 구약 시대에는 약 34.27kg의 무게와 동일한 중량을 가리켰다. 신약 시대에는 돈의 단위로, 약 6,000드라크마와 동일한 가치를 나타내었다.

저자의 묵상

달란트는 하나님이 성도에게 맡긴 모든 재능[은사]과 소명을 뜻한다. 그러므로 성도가 가진 모든 것은 내 것이 아니라 하나님이 맡기신 것임을 우선 기억해야 한다. 그 때문에 내가 가진 물질과 재능을 비롯한 모든 것을 나를 위해 쓰지 말고 주인이신 하나님의 일을 위해 사용해야 한다. 이것이 예수님의 재림을 기다리는 성도의 마땅한 태도다.

한편, 하나님은 종들의 능력에 따라 하나님의 것을 맡기셨다. 하나님은 우리가 어떤 능력을 가졌는지를 가장 정확하게 아는 유일한 분이시다. 그 때문에 나에게 주어진 것이 최선임을 깨닫고 남들과 비교하지 않으며 그것에 최선을 다하는 것이 성도가 가져야 할 올바른 삶의 자세다. 성도는 자신의 삶에 불만을 가져서는 안 된다. 주어진 삶에 감사하며 성실하게 최선을 다해야 한다.

무릎기도 하나님, 당신이 제게 맡기신 많은 것을 감사함으로 사용하기 원합니다. 삶에 대한 불만을 버리고 남들과 비교하지 않으며 당신 앞에서 최선을 다하게 하소서.

NLT - Matthew 25

14 "Again, the Kingdom of Heaven can be
illustrated by the story of a man going on a long
trip. He called together his servants and
entrusted his money to them while he was
gone.
15 He gave five bags of silver* to one, two bags of
silver to another, and one bag of silver to the
last—dividing it in proportion to their abilities.
He then left on his trip.
16 "The servant who received the five bags of silver
began to invest the money and earned five
more.
17 The servant with two bags of silver also went to
work and earned two more.
18 But the servant who received the one bag of
silver dug a hole in the ground and hid the
master's money.
19 "After a long time their master returned from his
trip and called them to give an account of how
they had used his money.

*25:15 Greek *talents;* also throughout the story. A talent is equal to 75 pounds or 34 kilograms.

14 go on a trip 여행하다 entrust 맡기다, 위임하다 15 divide 분배하다 in proportion to ~ ~에 비례하여 ability 능력, 재능 16 receive 받다 earn 벌다, 획득하다 18 dig a hole 구멍을 파다 19 return from ~ ~로부터 돌아오다 give an account of ~ ~에 대해 설명(해명)하다

100
월 일

달란트 비유(2)

마태복음 25:20-30

새찬송 216장 | 통일 356장

• 먼저 묵상을 위한 기도를 드린 후, 성경 본문을 2번 이상 읽고 묵상하십시오.

본문요약 | 다섯 달란트와 두 달란트 받은 종은 각각 다섯 달란트와 두 달란트를 더 남겼다. 이를 주인에게 보고하자 주인은 두 종의 충성됨을 칭찬하였다. 그러나 주인이 완고한 사람이라 생각하여 돈을 묻어 둔 한 달란트 받은 종은 주인에게 악한 종이라 책망받고 바깥 어두운 곳으로 쫓겨난다.

개역개정

20 다섯 [1]달란트 받았던 자는 다섯 [1]달란트
를 더 가지고 와서 이르되 주인이여 내게
다섯 [1]달란트를 주셨는데 보소서 내가 또
다섯 [1]달란트를 남겼나이다
21 그 주인이 이르되 잘하였도다 착하고 충성
된 종아 네가 적은 일에 충성하였으매 내
가 많은 것을 네게 맡기리니 네 주인의 즐
거움에 참여할지어다 하고
22 두 [1]달란트 받았던 자도 와서 이르되 주인
이여 내게 두 [1]달란트를 주셨는데 보소서
내가 또 두 [1]달란트를 남겼나이다
23 그 주인이 이르되 잘하였도다 착하고 충성
된 종아 네가 적은 일에 충성하였으매 내
가 많은 것을 네게 맡기리니 네 주인의 즐
거움에 참여할지어다 하고
24 한 [1]달란트 받았던 자는 와서 이르되 주인
이여 당신은 굳은 사람이라 심지 않은 데
서 거두고 헤치지 않은 데서 모으는 줄을
내가 알았으므로
25 두려워하여 나가서 당신의 [1]달란트를 땅
에 감추어 두었었나이다 보소서 당신의 것
을 가지셨나이다
26 그 주인이 대답하여 이르되 악하고 게으
른 종아 나는 심지 않은 데서 거두고 헤치
지 않은 데서 모으는 줄로 네가 알았느냐
27 그러면 네가 마땅히 내 돈을 취리하는 자
들에게나 맡겼다가 내가 돌아와서 내 원
금과 이자를 받게 하였을 것이니라 하고
28 그에게서 그 한 [1]달란트를 빼앗아 열 [1]달
란트 가진 자에게 주라
29 무릇 있는 자는 받아 풍족하게 되고 없는
자는 그 있는 것까지 빼앗기리라
30 이 무익한 종을 바깥 어두운 데로 내쫓으
라 거기서 슬피 울며 이를 갈리라 하니라

1) 금은의 중량

1. 오늘 하나님께서 나에게 주신 깨달음은 무엇입니까?

2. 말씀을 어떻게 내 삶에 구체적으로 적용해야 합니까?

절별 해설

20 주인이여 내게 다섯 달란트를 주셨는데 보소서 내가 또 다섯 달란트를 남겼나이다 첫 번째 종은 다섯 달란트를 더 남겼다고 보고한다. 그는 어떤 자랑이나 우쭐거리는 태도가 없고 다만 자신이 종으로서 해야 할 의무를 다한 것을 겸손하게 보고한다. 이와 같이 선한 종의 특징은 최선을 다한 후에 그것을 자랑하지 않는 겸손한 태도를 보인다(눅 17:10).

21 착하고 충성된 종아 주인이 종들에게 재산을 맡길 때는 각자의 재능에 따라 맡겼으나(15절), 결과를 평가할 때는 충성됨의 여부로 판단한다. 즉, 최선을 다했는지의 여부에 따라 평가하는 것이다. 주인이 두 종에게 하신 칭찬이 한 자도 틀리지 않고 똑같은 사실에서도 이를 확인할 수 있다(21,23절 비교). 만약 남긴 달란트에 따라 칭찬이 달라진다면 불공평하게 느낄 수 있다. 주인이 애초에 각자에게 다른 달란트를 맡겼기 때문이다.

23 내가 많은 것을 네게 맡기리니 네 주인의 즐거움에 참여할지어다 충성한 종들에게는 주인이 더 많은 것을 맡김과 동시에 주인과 함께할 때만 누릴 수 있는 기쁨에 참여하는 특권이 부여된다. 주인은 종들의 노력에 마땅한 상급을 허락하며 자신과 동등한 대접을 약속한다. 이것이 천국에서 우리가 누릴 복이다.

24 주인이여 당신은 굳은 사람이라 심지 않은 데서 거두고 헤치지 않은 데서 모으는 줄을 내가 알았으므로 한 달란트 받은 종은 자신이 게으름을 피운 이유가 주인의 완고함에 있다고 핑계를 댄다. 앞서 설명한 것처럼 한 달란트는 당시 노동자의 20년 연봉에 해당하는 큰 액수다. 그럼에도 악한 종은 주인을 심지도 않은 데서 거두는 인색한 사람이라고 평가한다. 아마도 이 종은 자신이 받은 달란트가 다른 종들이 받은 액수에 비해 형편없이 적다고 느꼈던 것 같다.

26-27 악하고 게으른 종아 주인은 한 달란트 받은 종의 게으름만 책망하신 것이 아니라 그가 악하다고 하셨다. 그가 자신의 게으름을 교묘하게 주인의 탓으로 돌리고 있었기 때문이다. 주인에게 받은 돈을 취리하는 자들에게 맡기는 최소한의 노력도 하지 않은 것은 명백한 그의 잘못이다.

29 무릇 있는 자는 받아 풍족하게 되고 없는 자는 그 있는 것까지 빼앗기리라 예수님이 주신 은사를 올바로 사용하는 사람은 그것이 점점 더 풍성해지지만, 그렇지 않은 사람은 있는 것마저도 없어질 것이란 말씀이다. 성도는 자신에게 주어진 것을 예수님을 위해 사용할 수도 있는 것이 아니라, 반드시 사용해야 한다.

쉬운성경

20 다섯 달란트를 받았던 종이 다섯 달란트를 더 가지고 와서 말했다. '주인님, 제게 다섯 달란트를 맡기셨는데, 보십시오. 다섯 달란트를 더 벌었습니다.'

21 주인이 대답했다. '참 잘했구나. 너는 착하고 신실한 종이다. 네가 작은 것에 최선을 다했으니 내가 훨씬 더 많은 것을 너에게 맡기겠다. 주인과 함께 기쁨을 누려라.'

22 두 달란트를 받았던 종도 와서 말했다. '주인님, 제게 두 달란트를 맡겨 주셨는데, 보십시오. 두 달란트를 더 벌었습니다.'

23 주인이 그에게 대답했다. '참 잘했구나. 너는 착하고 신실한 종이다. 네가 작은 것에 최선을 다했으니, 내가 훨씬 더 많은 것을 너에게 맡기겠다. 주인과 함께 기쁨을 누려라.'

24 그리고 한 달란트를 받았던 종이 주인에게 와서 말했다. '주인님, 저는 주인님이 심지 않은 데서 거두고, 씨 뿌리지 않은 데서 거두는 완고한 분이라 생각했습니다.

25 그래서 두려운 마음으로 밖에 나가 돈을 땅에 숨겼습니다. 이제 주인님이 제게 주신 돈을 도로 받으십시오.'

26 주인이 대답했다. '이 악하고 게으른 종아! 너는 내가 심지도 않은 데서 거두어 들이고, 씨 뿌리지 않은 곳에서 거두어 들인다고 생각했느냐?

27 그렇다면 너는 내 돈을 은행에 넣어 두었어야 했다. 그러면 내가 다시 돌아왔을 때 이자와 함께 내 돈을 돌려받았을 것이다.

28 저 종에게서 돈을 빼앗아 열 달란트 가진 종에게 주어라.'

29 가진 사람은 더 많이 받아 풍성하게 될 것이고, 없는 사람은 있는 것마저 빼앗길 것이다.

30 '저 쓸모없는 종을 바깥 어두운 곳에 던져라. 거기서 슬피 울고, 고통스럽게 이를 갈 것이다.'"

저자의 묵상

'달란트 비유'의 핵심은, 주인이 종에게 그 재능에 따라 자신의 것을 맡겼지만 평가는 충성도로 하신다는 것이다. 만약 평가도 재능에 따라 하신다면 이는 매우 불공평한 처사다. 그러나 주님은 종이 남긴 양이 아니라 그가 얼마나 충성했는지로 평가하신다. 이것이 우리에게 큰 위로가 된다. 이 땅에서 우리가 얼마만큼의 재주와 능력을 부여받았든지, 그것은 큰 문제가 되지 않는다. 나에게 주어진 것으로 얼마나 주를 위해 충성을 다했느냐가 관건이다. 그러므로 누구도 핑계할 수가 없다. 주인이 원하는 것은 충성이기 때문이다.

한편, 하나님이 우리에게 맡기신 '재능'(talent)은 사용할수록 더 많아지고 풍성해진다는 사실도 기억하자. 가만히 놔두거나 게으름을 피우고 있으면 우리에게 있는 것도 사라지지만, 열심히 주를 위해 사용하면 더 많은 능력이 나타날 것이다.

무릎 기도 | 하나님, 제게 어떤 일을 얼마나 맡기셨든지 최선을 다하여 충성하는 삶을 살겠습니다. 부족한 종의 마음이 변치 않게 지켜 주소서.

NLT - Matthew 25

20 The servant to whom he had entrusted the five
bags of silver came forward with five more and
said, 'Master, you gave me five bags of silver to
invest, and I have earned five more.'
21 "The master was full of praise. 'Well done, my
good and faithful servant. You have been
faithful in handling this small amount, so now I
will give you many more responsibilities. Let's
celebrate together!*'
22 "The servant who had received the two bags of
silver came forward and said, 'Master, you gave
me two bags of silver to invest, and I have
earned two more.'
23 "The master said, 'Well done, my good and
faithful servant. You have been faithful in
handling this small amount, so now I will give
you many more responsibilities. Let's celebrate
together!'
24 "Then the servant with the one bag of silver
came and said, 'Master, I knew you were a harsh
man, harvesting crops you didn't plant and
gathering crops you didn't cultivate.
25 I was afraid I would lose your money, so I hid it
in the earth. Look, here is your money back.'
26 "But the master replied, 'You wicked and lazy
servant! If you knew I harvested crops I didn't
plant and gathered crops I didn't cultivate,
27 why didn't you deposit my money in the bank?
At least I could have gotten some interest on it.'
28 "Then he ordered, 'Take the money from this
servant, and give it to the one with the ten bags
of silver.
29 To those who use well what they are given, even
more will be given, and they will have an
abundance. But from those who do nothing,
even what little they have will be taken away.
30 Now throw this useless servant into outer
darkness, where there will be weeping and
gnashing of teeth.'

*25:21 Greek *Enter into the joy of your master [or your Lord]*; also in 25:23.

21 be full of ~ ~으로 가득 차 있다 handle 다루다, 취급하다 responsibility 책임 celebrate 축하하다 22 invest 주다, 부여하다 24 harsh 가혹한, 냉혹한 harvest crop 농작물을 수확하다 cultivate 경작하다 26 lazy 게으른 27 deposit 두다, 맡기다 29 abundance 풍족, 부유 30 weep 울다 gnash 이를 갈다

101 재림 때 이루어질 심판

월 일

마태복음 25:31-40

새찬송 213장 | 통일 348장

• 먼저 묵상을 위한 기도를 드린 후, 성경 본문을 2번 이상 읽고 묵상하십시오.

본문요약 | 예수님이 이 땅에 재림하실 때에 세상 모든 나라가 심판을 받게 된다. 그때 예수님은 오른쪽에 있는 자들이 예수님이 힘들었을 때에 도와주었다고 말씀하시고, 그들에게 하나님 나라를 선물로 주겠다고 선언하신다. 또한 보잘것없는 형제들에게 한 것이 예수님께 한 것이라고 말씀하신다.

개역개정

31 인자가 자기 영광으로 모든 천사와 함께 올 때에 자기 영광의 보좌에 앉으리니

32 모든 민족을 그 앞에 모으고 각각 구분하기를 목자가 양과 염소를 구분하는 것같이 하여

33 양은 그 오른편에 염소는 왼편에 두리라

34 그때에 임금이 그 오른편에 있는 자들에게 이르시되 내 아버지께 복 받을 자들이여 나아와 창세로부터 너희를 위하여 예비된 나라를 상속받으라

35 내가 주릴 때에 너희가 먹을 것을 주었고 목마를 때에 마시게 하였고 나그네 되었을 때에 영접하였고

36 헐벗었을 때에 옷을 입혔고 병들었을 때에 돌보았고 옥에 갇혔을 때에 와서 보았느니라

37 이에 의인들이 대답하여 이르되 주여 우리가 어느 때에 주께서 주리신 것을 보고 음식을 대접하였으며 목마르신 것을 보고 마시게 하였나이까

38 어느 때에 나그네 되신 것을 보고 영접하였으며 헐벗으신 것을 보고 옷 입혔나이까

39 어느 때에 병드신 것이나 옥에 갇히신 것을 보고 가서 뵈었나이까 하리니

40 임금이 대답하여 이르시되 내가 진실로 너희에게 이르노니 너희가 여기 내 형제 중에 지극히 작은 자 하나에게 한 것이 곧 내게 한 것이니라 하시고

1. 본문에 나타난 예수님은 어떤 분이십니까?

2. 오늘 하나님께서 나에게 주신 깨달음은 무엇입니까?

3. 말씀을 어떻게 내 삶에 구체적으로 적용해야 합니까?

절별 해설

31 인자가 자기 영광으로 모든 천사와 함께 올 때에 자기 영광의 보좌에 앉으리니 예수님의 재림 때를 언급하는 말씀이다. 이 때 예수님은 처음 이 땅에 인간의 몸을 입고 오셨을 때와 같은 초라한 모습의 구세주가 아니라, 세상을 심판하시는 강력한 왕권을 가진 심판주의 모습으로 임하실 것이다.

32 모든 민족을 그 앞에 모으고 심판의 대상은 세상 모든 나라다. 예수님의 재림은 국지적으로 나타나는 사건이 아니라, 온 세상에 임할 재림과 심판이 될 것이다. 또한 세상은 예수님에 의해 의인과 악인으로 구분될 것이다. 당시에 목자들은 양과 염소를 함께 방목하다가 저녁에 우리에 넣을 때는 반드시 나누었다고 한다. 이런 배경에서 예수님은 이 비유를 들어 말씀하셨다.

33 본문처럼 성경에서 '오른편'은 보통 선하고 의로운 쪽을 가리키며(시 45:4), '왼편'은 지혜롭지 못하고 어리석은 쪽을 가리킨다(전 10:2). 이런 구분은 동서양의 문화 속에서도 존재해 왔으며, 예수님 당시에도 통상적인 인식이었다.

34 나아와 창세로부터 너희를 위하여 예비된 나라를 상속받으라 오른편의 복 받을 자들이 받게 될 나라는 하나님이 창세 때부터 성도들을 위하여 준비하신 나라다. 이는 우리가 받게 될 구원이 우연히 발생한 사건이 아니라 철저하게 하나님의 준비와 역사 속에서 이루어진 일임을 뜻한다.

35–36 예수님은 여섯 가지 선행을 언급하며 오른쪽에 있는 의로운 자들이 예수님을 대접했다고 말씀하신다. 언급된 행동들의 특징은 그 헌신이 구체적이며 어려움에 처해 있는 상황에서 나타난 도움이라는 것이다. 구원받을 진정한 성도들의 삶의 모습은 이처럼 어려움을 당한 사람들을 구체적으로 돕는 사랑으로 나타난다. 물론 이런 선행은 예수님에 대한 믿음이 행동으로 나타난 결과들로, 단순한 선행과 구별된다.

37–39 오른쪽에 있는 의인들은 다시 조목조목 언급하면서 자신들이 언제 그런 행동을 했느냐고 반문한다. 이런 태도가 그들의 헌신과 선행이 진정한 것이었음을 보여준다. 진정한 성도들은 모든 것이 예수님께로부터 왔음을 알기에 그 어떤 헌신도 자신의 능력으로 한 것이 아님을 깨닫고 이렇게 겸손하게 표현한다.

40 너희가 여기 내 형제 중에 지극히 작은 자 하나에게 한 것이 곧 내게 한 것이니라 예수님은 하나님의 뜻을 행하는 진정한 성도를 자신의 형제자매라고 표현하셨다(12:50). 또한 그들에 대한 대접과 자신이 받는 대접을 동일하게 여기셨다(10:40).

쉬운성경

31 "인자가 모든 천사들과 함께 영광 가운데 다시 와서, 영광의 보좌에 앉을 것이다.

32 그때에 세상 모든 나라가 그 앞에 모일 것이며, 목자가 양과 염소를 구분하듯이, 인자가 사람들을 나눌 것이다.

33 인자는 자신의 오른쪽에는 양을, 왼쪽에는 염소를 둘 것이다.

34 그때 왕이 오른쪽에 있는 사람들에게 말할 것이다. '내 아버지로부터 복을 받은 너희들이여, 와서 세상이 만들어질 때부터 하나님께서 너희를 위해 준비하신 나라를 물려받아라.

35 내가 배가 고플 때, 너희는 내게 먹을 것을 주었다. 내가 목마를 때, 너희는 마실 것을 주었다. 내가 나그네로 있을 때, 너희는 나를 초대해 주었다.

36 내가 헐벗었을 때, 너희는 내게 옷을 입혀 주었다. 내가 아플 때, 너희는 나를 돌보아 주었다. 내가 감옥에 있을 때, 너희는 나를 찾아 주었다.'

37 그때, 의로운 사람들이 그에게 대답할 것이다. '주님, 언제 주님께서 배고프신 것을 보고, 우리가 음식을 주었습니까? 언제 목마른 것을 보고, 마실 것을 주었습니까?

38 언제 나그네 된 것을 보고, 우리가 초대하였습니까? 언제 헐벗으신 것을 보고, 우리가 옷을 입혀 주었습니까?

39 언제 감옥에 있는 것을 보고, 또 아프신 것을 보고, 우리가 찾아갔습니까?'

40 그때, 왕이 대답할 것이다. '내가 너희에게 진정으로 말한다. 보잘것없는 사람에게 한 일, 곧 너희가 이 형제들 중 가장 보잘것없는 사람에게 한 일이 곧 나에게 한 것이다.'

저자의 묵상

재림 때에 예수님께 칭찬받고 복을 받는 오른쪽에 서게 될 의로운 자들의 특징은 어려운 사람들에 대한 헌신으로 나타난다. 그들은 말과 이론만이 아니라 구체적인 도움으로 어려움에 처한 사람들을 도왔다. 이런 태도가 구원받은 성도들이 종말의 때를 살아가는 모습이다. 오늘 우리에게도 이런 모습이 있는지 점검해 보자.

한편, 의인들은 예수님의 칭찬이 있었을 때에 자신들은 그런 적이 없다고 대답한다. 이것이 선을 행한 것에 대한 올바른 태도다. 비록 자신들이 했지만, 그것은 예수님이 주신 힘과 능력으로 했기 때문에 이들은 조금도 자기가 한 것이라고 생각하지 않았다. 우리에게도 이런 태도가 필요하다. 조금 일하고는 그것을 자랑하고 칭찬받으려는 것이 아니라, 열심히 하고도 모든 영광을 주님께 돌리는 성도가 되자.

무릎기도 하나님, 어려움에 처한 믿음의 형제·자매들을 구체적으로 돕는 사랑을 실천하게 하소서. 말과 혀로만 사랑하지 않고 진실한 도움을 줄 수 있는 능력 또한 주소서.

NLT - Matthew 25

31 "But when the Son of Man* comes in his glory, and all the angels with him, then he will sit upon his glorious throne.

32 All the nations* will be gathered in his presence, and he will separate the people as a shepherd separates the sheep from the goats.

33 He will place the sheep at his right hand and the goats at his left.

34 "Then the King will say to those on his right, 'Come, you who are blessed by my Father, inherit the Kingdom prepared for you from the creation of the world.

35 For I was hungry, and you fed me. I was thirsty, and you gave me a drink. I was a stranger, and you invited me into your home.

36 I was naked, and you gave me clothing. I was sick, and you cared for me. I was in prison, and you visited me.'

37 "Then these righteous ones will reply, 'Lord, when did we ever see you hungry and feed you? Or thirsty and give you something to drink?

38 Or a stranger and show you hospitality? Or naked and give you clothing?

39 When did we ever see you sick or in prison and visit you?'

40 "And the King will say, 'I tell you the truth, when you did it to one of the least of these my brothers and sisters,* you were doing it to me!'

*25:31 "Son of Man" is a title Jesus used for himself.
*25:32 Or *peoples*.
*25:40 Greek *my brothers*.

31 glorious 영광스러운 throne 왕좌, 보좌 32 separate 구분하다 shepherd 목자 separate … from ~ …와 ~를 구별하다 34 inherit 상속받다, 물려받다 35 thirsty 목마른 36 naked 벌거벗은 care for ~ ~를 돌보다 38 stranger 나그네, 낯선 사람 hospitality 환대 39 in prison 수감 중에, 투옥 중에

102

월 일

저주받을 사람들

마태복음 25:41-46

새찬송 366장 | 통일 485장

• 먼저 묵상을 위한 기도를 드린 후, 성경 본문을 2번 이상 읽고 묵상하십시오.

본문요약 | 이어 예수님은 왼편에 있는 사람들을 향해 그들이 받을 영원한 형벌을 선고하신다. 예수님은 자신이 힘들고 어려울 때 그들이 돌보지 않았다고 하셨으나, 왼편 사람들은 자신들이 예수님을 모른 체한 적이 없음을 주장한다. 이에 예수님은 그들이 지극히 작은 자 하나에게 하지 않았음을 지적하신다.

개역개정

41 또 왼편에 있는 자들에게 이르시되 저주를 받은 자들아 나를 떠나 마귀와 그 사자들을 위하여 예비된 영원한 불에 들어가라

42 내가 주릴 때에 너희가 먹을 것을 주지 아니하였고 목마를 때에 마시게 하지 아니하였고

43 나그네 되었을 때에 영접하지 아니하였고 헐벗었을 때에 옷 입히지 아니하였고 병들었을 때와 옥에 갇혔을 때에 돌보지 아니하였느니라 하시니

44 그들도 대답하여 이르되 주여 우리가 어느 때에 주께서 주리신 것이나 목마르신 것이나 나그네 되신 것이나 헐벗으신 것이나 병드신 것이나 옥에 갇히신 것을 보고 공양하지 아니하더이까

45 이에 임금이 대답하여 이르시되 내가 진실로 너희에게 이르노니 이 지극히 작은 자 하나에게 하지 아니한 것이 곧 내게 하지 아니한 것이니라 하시리니

46 그들은 영벌에, 의인들은 영생에 들어가리라 하시니라

1. 본문에 나타난 예수님은 어떤 분이십니까?

2. 오늘 하나님께서 나에게 주신 깨달음은 무엇입니까?

3. 말씀을 어떻게 내 삶에 구체적으로 적용해야 합니까?

절별 해설

41 또 왼편에 있는 자들에게 이르시되 예수님은 이번에는 왼쪽에 선 사람들에게 저주를 말씀하신다. 이처럼 마지막 때에는 복 받을 사람과 저주받을 사람으로 모든 사람이 구별된다. 중간 단계는 존재하지 않는다. 한편, 예수님은 저주받은 자들은 악마(사탄)와 그 부하들을 위해 준비된 영원한 불에 들어갈 것이라고 선고하심으로, 이 저주받은 자들이 다름 아닌 마귀의 조종을 받은 자들임을 말씀하신다. 이 세상이 하나님의 자녀와 마귀의 자녀로 나누어짐을 알 수 있다.

42–43 예수님은 오른편에 선 사람들에게 말씀하셨던 동일한 여섯 가지 경우를 언급하시는데, 이번에는 그것을 왼편 사람들이 저주받는 근거로 사용하신다. 그런데 이들은 예수님을 모르는 사람들이 아니다(44절). 신앙인이라고 하는 사람들임에도 구체적인 사랑의 실천이 없었던 사람들이다. 이러한 그들의 행위는 그들의 신앙을 반영한다. 즉, 열매가 없다는 것은 그들이 가진 믿음도 결국 가짜였다는 것이다.

44 주여 우리가 어느 때에 주께서 주리신 것이나 목마르신 것이나 나그네 되신 것이나 헐벗으신 것이나 병드신 것이나 옥에 갇히신 것을 보고 공양하지 아니하더이까 이들의 항변은 주를 위해 할 일을 했다는 것이다. 그러나 이것은 예수님의 평가와는 달랐다. 분명히 신앙으로 살았다고 생각하는데 예수님이 아니라고 하는 일이 종말에 등장하게 될 것이다. 이런 착각에 빠지지 않으려면 두렵고 떨리는 마음으로 구원을 이루어 가야 한다(고전 9:27; 빌 2:12).

45 이 지극히 작은 자 하나에게 하지 아니한 것이 곧 내게 하지 아니한 것이니라 복 받는 자들이나 저주받는 자들에게 예수님이 공히 말씀하시는 심판의 기준은 가장 작은 자에게 베풀었느냐이다. 주목받고 자신의 이름을 드러내는 일에 헌신하는 것은 어쩌면 쉬운 일이다. 그러나 드러나지 않고 보잘것없는 사람들을 돕는 일은 어려운 일이다. 한편, 마땅히 하지 않아야 할 일을 하는 것도 죄이지만, 해야 할 일을 하지 않는 것도 죄임을 본문은 가르친다. 죄에 대한 소극적인 방어뿐만 아니라 의로운 일에 대한 적극적인 행동을 동시에 해야 한다.

46 그들은 영벌에, 의인들은 영생에 들어가리라 왼편 사람들은 영원한 형벌을 선고받는다. 복 받는 사람들이나 저주받는 사람들 모두 그것의 효력이 영원하다는 것을 기억해야 한다. 이것은 영원한 상태의 구별이다.

쉬운성경

41 그리고 나서 왼쪽에 있는 사람들에게 이렇게 말할 것이다. '저주받은 자들아, 내게서 떠나 악마와 그 부하들을 위해 준비한 영원한 불에 들어가거라.

42 내가 배가 고플 때, 너희는 내게 아무것도 주지 않았다. 내가 목마를 때, 너희는 마실 것도 주지 않았다.

43 내가 나그네 되었을 때, 너희는 나를 초대하지 않았다. 내가 헐벗었을 때, 너희는 내게 아무것도 입혀 주지 않았다. 내가 아플 때나 감옥에 있을 때, 너희는 나를 돌보지 않았다.'

44 그때, 그 사람들이 대답할 것이다. '주님, 언제 주님이 배고프거나, 목마르거나, 나그네 되었거나, 헐벗었거나, 아프거나, 감옥에 있는 것을 보고 우리가 돌보지 않았습니까?'

45 그때, 왕이 대답할 것이다. '내가 너희에게 진정으로 말한다. 이 사람들 가운데 가장 작은 자 한 사람에게 하지 않은 것이 곧 나에게 하지 않은 것이다.'

46 이 사람들은 영원히 형벌을 받게 될 것이다. 그러나 의로운 사람들은 영원한 생명에 들어갈 것이다."

저자의 묵상

본문에서 저주받는 사람들은 불신자가 아니다. 그들은 나름대로 예수님을 위해 일했다고 믿는 사람들이었다. 그러나 그것은 그들의 착각이었다. 그들은 오히려 마귀의 부하였으며 결국 영원한 저주를 받는다. 이 사실은 예수님을 믿는 우리에게 심각한 경고가 된다. 따라서 우리는 언제나 우리의 믿음을 시험하고 확증해 보아야 한다(고후 13:5). 과연 내 믿음은 성경이 말하는 진정한 믿음인가를 끊임없이 확인해 보아야 한다. 마지막 때에 후회하지 않게 지금 나 자신의 믿음이 진실한가를 살펴야 한다.

한편, 예수님은 가장 작은(보잘것없는) 자를 돕는 여부가 심판의 기준이라고 말씀하셨다. 이 역시도 우리의 믿음이 진정한가를 볼 수 있는 기준이다. 자신을 드러내고 주목받는 일에 열심을 낼 것이 아니라, 보이지 않는 곳에서 주님과 이웃의 필요를 채우는 것이 참된 믿음이다.

무릎 기도 하나님, 저의 믿음이 진실한지 늘 돌아보게 하시고, 성령님이 깨우쳐 주소서. 적극적으로 선을 행하며 작은 자에게 주님이 하신 것과 같은 사랑을 베풀기 원합니다.

NLT - Matthew 25

41 "Then the King will turn to those on the left and say, 'Away with you, you cursed ones, into the eternal fire prepared for the devil and his demons.*

42 For I was hungry, and you didn't feed me. I was thirsty, and you didn't give me a drink.

43 I was a stranger, and you didn't invite me into your home. I was naked, and you didn't give me clothing. I was sick and in prison, and you didn't visit me.'

44 "Then they will reply, 'Lord, when did we ever see you hungry or thirsty or a stranger or naked or sick or in prison, and not help you?'

45 "And he will answer, 'I tell you the truth, when you refused to help the least of these my brothers and sisters, you were refusing to help me.'

46 "And they will go away into eternal punishment, but the righteous will go into eternal life."

*25:41 Greek *his angels.*

41 curse 저주하다 eternal 영원한 42 feed 먹이다 thirsty 목이 마르는 43 naked 벌거벗은 45 refuse 거절하다
46 punishment 형벌 righteous 의로운 go into ~ ~에 들어가다

103

월 일

네 번째 수난 예고

마태복음 26:1-5

새찬송 425장 | 통일 217장

• 먼저 묵상을 위한 기도를 드린 후, 성경 본문을 2번 이상 읽고 묵상하십시오.

본문요약 | 예수님은 모든 말씀을 마치신 후 제자들에게 이틀 후 유월절에 십자가에 못 박히기 위하여 자신이 팔릴 것이라 예언하셨다. 그때에 대제사장들과 장로들이 모여 조용히 예수님을 죽일 계획을 모의하였는데, 혹 민란이 날 수 있으므로 그들은 유월절 명절 기간은 피하려 한다.

개역개정

1 예수께서 이 말씀을 다 마치시고 제자들
에게 이르시되
2 너희가 아는 바와 같이 이틀이 지나면 유
월절이라 인자가 십자가에 못 박히기 위하
여 팔리리라 하시더라
3 그때에 대제사장들과 백성의 장로들이 가
야바라 하는 대제사장의 관정에 모여
4 예수를 흉계로 잡아 죽이려고 의논하되
5 말하기를 민란이 날까 하노니 명절에는 하
지 말자 하더라

1. 본문에 나타난 예수님은 어떤 분이십니까?

2. 오늘 하나님께서 나에게 주신 깨달음은 무엇입니까?

3. 말씀을 어떻게 내 삶에 구체적으로 적용해야 합니까?

절별 해설

1 예수께서 이 말씀을 다 마치시고 이제 예수님이 공생애의 모든 가르침을 정리하시고 본격적으로 고난과 죽음을 맞이하실 것임을 마태는 기록하고 있다.

2 유월절 유대인의 달력에 니산 월(태양력 3,4월) 14일을 가리킨다. 유월절은 유대인들이 애굽에서 해방된 날을 기념하는 절기다. 무교절이라고도 하는데, 15일부터 일주일간 누룩을 넣지 않은 떡을 먹음으로 그때를 기념하였다. 유월절과 무교절은 같은 절기로 여겨졌다(막 14:1). 한편, 예수님이 유월절에 돌아가시는 것은 세례 요한이 언급한 대로 유월절 어린양이 되셔서 그 백성의 죄를 대속하고 구원하는 구원자이심을 드러낸 것이다(요 1:29).

인자가 십자가에 못 박히기 위하여 팔리리라 마태복음에 나오는 예수님이 예언하신 네 번째 수난 예고다(16:21; 17:22; 20:17-19). 수난 예고가 거듭될수록 더욱 구체적이 되는 것이 특징이다. 본절에서는 예수님이 죽으시는 시점(유월절)과 방법(배반당하고 팔려서 넘겨짐)을 정확히 말씀하셨다. 이를 통해 알 수 있는 것은 예수님의 수난이 예정된 것이었으며, 예수님도 이것을 누구보다 잘 알고 계셨으나 피하지 않으셨다는 점이다. 예수님은 정치적으로 죽임을 당한 것이 아니라 하나님의 섭리로 인간을 위한 대속의 죽음을 능동적으로 친히 감당하셨다.

3 대제사장들과 백성의 장로들 유대의 산헤드린 공회원들을 가리킨다. 산헤드린은 유대인들의 통치기관으로 종교와 법원의 역할을 하였다. 구약의 모세 시대에 세워진 70명의 장로에게서 그 기원을 찾으며, 예수님 당시에는 70-72명 사이의 인원이 있었던 것으로 보인다. 대제사장이 최고 의장의 역할을 맡았다. 한편, 이들이 모여 예수님을 죽일 음모를 꾸민 이유는, 당시 로마의 위임을 받아 유대를 통치하고 있던 이들이 예수님 때문에 자신들의 입지가 좁아지는 어려움을 당할 수도 있다는 위기감 때문이었다.

4 예수를 흉계로 잡아 죽이려고 의논하되 그들의 음모는 조용히 진행되었으나, 이 모든 것은 메시아이신 예수님이 인간을 위해 죽으셔야만 하는 하나님의 섭리의 한 방편이었다. 그 때문에 악인들의 이러한 음모조차도 하나님의 섭리를 벗어날 수 없었다.

5 명절에는 하지 말자 하더라 요세푸스에 의하면, 당시 유월절 명절에는 100만 명이 넘는 유대인들이 예루살렘을 방문했다고 한다. 그중에는 예수님의 많은 사역을 본 추종자들도 많았기에 공회는 유월절 이후에 예수님을 죽이려 했던 것이다. 그러나 가룟 유다가 예수님을 팔게 됨으로 사건은 유월절에 이루어지게 된다.

쉬운성경

1 예수님께서 이 모든 말씀을 마치셨을 때입니다. 예수님께서 제자들에게 말씀하셨습니다.

2 "너희도 알다시피 이틀 뒤가 유월절이다. 그때에 인자는 넘겨져 십자가에서 죽을 것이다."

3 그때, 대제사장과 장로들이 가야바라고 하는 대제사장 공관에 모였습니다.

4 그들은 조용히 예수님을 잡아 죽일 계획을 세웠습니다.

5 그러나 그들은 "명절 기간에는 안 돼. 사람들 사이에 폭동이 일어날 수 있으니까"라고 말했습니다.

저자의 묵상

예수님은 자신이 유월절 어린양으로 십자가에서 죽임 당할 것을 예언하셨다. 하나님의 섭리는 놀랍고도 분명하다. 유월절은 구약시대에 하나님이 이스라엘 백성을 애굽의 압제에서 구원하신 것을 기념하는 절기다. 또 신약에서는 유월절에 죽으시는 예수님 사건을 통해 죄에서 신음하는 그 백성을 구원하신 날이다. 실로 성경의 역사는 인간 구원의 역사임을 알 수 있다. 모든 것은 하나님의 섭리에 의해 이루어지고 있었으며, 예수님을 죽이려는 공회의 음모조차도 하나님의 섭리 가운데에서 벌어진 일이었다. 예수님은 이 모든 것을 아셨기에 묵묵히 그 길을 피하지 않고 걸어가셨다. 우리도 우리를 향하신 하나님의 뜻이 빈틈이 없음을 믿어야 한다. 그러므로 어떤 어려움이 와도 하나님의 섭리가 완전하다는 것을 믿으며 두려워하지 말아야 한다.

무릎 기도 | 하나님, 당신의 뜻이 이 땅에서 완전히 이루어짐을 믿습니다. 고난의 순간에도 이 믿음을 잃지 않고 하나님을 신뢰함으로 꿋꿋이 이겨 내게 하소서.

NLT - Matthew 26

1 When Jesus had finished saying all these things, he said to his disciples,
2 "As you know, Passover begins in two days, and the Son of Man* will be handed over to be crucified."
3 At that same time the leading priests and elders were meeting at the residence of Caiaphas, the high priest,
4 plotting how to capture Jesus secretly and kill him.
5 "But not during the Passover celebration," they agreed, "or the people may riot."

*26:2 "Son of Man" is a title Jesus used for himself.

1 disciple 제자 2 Passover 유월절 hand over 넘겨주다 3 residence 저택, 공관 4 plot 음모를 꾸미다, ~을 몰래 계획하다 capture 붙잡다, 체포하다 secretly 몰래 5 riot 폭동을 일으키다

104

월 일

향유를 부은 여자

마태복음 26:6-13

새찬송 211장 | 통일 346장

• 먼저 묵상을 위한 기도를 드린 후, 성경 본문을 2번 이상 읽고 묵상하십시오.

본문요약 | 예수님이 베다니에서 시몬의 집에 계실 때 한 여자가 매우 귀한 향유를 가지고 와서 예수님의 머리에 붓는다. 제자들은 이를 보며 화를 냈지만, 예수님은 이 여자가 자신의 장례를 준비한다고 하시며 칭찬하셨다. 또 여자가 한 일이 길이 기억될 것이라고 하셨다.

개역개정

6 예수께서 베다니 나병환자 시몬의 집에 계실 때에
7 한 여자가 매우 귀한 향유 한 옥합을 가지고 나아와서 [1]식사하시는 예수의 머리에 부으니
8 제자들이 보고 분개하여 이르되 무슨 의도로 이것을 허비하느냐
9 이것을 비싼 값에 팔아 가난한 자들에게 줄 수 있었겠도다 하거늘
10 예수께서 아시고 그들에게 이르시되 너희가 어찌하여 이 여자를 괴롭게 하느냐 그가 내게 좋은 일을 하였느니라
11 가난한 자들은 항상 너희와 함께 있거니와 나는 항상 함께 있지 아니하리라
12 이 여자가 내 몸에 이 향유를 부은 것은 내 장례를 위하여 함이니라
13 내가 진실로 너희에게 이르노니 온 천하에 어디서든지 이 복음이 전파되는 곳에서는 이 여자가 행한 일도 말하여 그를 기억하리라 하시니라

1) 8:11 난하주를 보라

1. 본문에 나타난 예수님은 어떤 분이십니까?

2. 오늘 하나님께서 나에게 주신 깨달음은 무엇입니까?

3. 말씀을 어떻게 내 삶에 구체적으로 적용해야 합니까?

절별 해설

6 예수님께 향유를 붓는 사건은 사복음서에 두 차례 나타난다. 그중 본문과 마가와 요한의 기록은 예수님의 공생애 마지막 주간에 벌어진 같은 사건이고(막 14:3-9; 요 12:1-8), 누가복음의 기록은 장소와 시기와 향유를 부은 인물이 다른 별도의 사건이다(눅 7:36-50).

7 한 여자가 매우 귀한 향유 한 옥합을 가지고 나아와서 식사하시는 예수의 머리에 부으니 '한 여자'는 죽었다가 살아난 나사로의 누이인 '마리아'를 가리킨다(요 12:3). '귀한 향유 한 옥합'은 그 가치가 300데나리온(노동자 1년 임금)에 해당하는 나드 향유로, 약 300그램(12온스)에 해당하는 양이었다. 당시 보통 향유 한 병에 1온스 이하가 담겨져 있던 것을 감안하면, 상당히 많은 양이었다. 마리아는 이것을 예수님의 머리에 부었는데, 마가복음과 요한복음의 기록을 종합하면 몸과 발에까지 부었다(막 14:3,8; 요 12:3).

8-9 무슨 의도로 이것을 허비하느냐 이것을 비싼 값에 팔아 가난한 자들에게 줄 수 있었겠도다 하거늘 요한복음에 보면 가룟 유다가 비난을 주도했음을 알 수 있다(요 12:4-5). 그가 이렇게 말한 이유는 정말로 가난한 사람들을 위해서가 아니라 그가 돈주머니를 맡고 있었기 때문이다. 가룟 유다는 거기서 종종 돈을 제 마음대로 꺼내 썼다(요 12:6). 만약 마리아가 향유를 팔아 그 돈을 예수님께 드렸다면, 유다는 그 돈을 마음대로 유용했을 것이다.

11 가난한 자들은 항상 너희와 함께 있거니와 나는 항상 함께 있지 아니하리라 예수님은 마리아가 한 행동이 정당함을 말씀하신다. '가난한 자들은 항상 너희와 함께 있다'는 말씀은, 마음만 먹으면 그들을 위한 선행은 언제든 할 수 있다는 의미다. 그러나 예수님은 곧 이 세상을 떠나실 것이므로, 이 땅에서 예수님께 이런 일을 할 수 있는 기회는 더 이상 주어지지 않는다는 뜻이다. 마리아는 그 우선순위를 깨닫고 헌신했던 것이다.

12 내 장례를 위하여 함이니라 마리아는 늘 예수님의 말씀을 귀담아들었으므로 예수님이 자신의 죽음을 예언하신 것을 알고 있었을 것이다. 더군다나 자신의 죽은 오라비를 살리시는 것을 보면서 예수님의 말씀을 더욱 굳게 믿었을 것이다. 그래서 많은 양의 향유를 준비하여 예수님의 온몸에 뿌림으로써 예수님의 장례를 준비한 것이다. 보통 유대인들은 시체에 향유를 발라 부패를 막고 냄새를 없앴다고 한다(눅 23:55-56).

13 예수님은 마리아의 마음을 아시고 축복하시면서, 마리아가 행한 일이 세상 모든 곳에 전파되리라 약속하셨다. 마리아와 같은 헌신이 계속되어야 함을 말씀하신 것이다.

쉬운성경

6 예수님께서 베다니에서 문둥병에 걸렸던 시몬의 집에 계셨을 때입니다.

7 한 여자가 비싼 향유 한 병을 가지고 와 식사하고 계시는 예수님의 머리에 이 향유를 부었습니다.

8 이 광경을 본 제자들이 화를 냈습니다. "왜 이 값비싼 향유를 낭비하는 것이오?

9 그것을 비싼 값에 팔아서 가난한 사람들에게 줄 수도 있었을 텐데."

10 예수님께서 이것을 아시고 말씀하셨습니다. "왜 이 여자를 괴롭히느냐? 그는 나에게 좋은 일을 하였다.

11 가난한 사람들은 항상 너희 가운데 있을 것이다. 그러나 나는 너희와 항상 함께 있지 않을 것이다.

12 이 여자는 내 몸에 향유를 부어 내 장례를 준비한 것이다.

13 내가 진정으로 너희에게 말한다. 온 세상에 복음이 전해지는 곳마다, 이 여자가 한 일도 전해져 그를 기억할 것이다."

저자의 묵상

예수님은 마리아가 행한 일이 복음이 증거되는 세상 어디에서나 칭송될 것이라고 축복하셨다. 그만큼 예수님은 마리아의 헌신이 가치 있는 일이라고 말씀하신 것이다. 마리아는 평소 예수님의 말씀을 귀담아듣고 그대로 믿었기 때문에 예수님이 죽으신다는 말씀을 이해하고 예수님의 장례를 준비했던 것이다. 이처럼 우리도 예수님의 말씀을 그대로 믿는 것이 진정 그분이 기뻐하시는 일임을 기억해야 한다.

한편, 마리아는 제자들의 분노에도 불구하고 예수님의 몸에 향유를 뿌렸다. 마리아는 자신이 하는 일에 있어 사람들에게 인정받으려는 생각이 처음부터 없었다. 그 때문에 사람들의 눈치를 보지 않고 값비싼 많은 향유를 예수님을 위해 사용했던 것이다. 이처럼 진정한 헌신은 예수님만 바라볼 때 가능하다. 사람들의 시선이 아니라 하나님이 어떻게 보실지를 생각하며 충성된 성도로서 주의 일을 하자.

무릎 기도 | 하나님, 당신께 진정한 헌신과 충성을 드리기 원합니다. 사람들의 뜻을 존중하되 주님을 위한 일과 상충될 때 먼저 주님만 생각하고 행동하게 하소서.

NLT - Matthew 26

6 Meanwhile, Jesus was in Bethany at the home of Simon, a man who had previously had leprosy.

7 While he was eating,* a woman came in with a beautiful alabaster jar of expensive perfume and poured it over his head.

8 The disciples were indignant when they saw this. "What a waste!" they said.

9 "It could have been sold for a high price and the money given to the poor."

10 But Jesus, aware of this, replied, "Why criticize this woman for doing such a good thing to me?

11 You will always have the poor among you, but you will not always have me.

12 She has poured this perfume on me to prepare my body for burial.

13 I tell you the truth, wherever the Good News is preached throughout the world, this woman's deed will be remembered and discussed."

*26:7 Or *reclining*.

6 previously 이전에, 과거에 leprosy 나병, 문둥병 7 alabaster jar 옥합 pour 붓다(따르다) 8 indignant 분개한 waste 낭비하다 10 criticize 비평하다 12 prepare for ~ ~할 준비를 하다 burial 장례 13 preach 설교하다, 전파하다 deed 행위, 행동

105

월 일

유다의 배신과 유월절 준비

마태복음 26:14-20

새찬송 290장 | 통일 412장

• 먼저 묵상을 위한 기도를 드린 후, 성경 본문을 2번 이상 읽고 묵상하십시오.

본문요약 | 가룟 유다가 대제사장들에게 가서 예수님을 넘겨주기로 모의하고 은 삼십 개를 받는다. 무교절의 첫날에 제자들은 예수님께 어디에서 유월절 식사를 준비할지를 묻고, 예수님은 성안에 들어가 준비된 사람을 통하여 유월절 음식을 준비할 것을 말씀하신다.

개역개정

14 그때에 열둘 중의 하나인 가룟 유다라 하
는 자가 대제사장들에게 가서 말하되
15 내가 예수를 너희에게 넘겨주리니 얼마나
주려느냐 하니 그들이 은 삼십을 달아 주
거늘
16 그가 그때부터 예수를 넘겨줄 기회를 찾
더라
17 무교절의 첫날에 제자들이 예수께 나아와
서 이르되 유월절 음식 잡수실 것을 우리
가 어디서 준비하기를 원하시나이까
18 이르시되 성안 아무에게 가서 이르되 선
생님 말씀이 내 때가 가까이 왔으니 내 제
자들과 함께 유월절을 네 집에서 지키겠다
하시더라 하라 하시니
19 제자들이 예수께서 시키신 대로 하여 유월
절을 준비하였더라
20 저물 때에 예수께서 열두 제자와 함께 [1]앉
으셨더니

1) 8:11 난하주를 보라

1. 본문에 나타난 예수님은 어떤 분이십니까?

2. 오늘 하나님께서 나에게 주신 깨달음은 무엇입니까?

3. 말씀을 어떻게 내 삶에 구체적으로 적용해야 합니까?

절별 해설

14 가룟 유다 '가룟'은 '그리욧 사람'을 뜻하는 말로, 그리욧은 당시 팔레스타인의 한 지명이다. 가룟 유다는 예수님의 열두 제자 중 한 사람으로, 예수님 일행의 회계를 담당했으나 자기 마음대로 공금을 사용하였다(요 12:6). 그리고 마리아가 값비싼 향유를 부을 때 그것 또한 탐내며 나무랐던 사람이다.

15 내가 예수를 너희에게 넘겨주리니 얼마나 주려느냐 가룟 유다가 왜 예수님을 팔아넘겼는지를 알려 주는 대목이다. 여러 가지 이유가 언급되어 왔지만, 본문은 돈이 원인이었음을 분명히 밝히고 있다. 유다는 그동안 예수님을 통해 마음대로 돈을 사용했으나, 예수님이 죽으신다는 말씀에 더 이상 자신의 이익을 추구할 수 없음을 깨닫는다. 이에 아예 예수님을 팔아넘긴 것이다. 그러나 이 모든 것은 하나님의 뜻 안에서 이미 예언된 것이었다(26:2).
은 삼십 이것은 당시에 노예 한 사람의 가격이었다고 한다(출 21:32). 세상의 주인이신 예수 그리스도께서 비천한 노예의 가격으로 팔리심은 예언의 성취이자(슥 11:12), 우리 죄를 담당하신 예수님의 낮아지심과 비천을 상징한다고 할 수 있다.

17 무교절의 첫날에 '무교절'은 유대력 니산 월 15일부터 21일까지의 일주일을 말한다. 유월절이 니산 월 14일이고 바로 이어지는 15일부터가 누룩 없는 떡을 먹는 무교절이므로, 두 절기는 한 절기처럼 여겨졌다. 본절에서 아직 유월절도 되지 않았는데 '무교절의 첫날'이라고 부르는 것은, 보통 유대인들이 유월절 이틀 전부터 집안에서 누룩을 제거하는 관습이 있었기 때문에 니산 월 12일을 무교절의 첫날이라고 부른 것이다. 참고로 예수님은 유월절의 예비일인 니산 월 13일(목요일)에 성만찬을 드셨으며, 잡히셔서 금요일에 십자가 처형을 당하셨고, 저녁이 되어 유월절이 시작되기 전에 그 시체가 장사되었다(유월절에는 처형을 금함).

18 예수님은 예루살렘에 입성하실 때 이적적인 방법으로 나귀 새끼를 타셨듯이, 이번에도 성에 들어가면 유월절을 지낼 장소를 허락할 사람을 만날 것인데, 그가 준비할 것이라고 말씀하신다(막 14:13-16). 한편, '내 때가 가까이 왔다'는 말씀은 예수님이 고난당하고 죽으실 때가 가까이 왔다는 뜻이다.

19 제자들이 예수께서 시키신 대로 하여 유월절을 준비하였더라 제자들이 예수님이 말씀하신 대로 행할 때 유월절 식사가 준비되었다. 평범한 표현이지만, 예수님을 따르는 제자들은 그분의 말씀을 따르는 것이 얼마나 중요한가를 깨달았을 것이다.

쉬운성경

14 그때, 열두 제자 가운데 한 명인 가룟 출신의 유다가 대제사장들에게 갔습니다.

15 가룟 유다가 말했습니다. "내가 예수를 당신들에게 넘기면, 나에게 얼마를 주겠소?" 제사장들은 유다에게 은 삼십 개를 주었습니다.

16 그 후로부터 유다는 예수님을 넘길 기회를 노렸습니다.

17 무교절의 첫 번째 날에, 제자들이 예수님께 와서 말했습니다. "유월절 음식을 어디에다 준비할까요?"

18 예수님께서 대답하셨습니다. "성안에 들어가 한 사람에게 이렇게 말하여라. '선생님께서 때가 가까웠으니, 당신 집에서 제자들과 함께 유월절을 보내겠다고 말씀하십니다.'"

19 제자들이 예수님께서 말씀하신 대로 행하여 유월절을 준비하였습니다.

20 그날 저녁에 예수님께서 열두 명의 제자들과 함께 음식을 드시기 위해 앉으셨습니다.

저자의 묵상

가룟 유다는 더 이상 예수님을 통해 자신이 이익을 취하지 못할 것을 깨닫자 아예 예수님을 대제사장들에게 팔아넘길 계획을 세운다. 세상의 방식은 늘 이와 같다. 처음엔 상대를 이용해서 이익을 취하다가, 이용 가치가 다하면 그 사람을 해침으로 얻을 수 있는 마지막 이익까지 취하려 한다. 모든 것을 자기 이익을 중심으로 행동한다. 그러나 예수님의 제자들은 이와 같은 태도를 버려야 한다. 나에게 이익이 되면 예수님을 따르고 그렇지 않으면 버리는 것은 진정한 제자의 태도가 아니다. 어렵고 힘들어도 예수님을 따르며, 행복하고 기쁠 때는 마음껏 충성해야 한다. 모든 것이 예수님을 중심으로 이루어져야 한다. 오늘 당신의 삶은 어떠한가? 예수님이 당신의 삶을 주관하는 주인이신가?

무릎기도 하나님, 저의 죄를 위해 유월절 어린양으로 노예 한 사람의 가격에 팔리시어 비천해지신 주님의 사랑을 날마다 더욱 깨닫기 원합니다. 존귀하신 주님을 찬양합니다.

NLT - Matthew 26

14 Then Judas Iscariot, one of the twelve disciples, went to the leading priests

15 and asked, "How much will you pay me to betray Jesus to you?" And they gave him thirty pieces of silver.

16 From that time on, Judas began looking for an opportunity to betray Jesus.

17 On the first day of the Festival of Unleavened Bread, the disciples came to Jesus and asked, "Where do you want us to prepare the Passover meal for you?"

18 "As you go into the city," he told them, "you will see a certain man. Tell him, 'The Teacher says: My time has come, and I will eat the Passover meal with my disciples at your house.' "

19 So the disciples did as Jesus told them and prepared the Passover meal there.

20 When it was evening, Jesus sat down at the table* with the twelve disciples.*

*26:20a Or *Jesus reclined.*
*26:20b Some manuscripts read *the Twelve.*

14 priest 제사장 15 betray 배반하다 16 from that time on 그 후로는 look for ~ ~을 찾다 opportunity 기회 17 unleavened 누룩을 넣지 않은 prepare 준비하다 Passover 유월절 meal 식사, 음식 18 go into ~ ~에 들어가다 certain 어떤

106

월 일

성만찬의 제정

마태복음 26:21-30

새찬송 232장 | 통일 282장

• 먼저 묵상을 위한 기도를 드린 후, 성경 본문을 2번 이상 읽고 묵상하십시오.

본문요약 | 유월절 음식을 먹을 때에 예수님은 제자 중의 한 사람이 자신을 배반할 것이라 말씀하셨다. 이에 제자들은 근심하며 자신이 아님을 확인하려 하였고, 가룟 유다도 예수님께 여쭙는다. 예수님은 떡과 잔을 통해 유월절 의식을 예수님의 살과 피로 이루는 성만찬으로 바꾸신다.

개역개정

21 그들이 먹을 때에 이르시되 내가 진실로 너희에게 이르노니 너희 중의 한 사람이 나를 팔리라 하시니

22 그들이 몹시 근심하여 각각 여짜오되 주여 나는 아니지요

23 대답하여 이르시되 나와 함께 그릇에 손을 넣는 그가 나를 팔리라

24 인자는 자기에 대하여 기록된 대로 가거니와 인자를 파는 그 사람에게는 화가 있으리로다 그 사람은 차라리 태어나지 아니하였더라면 제게 좋을 뻔하였느니라

25 예수를 파는 유다가 대답하여 이르되 랍비여 나는 아니지요 대답하시되 네가 말하였도다 하시니라

26 그들이 먹을 때에 예수께서 떡을 가지사 축복하시고 떼어 제자들에게 주시며 이르시되 받아서 먹으라 이것은 내 몸이니라 하시고

27 또 잔을 가지사 감사 기도하시고 그들에게 주시며 이르시되 너희가 다 이것을 마시라

28 이것은 죄 사함을 얻게 하려고 많은 사람을 위하여 흘리는 바 나의 피 곧 언약의 피니라

29 그러나 너희에게 이르노니 내가 포도나무에서 난 것을 이제부터 내 아버지의 나라에서 새것으로 너희와 함께 마시는 날까지 마시지 아니하리라 하시니라

30 이에 그들이 찬미하고 감람산으로 나아가니라

1. 본문에 나타난 예수님은 어떤 분이십니까?

2. 오늘 하나님께서 나에게 주신 깨달음은 무엇입니까?

3. 말씀을 어떻게 내 삶에 구체적으로 적용해야 합니까?

절별 해설

21 너희 중의 한 사람이 나를 팔리라 예수님이 자신을 팔 사람이 제자 중의 하나라고 말씀하실 때는 모두 함께 유월절 식사를 나누는 중이었다. 유대인들에게 함께 나누는 식사는 쌍방이 매우 친밀한 관계임을 나타낸다. 그러므로 누구보다도 친밀하고 가까운 제자 중 하나가 예수님을 판다는 말씀은 모두에게 큰 충격이었을 것이다. 또한 예수님은 모든 것을 아시면서도 가룟 유다가 함께 식사하는 것을 금하지 않으셨다.

22 주여 나는 아니지요 제자들은 예수님의 말씀에 충격을 받고 근심하면서, 자신이 그 사람은 아님을 확증받고자 했다. 아무도 그 사람이 누구인지 추측할 수 없었다. 가룟 유다는 우발적으로 예수님을 팔아넘긴 것이 아니며, 또 돈궤를 맡아보면서 꾸준히 부정을 저질렀다(요 12:6). 그럼에도 제자들이 가룟 유다를 지목하지 않은 것은 그만큼 그가 철저히 자신을 숨겼음을 의미한다.

24 인자는 자기에 대하여 기록된 대로 가거니와 인자를 파는 그 사람에게는 화가 있으리로다 예수님의 죽으심은 하나님의 예정 가운데 이루어지는 것이나, 그렇다고 예수님을 파는 가룟 유다의 행위가 정당성을 갖지는 않는다. 예수님은 그가 자기 죄 때문에 차라리 태어나지 않는 것이 나았다고 하신다. 악은 어떤 경우에도 정당화될 수 없다. 하나님은 세상 모든 일을 주관하시지만, 그렇다고 악을 행하는 것까지 뒤에서 섭리하지는 않으신다.

25 랍비여 나는 아니지요 가룟 유다는 제자 중 하나가 배신할 것이라는 예수님의 말씀에 가슴이 철렁했을 것이다. 그러나 이내 침착함을 회복하고 자신이 그 사람이냐고 묻는 뻔뻔함을 보인다. 예수님은 기회를 주셨지만 그는 끝까지 악한 태도를 보인다.

26 받아서 먹으라 이것은 내 몸이니라 예수님은 유월절 식사 때 쓰이는 떡을 자신의 몸이라고 하셨다. 여기서 예수님은 구약의 유월절의 진정한 의미를 메시아를 통하여 이 땅에 이루어지는 죄 사함의 사건으로 연결시키신다. 이스라엘을 애굽의 종 된 상태에서 구출하신 것이 유월절이듯, 죄와 사탄의 종 된 상태에서 인류를 구하시는 것이 예수님의 구원 사건이다.

28 나의 피 곧 언약의 피니라 구약에서는 언약을 맺는 당사자인 하나님과 이스라엘 사이에 짐승의 피를 뿌리며 백성은 하나님의 말씀을 따를 것을 맹세했다(출 24:6-8). 예수님은 바로 그 언약의 피가 되신다. 이것은 백성이 준비한 피가 아니라 예수님의 피이기 때문에 영원히 변치 않는 언약이라는 특성을 갖는다.

쉬운성경

21 모두들 식사를 하고 있을 때, 예수님께서 말씀하셨습니다. "내가 너희에게 진정으로 말한다. 너희 중에 하나가 나를 배반할 것이다."

22 제자들은 매우 슬퍼하며, 한 사람씩 예수님께 묻기 시작했습니다. "주님, 제가 그 사람은 아니지요?"

23 예수님께서 대답하셨습니다. "나와 함께 그릇에 손을 넣는 자가 나를 배반할 것이다.

24 성경에 쓰여진 대로 인자는 떠나갈 것이다. 그러나 인자를 넘겨주는 그 사람에게는 화가 있다. 차라리 태어나지 않았더라면, 자신에게 더 좋았을 것이다."

25 예수님을 배반한 유다가 예수님께 말했습니다. "선생님이여, 설마 제가 그 사람입니까?" 예수님께서 그에게 "네가 말했다" 하고 대답하셨습니다.

26 식사 때에 예수님께서는 빵을 들어 감사기도를 드리시고, 그것을 떼어 제자들에게 주시며 말씀하셨습니다. "받아 먹어라. 이것은 내 몸이다."

27 또한 예수님께서 잔을 들어 감사드리신 후, 그것을 제자들에게 주시며 말씀하셨습니다. "너희 모두, 이것을 마셔라.

28 이것은 죄를 용서하기 위하여 많은 사람들을 위해 붓는 나의 피, 곧 언약의 피이다.

29 내가 너희에게 말한다. 내가 아버지의 나라에서 너희와 함께 새롭게 마시는 그날까지, 지금부터는 포도 열매로 빚은 것을 마시지 않을 것이다."

30 그들은 찬송을 부르고 올리브 산으로 올라갔습니다.

저자의 묵상

예수님은 유월절 식사 전에 이미 누가 자신을 팔지를 알고 계셨다. 그럼에도 매우 친밀한 식탁교제를 가룟 유다에게 계속 허락하셨다. 그러나 가룟 유다는 이것을 깨닫지 못하고 끝까지 뻔뻔함으로 일관한다. 멸망하는 죄인의 특징은 자신의 죄를 알면서도 끝까지 회개하지 않는다는 것이다. 죄를 아는 것도 중요하지만, 용기를 내어 회개하고 돌이키는 것이 더 중요하다.

한편, 예수님은 유월절 식사를 통해 성만찬을 제정하신다. 유월절 떡과 잔이 예수님의 몸과 언약의 피임을 말씀하신다. 유월절이 성만찬으로 바뀌는 가장 큰 대목은 예수님이 직접 희생 제물이 되신다는 점이다. 여기서 인간 구원을 향한 하나님의 의지를 볼 수 있다. 구원은 하나님이 행하시는 일이기에 영원히 변치 않는 온전한 것이다.

무릎 기도 | 하나님, 주님의 피로 언약을 세우셔서 우리를 확실히 구원할 것을 보장해 주시니 감사합니다. 주님이 흘리신 보혈을 헛되이 하지 않는 참된 신자의 삶을 살게 하소서.

NLT - Matthew 26

21 While they were eating, he said, "I tell you the truth, one of you will betray me."
22 Greatly distressed, each one asked in turn, "Am I the one, Lord?"
23 He replied, "One of you who has just eaten from this bowl with me will betray me.
24 For the Son of Man must die, as the Scriptures declared long ago. But how terrible it will be for the one who betrays him. It would be far better for that man if he had never been born!"
25 Judas, the one who would betray him, also asked, "Rabbi, am I the one?" And Jesus told him, "You have said it."
26 As they were eating, Jesus took some bread and blessed it. Then he broke it in pieces and gave it to the disciples, saying, "Take this and eat it, for this is my body."
27 And he took a cup of wine and gave thanks to God for it. He gave it to them and said, "Each of you drink from it,
28 for this is my blood, which confirms the covenant* between God and his people. It is poured out as a sacrifice to forgive the sins of many.
29 Mark my words—I will not drink wine again until the day I drink it new with you in my Father's Kingdom."
30 Then they sang a hymn and went out to the Mount of Olives.

*26:28 Some manuscripts read *the new covenant.*

21 betray 배신하다, 팔다 22 distressed 괴로운 in turn 차례차례 24 Scripture 성경 declare 단언하다 terrible 무시무시한 be far better 월등히 낫다 27 give thanks (식사 전에) 감사 기도를 드리다 28 confirm 확증하다, 굳게 하다 covenant 언약 pour out 쏟다 sacrifice 희생, 제물 forgive 용서하다 30 hymn 찬송

107

월 일

베드로의 부인을 예언하시는 예수님

마태복음 26:31–35

새찬송 93장 | 통일 93장

• 먼저 묵상을 위한 기도를 드린 후, 성경 본문을 2번 이상 읽고 묵상하십시오.

본문요약 | 예수님은 자신의 죽음으로 제자들이 흩어질 것을 말씀하신다. 그리고 예수님은 부활하셔서 그들보다 먼저 갈릴리에 가 있겠다고 하신다. 이때 베드로가 자신은 결코 예수님을 버리지 않겠다고 장담한다. 이에 예수님은 오늘 밤 닭이 울기 전에 베드로가 예수님을 세 번 부인할 것이라고 예언하셨다.

개역개정

31 그때에 예수께서 제자들에게 이르시되 오
늘 밤에 너희가 다 나를 [1)]버리리라 기록된
바 [ㄱ]내가 목자를 치리니 양의 떼가 흩어지
리라 하였느니라
32 그러나 내가 살아난 후에 너희보다 먼저
갈릴리로 가리라
33 베드로가 대답하여 이르되 모두 주를 [2)]버
릴지라도 나는 결코 [3)]버리지 않겠나이다
34 예수께서 이르시되 내가 진실로 네게 이르
노니 오늘 밤 닭 울기 전에 네가 세 번 나
를 부인하리라
35 베드로가 이르되 내가 주와 함께 죽을지
언정 주를 부인하지 않겠나이다 하고 모
든 제자도 그와 같이 말하니라

1) 또는 나를 인하여 실족하리라 2) 헬, 주를 인하여 실족할지라도 3) 헬, 실족하지 않겠나이다 ㄱ. 슥 13:7

1. 본문에 나타난 예수님은 어떤 분이십니까?

2. 오늘 하나님께서 나에게 주신 깨달음은 무엇입니까?

3. 말씀을 어떻게 내 삶에 구체적으로 적용해야 합니까?

절별 해설

31 오늘 밤에 너희가 다 나를 버리리라 예수님은 유월절 만찬 석상에서 제자들이 자신을 버리고 흩어질 것이라고 말씀하셨다(요 13:31-38). 이때는 가룟 유다가 예수님을 팔 생각으로 자리를 떠난 직후였다. 예수님은 유다만이 아니라 제자들 모두가 자신을 버릴 것을 이미 아셨고, 이것이 성경의 예언임도 말씀하셨다(슥 13:7). 제자들은 3년 동안 예수님을 따라다니며 그분의 많은 기적과 권능을 체험했지만, 예수님이 잡히실 때 모두 예수님을 버린다.

32 그러나 내가 살아난 후에 너희보다 먼저 갈릴리로 가리라 예수님은 이 말씀처럼 부활하신 후 제자들과 많은 시간을 함께 하며 말씀을 전하셨다. 그리고 제자들 대부분의 고향이기도 한 갈릴리로 가셨다(28:7). 갈릴리는 제자들이 사명을 받아 사역을 시작한 장소이기도 하다(4:18-22). 한편, 예수님이 부활하신 후 갈릴리로 가신 이유는 여러 가지가 있으나, 예수님의 죽음 이후에 낙심하고 고향으로 돌아간 제자들을 다시 세우고 사명을 주시려는 의도가 있었다(요 21:1-23).

33 모두 주를 버릴지라도 나는 결코 버리지 않겠나이다 예수님의 말씀을 들은 베드로는 평소의 급한 성격 그대로 지체하지 않고 대답한다. 특히 다른 제자들을 비교적으로 언급하며 그들이 다 배반해도 자신만은 예수님을 버리지 않겠다고 한다.

34 내가 진실로 네게 이르노니 예수님의 말씀은 다 진리이지만, 특별히 강조해서 반드시 이루어질 사건이나 내용에 관하여 언급하실 때 자주 사용하신 관용 어구다.
네가 세 번 나를 부인하리라 '세 번'은 완전수를 가리키며, 베드로의 부인이 우발적인 실수가 아니라 핑계 댈 수 없는 완전한 부정이 될 것을 말씀하신 것이다. 한편, 예수님이 베드로의 충성 맹세를 들으시고 이토록 신속히 베드로의 부인을 언급하신 이유는 베드로를 무안하게 하려는 의도가 아니다. 예수님은 부족함이 많은 베드로를 사랑하셨다. 예수님의 예언은 베드로가 실제로 예수님을 부인했을 때 더욱 예수님을 신뢰하고 회개하게 하려고 주신 것이었다.

35 내가 주와 함께 죽을지언정 베드로는 앞에서 '모두 주를 버릴지라도'라는 표현을 사용했는데, 지금은 '내가 주와 함께 죽을지언정' 배반하지 않겠다고 약속한다. 특히 원문에는 이중 부정을 사용하여 자신이 약속을 지킬 것을 강하게 강조한다. 그러나 이 약속은 몇 시간이 지나지 않아 예수님의 말씀대로 베드로가 예수님을 세 번 부인하는 것으로 끝난다. 즉, 인간적인 자신감으로 예수님의 일을 이룰 수 없음을 보여준다.

쉬운성경

31 예수님께서 제자들에게 말씀하셨습니다. "오늘 밤, 너희는 모두 나를 버릴 것이다. 성경에 이렇게 쓰여 있다. '내가 목자를 칠 것이니, 양이 흩어질 것이다.'

32 그러나 내가 살아난 뒤에, 너희보다 먼저 갈릴리로 갈 것이다."

33 베드로가 말했습니다. "다른 모든 제자들이 주님을 버릴지라도 저는 결코 버리지 않겠습니다."

34 예수님께서 대답하셨습니다. "내가 진정으로 너에게 말한다. 바로 오늘 밤 닭이 울기 전에, 네가 나를 세 번이나 모른다고 할 것이다."

35 베드로가 예수님께 말했습니다. "주님과 함께 죽을지라도 결코 주님을 모른다고 하지 않을 것입니다!" 다른 제자들도 모두 똑같이 말했습니다.

저자의 묵상

베드로는 누구보다도 예수님에 대한 사랑이 컸던 사람이다. 그래서 제자들이 모두 예수님을 배반할 것이라는 말씀을 듣자 앞장서서 자신이 예수님을 지키겠노라고 약속했다. 그러나 자신감만으로 예수님의 일을 할 수 있는 것은 아니다. 인간적인 맹세는 환경이 바뀌면 언제든지 바뀔 수 있기 때문이다. 예수님은 이를 깨닫게 하시기 위해 베드로가 예수님을 세 번 부인할 것을 미리 알려 주셨다. 후에 약속을 지키지 못한 베드로가 자신의 무능함을 깨닫고 회개하여 더욱 위대한 사람으로 만들기 위한 예수님의 배려였다. 그러므로 성도는 언제든지 예수님을 의지하고 자신을 의지하지 말아야 한다. 심지어는 자신이 체험한 것이나 결심도 완전히 믿어서는 안 된다. 오직 예수님과 말씀을 의지하여 행동하고 살아갈 때 올바른 신앙생활을 할 수 있다.

무릎 기도 하나님, 제 열심과 충성을 믿기보다는 하나님의 말씀을 의지하기 원합니다. 언제나 겸손히 주님을 섬기고 성령님의 도우심을 힘입어 나아가게 하소서.

NLT - Matthew 26

31 On the way, Jesus told them, "Tonight all of you
will desert me. For the Scriptures say, 'God will
strike* the Shepherd, and the sheep of the flock
will be scattered.'
32 But after I have been raised from the dead, I will
go ahead of you to Galilee and meet you there."
33 Peter declared, "Even if everyone else deserts
you, I will never desert you."
34 Jesus replied, "I tell you the truth, Peter—this
very night, before the rooster crows, you will
deny three times that you even know me."
35 "No!" Peter insisted. "Even if I have to die with
you, I will never deny you!" And all the other
disciples vowed the same.

*26:31 Greek *I will strike*. Zech 13:7.

31 desert 버리다 Scripture 성경 strike 때리다 shepherd 목자 flock 떼 scatter 흩어지게 하다 32 ahead of ~ ~보다 먼저 33 declare 선포하다, 분명히 말하다 even if ~ 비록 ~한다고 할지라도 34 rooster 수탉 crow 울다 deny 부정하다 35 insist 고집하다, 우기다 vow 맹세하다, 서약하다

108

월 일

겟세마네에서의 기도

마태복음 26:36-46

새찬송 457장 | 통일 510장

• 먼저 묵상을 위한 기도를 드린 후, 성경 본문을 2번 이상 읽고 묵상하십시오.

본문요약 | 예수님은 제자들과 겟세마네에 이르러 기도하신다. 예수님은 기도하시면서 제자들에게 깨어 함께 기도하라고 권하셨지만 제자들은 잠이 든다. 세 번의 간절한 기도를 드리신 예수님은 제자들과 함께 일어나서 고난을 맞으러 가신다.

개역개정

36 이에 예수께서 제자들과 함께 겟세마네라
하는 곳에 이르러 제자들에게 이르시되 내
가 저기 가서 기도할 동안에 너희는 여기
앉아 있으라 하시고
37 베드로와 세베대의 두 아들을 데리고 가실
새 고민하고 슬퍼하사
38 이에 말씀하시되 내 마음이 매우 고민하
여 죽게 되었으니 너희는 여기 머물러 나
와 함께 깨어 있으라 하시고
39 조금 나아가사 얼굴을 땅에 대시고 엎드
려 기도하여 이르시되 내 아버지여 만일
할 만하시거든 이 잔을 내게서 지나가게
하옵소서 그러나 나의 원대로 마시옵고 아
버지의 원대로 하옵소서 하시고
40 제자들에게 오사 그 자는 것을 보시고 베
드로에게 말씀하시되 너희가 나와 함께 한
시간도 이렇게 깨어 있을 수 없더냐
41 시험에 들지 않게 깨어 기도하라 마음에는
원이로되 육신이 약하도다 하시고
42 다시 두 번째 나아가 기도하여 이르시되
내 아버지여 만일 내가 마시지 않고는 이
잔이 내게서 지나갈 수 없거든 아버지의
원대로 되기를 원하나이다 하시고
43 다시 오사 보신즉 그들이 자니 이는 그들
의 눈이 피곤함일러라
44 또 그들을 두시고 나아가 세 번째 같은 말
씀으로 기도하신 후
45 이에 제자들에게 오사 이르시되 이제는 자
고 쉬라 보라 때가 가까이 왔으니 인자가
죄인의 손에 팔리느니라
46 일어나라 함께 가자 보라 나를 파는 자가
가까이 왔느니라

1. 본문에 나타난 예수님은 어떤 분이십니까?

2. 오늘 하나님께서 나에게 주신 깨달음은 무엇입니까?

3. 말씀을 어떻게 내 삶에 구체적으로 적용해야 합니까?

절별 해설

57 예수를 잡은 자들이 그를 끌고 대제사장 가야바에게로 가니 요한복음에 보면 예수님은 먼저 가야바의 장인 안나스에게 끌려가셨다(요 18:13). 안나스는 당시 대제사장은 아니었으나 막후에서 막강한 영향력을 행사하고 있었고, 가야바와 더불어 예수님을 죽이는 일에 앞장섰던 인물이다. 대제사장의 집에 공회가 모여 있었던 것도 예수님을 잡아 신속히 죽이려는 이들이 사전에 준비한 것이다.

58 베드로가 멀찍이 예수를 따라 대제사장의 집 뜰에까지 가서 예수님이 잡히시자 모든 제자들은 흩어졌다. 그러나 베드로는 비록 멀찍이 떨어져 자신의 신분을 드러내지는 않았지만 공회가 열리는 대제사장의 집 뜰까지 예수님을 따라갔다. 베드로가 거기까지 갈 수 있었던 것은 대제사장의 집과 친분관계가 있었던 요한의 도움 때문이었다(요 18:15-16). 두 제자가 그곳에 있었다.

60 율법에 의하면 어떤 사람을 처벌하기 위해서는 확실한 증거가 필요하며, 이를 위해서 두 사람 이상의 증언이 필요했다(신 17:6). 특히 이 경우는 예수님을 죽이려고 모의한 것이기 때문에 더 많은 거짓 증인들을 모았을 것이다.

61 내가 하나님의 성전을 헐고 사흘 동안에 지을 수 있다 하더라 예수님을 죽이기 위해서는 결정적인 증거가 필요했다. 여러 가벼운 거짓 증언에 이어, 두 사람이 성전에 관해 예수님이 하신 말씀을 이야기한 것은, 성전이야말로 유대인들이 율법과 함께 가장 신성시하는 것이기 때문이었다. 예수님은 자신의 몸 된 육체를 성전에 비유하셨으나(요 2:19-22), 이들은 그것을 예수님을 죽일 죄목으로 이용했다.

63 예수께서 침묵하시거늘 예수님은 거듭되는 거짓 증언에도 침묵으로 일관하셨다. 예수님은 그들의 살해 음모를 아셨고 사람들의 증언도 거짓으로 이루어지고 있었기에 더 이상 말씀을 하는 것이 무의미함을 아셨다. 이사야 선지자는 일찍이 고난받으시되 말씀하지 않으시는 메시아의 이런 모습을 예언했다(사 53:7).

64 네가 말하였느니라 그러나 내가 너희에게 이르노니 이후에 인자가 권능의 우편에 앉아 있는 것과 하늘 구름을 타고 오는 것을 너희가 보리라 예수님은 당신이 하나님의 아들 그리스도냐는 질문에 그렇다고 답하시고, 재림의 때에 그들이 예수님을 볼 것이라고 말씀하셨다(참고. 계 1:7). 예수님은 모든 거짓 증언에는 침묵하셨으나, 자신이 그리스도임을 분명히 드러내셨다. 물론 그 결과 유대 종교지도자들이 자신을 죽음으로 몰아갈 것을 아셨지만, 사실에는 분명히 답하심으로써 앞선 예수님의 침묵이 그들을 두려워해서가 아님을 또한 나타내셨다.

쉬운성경

57 예수님을 잡은 사람들이 예수님을 대제사장 가야바에게로 끌고 갔습니다. 거기에는 율법학자들과 장로들이 모여 있었습니다.

58 베드로가 예수님과 멀찍이 떨어져 따라가 대제사장의 공관 마당에 들어갔습니다. 그리고 결과를 보려고 경비원들 틈에 끼어 함께 앉았습니다.

59 대제사장들과 전체 의원들이 예수님을 죽이기 위해, 예수님을 고소할 거짓 증거를 찾으려고 하였습니다.

60 많은 거짓 증인들이 나왔으나, 아무 증거도 얻지 못하던 중, 마침내 두 사람이 나왔습니다.

61 이들은 "이 사람이 '나는 하나님의 성전을 헐고, 그것을 삼 일 만에 다시 세울 수 있다'라고 말했습니다"라고 증언했습니다.

62 대제사장이 일어서서 예수님께 물었습니다. "당신은 아무 대답도 하지 않겠소? 이 사람들이 당신에게 불리한 증언을 하는 것에 대한 당신의 답변은 무엇이오?"

63 그러나 예수님께서는 아무것도 말씀하시지 않았습니다. 다시 대제사장이 예수님께 물었습니다. "내가 살아 계신 하나님께 맹세하고 당신에게 명령하니 우리에게 말하시오. 당신이 하나님의 아들 그리스도요?"

64 예수님께서 대답하셨습니다. "네가 말했다. 그러나 내가 너희에게 말한다. 이제 이후로, 인자가 전능하신 자의 오른쪽에 앉아 있는 것과 하늘 구름을 타고 오는 것을 볼 것이다."

65 그러자 대제사장이 자기 옷을 찢으며 말했습니다. "이 사람이 하나님을 모독했다! 더 이상 증인이 필요 없다. 여러분 모두가 이 사람이 하나님을 모독하는 것을 들었다.

66 어떻게 생각하는가?" 사람들이 대답했습니다. "죽어 마땅합니다."

67 그리고 사람들은 예수님의 얼굴에 침을 뱉고, 주먹으로 치고, 손바닥으로 때리며

68 "그리스도야! 누가 너를 때렸는지 맞혀 보아라!" 하고 말했습니다.

저자의 묵상

예수님은 대제사장의 공관 마당에서 사람들의 거짓 증언에는 침묵하셨으나, 그리스도인지를 묻는 대제사장의 질문에는 긍정으로 답하셨다. 유대 종교지도자들이 자신을 죽이기 위해 증거를 만들려고 한 질문인지 아셨지만, 피하지 않고 대답하신 것이다. 이러한 예수님의 모습은 세상의 위협 앞에서도 진리를 수호해야 하는 교회의 모습을 보여주신 것이다. 어떤 어려움이 있어도 교회와 성도는 세상 앞에 진리를 드러내야 한다. 때로는 그것이 큰 대가를 치르는 일이라 할지라도 그렇게 해야 한다. 그것이 예수님을 따르는 제자로서의 당연한 자세다.

한편, 세상 사람들은 진리가 아니라 자기의 이익에 준하여 행동한다. 자칫 잘못하면 교회도 이런 세상을 따라가기 쉽다. 교회의 이익을 위해 편법을 사용하는 일은 없어야 한다. 교회가 언제나 정의로울 때 세상은 교회를 통해 그리스도를 보게 될 것이다.

무릎 기도 | 하나님, 거짓에는 침묵하시나 진리에는 온전한 반응을 보이신 주님을 닮기 원합니다. 진리를 따르기 위해 어떤 대가도 마다하지 않는 신앙인이 되게 하소서.

NLT - Matthew 26

57 Then the people who had arrested Jesus led him to the home of Caiaphas, the high priest, where the teachers of religious law and the elders had gathered.

58 Meanwhile, Peter followed him at a distance and came to the high priest's courtyard. He went in and sat with the guards and waited to see how it would all end.

59 Inside, the leading priests and the entire high council* were trying to find witnesses who would lie about Jesus, so they could put him to death.

60 But even though they found many who agreed to give false witness, they could not use anyone's testimony. Finally, two men came forward

61 who declared, "This man said, 'I am able to destroy the Temple of God and rebuild it in three days.'"

62 Then the high priest stood up and said to Jesus, "Well, aren't you going to answer these charges? What do you have to say for yourself?"

63 But Jesus remained silent. Then the high priest said to him, "I demand in the name of the living God—tell us if you are the Messiah, the Son of God."

64 Jesus replied, "You have said it. And in the future you will see the Son of Man seated in the place of power at God's right hand* and coming on the clouds of heaven."*

65 Then the high priest tore his clothing to show his horror and said, "Blasphemy! Why do we need other witnesses? You have all heard his blasphemy.

66 What is your verdict?" "Guilty!" they shouted. "He deserves to die!"

67 Then they began to spit in Jesus' face and beat him with their fists. And some slapped him,

68 jeering, "Prophesy to us, you Messiah! Who hit you that time?"

*26:59 Greek *the Sanhedrin.*
*26:64a Greek *seated at the right hand of the power.* See Ps 110:1.
*26:64b See Dan 7:13.

58 at a distance 좀 떨어져서 courtyard 안마당 59 entire 전체의, 온 council 공회 witness 증인 put ~ to death ~를 죽게 하다 60 testimony 증거 61 declare 선언하다, 말하다

111

월 일

예수님을 부인하는 베드로

마태복음 26:69-75

새찬송 263장 | 통일 197장

• 먼저 묵상을 위한 기도를 드린 후, 성경 본문을 2번 이상 읽고 묵상하십시오.

본문요약 | 대제사장의 집 바깥뜰에 있던 베드로는 여종에게 추궁을 당하자 자신은 예수님의 제자가 아니라고 대답했다. 다른 여종이 그가 예수님과 함께 있었다고 하자 베드로는 다시 맹세하며 예수님을 모른다고 부인한다. 조금 후에 어떤 사람들이 한 패라고 말했을 때도 저주하며 맹세까지 한다. 그때 닭이 울자 베드로는 예수님의 말씀을 깨닫고 심히 통곡한다.

개역개정

69 베드로가 바깥뜰에 앉았더니 한 여종이 나아와 이르되 너도 갈릴리 사람 예수와 함께 있었도다 하거늘
70 베드로가 모든 사람 앞에서 부인하여 이르되 나는 네가 무슨 말을 하는지 알지 못하겠노라 하며
71 앞문까지 나아가니 다른 여종이 그를 보고 거기 있는 사람들에게 말하되 이 사람은 나사렛 예수와 함께 있었도다 하매
72 베드로가 맹세하고 또 부인하여 이르되 나는 그 사람을 알지 못하노라 하더라
73 조금 후에 곁에 섰던 사람들이 나아와 베드로에게 이르되 너도 진실로 그 도당이라 네 말소리가 너를 표명한다 하거늘
74 그가 저주하며 맹세하여 이르되 나는 그 사람을 알지 못하노라 하니 곧 닭이 울더라
75 이에 베드로가 예수의 말씀에 닭 울기 전에 네가 세 번 나를 부인하리라 하심이 생각나서 밖에 나가서 심히 통곡하니라

1. 오늘 하나님께서 나에게 주신 깨달음은 무엇입니까?

2. 말씀을 어떻게 내 삶에 구체적으로 적용해야 합니까?

절별 해설

69 한 여종 이 여자는 대제사장의 집 문을 지키는 일을 하던 여종이었다(요 18:16-17). 여종은 요한의 소개로 대제사장의 집에 들어가려던 베드로를 알아보고 예수의 제자 중 한 사람이라고 지목했다.

70 나는 네가 무슨 말을 하는지 알지 못하겠노라 베드로는 자신에게 관심이 쏠리자 모든 사람 앞에서 자신의 신분을 감추었다. 베드로는 제사장이나 공권력의 요구 앞에 무릎을 꿇은 것이 아니다. 예수님을 절대로 배신하지 않겠다고 다짐했지만, 당시 가장 비천한 사람으로 여겨지던 여종 앞에서 예수님을 부인한다. 베드로의 인간적인 결심이 얼마나 보잘것없는 것인지가 여종을 통해 드러나고 있다.

72 나는 그 사람을 알지 못하노라 두 번째 베드로를 알아본 사람도 여종이었다. 이번에 베드로는 맹세까지 해 가며 예수님을 모른다고 부인했다. 첫 번째 부인보다 부정의 강도가 더 세진 것을 알 수 있다.

73 네 말소리가 너를 표명한다 하거늘 이번에는 사람들이 베드로의 말씨를 근거로 예수님과 한 도당이라고 주장한다. 베드로는 갈릴리 사람이었고, 당시 갈릴리 사람들의 말씨는 예루살렘을 중심으로 한 유대인들과 차이가 있었기에 확연히 알아볼 수 있었다.

74 그가 저주하며 맹세하여 이르되 나는 그 사람을 알지 못하노라 세 번째로 예수님과 한 도당이라는 말을 듣자 흥분한 베드로는 예수님을 저주하며 더욱 강하게 모른다고 맹세한다. 사람들이 말투와 같은 구체적인 증거를 제시하자 이를 부정하기 위해 저주까지 하는 강한 방법을 사용했다. 이와 같이 어려운 상황에서 진실을 지키고 정직하기란 쉽지 않다. 베드로는 어려움이 닥치기 전에는 예수님을 끝까지 떠나지 않겠다고 맹세했지만, 상황이 어려워질수록 더욱 강하게 예수님을 부정하고 있었다.

75 닭 울기 전에 네가 세 번 나를 부인하리라 예수님은 잡히시기 전에 베드로에게 이런 예언을 하셨다(34절). 그러나 베드로를 책망하시려는 의도가 아니라, 이 모든 사건이 일어났을 때 베드로로 하여금 예수님의 말씀을 깨닫고 회개하고 돌아오게 하기 위해서였다. 세 번 부인한 후에 베드로는 예수님과 눈이 마주쳤고(눅 22:61), 양심의 가책을 느낀 그는 밖으로 나가 심히 통곡하였다.

쉬운성경

69 베드로가 대제사장 공관 마당의 바깥쪽에 앉아 있었습니다. 그때, 어떤 여자 하인이 와서 말했습니다. "당신도 갈릴리 사람, 예수와 함께 있었지요?"

70 그러자 베드로는 "당신이 무슨 말을 하는지 모르겠소"라며 모든 사람들 앞에서 그렇지 않다고 말했습니다.

71 베드로가 대문 있는 데로 나가자, 다른 여자 하인이 거기 있던 사람들에게 말했습니다. "이 사람은 나사렛 예수와 함께 있던 사람이에요."

72 또다시, 베드로는 "나는 그 사람을 모릅니다"라고 맹세를 하며 그렇지 않다고 말했습니다.

73 잠시 후, 서 있던 어떤 사람들이 베드로에게 가서 말했습니다. "분명히 너는 그들과 한패다. 네 말씨를 보니 틀림없다."

74 그러자 베드로는 저주를 하며 맹세했습니다. "나는 저 사람을 모릅니다." 그러자 바로 닭이 울었습니다.

75 베드로는 지난번 예수님께서 자기에게 하신 말씀이 기억났습니다. "닭이 울기 전에 너는 나를 세 번이나 모른다고 할 것이다." 베드로는 밖으로 나가 몹시 울었습니다.

저자의 묵상

베드로는 예수님의 예언대로 세 번 예수님을 알지 못한다고 부인했다. 더욱이 비천한 여종들 앞에서 예수님을 부인했다는 것이 베드로의 마음을 더 아프게 했을 것이다. 예수님을 죽이려는 사람들 앞에서도 아니고 당시 비천한 신분이었던 여종들 앞에서 예수님을 강하게 부인한 베드로는 이후로 자신의 결심이 얼마나 연약한 것인지를 깨달았을 것이다. 또 베드로는 상황이 어려워질수록 더욱 강도 높게 예수님을 부인했다. 나 자신을 포함하여 사람을 너무 신뢰하지 말아야 하는 이유가 여기에 있다. 우리가 믿고 따를 분은 오직 예수 그리스도뿐이다. 그러나 예수님은 이 모든 일을 아셨을 뿐만 아니라 베드로를 회복시키시려고 이러한 예언을 하셨다. 이처럼 우리가 연약할 때에도 예수님은 늘 피할 길과 회복의 길을 준비하시고 우리가 하나님의 자녀로 살아가게 도와주신다.

무릎기도 하나님, 어려운 상황에서 주님을 모른다고 부인하지 않기를 원합니다. 제 결심으로 되는 일이 아니니 성령께서 담대한 마음을 주소서.

NLT - Matthew 26

69 Meanwhile, Peter was sitting outside in the courtyard. A servant girl came over and said to him, "You were one of those with Jesus the Galilean."
70 But Peter denied it in front of everyone. "I don't know what you're talking about," he said.
71 Later, out by the gate, another servant girl noticed him and said to those standing around, "This man was with Jesus of Nazareth.*"
72 Again Peter denied it, this time with an oath. "I don't even know the man," he said.
73 A little later some of the other bystanders came over to Peter and said, "You must be one of them; we can tell by your Galilean accent."
74 Peter swore, "A curse on me if I'm lying—I don't know the man!" And immediately the rooster crowed.
75 Suddenly, Jesus' words flashed through Peter's mind: "Before the rooster crows, you will deny three times that you even know me." And he went away, weeping bitterly.

*26:71 Or *Jesus the Nazarene.*

69 meanwhile 한편으로는 courtyard 안마당 70 deny 부인하다, 부정하다 72 oath 맹세 73 bystander 구경꾼 accent 말투, 사투리 74 curse 저주하다 immediately 곧 rooster 수탉 crow 울다 75 flash 문득 떠오르다 bitterly 비통하게, 심히

112

월 일

가룟 유다의 최후

마태복음 27:1-10

새찬송 252장 | 통일 184장

• 먼저 묵상을 위한 기도를 드린 후, 성경 본문을 2번 이상 읽고 묵상하십시오.

본문요약 | 공회는 예수님을 총독 빌라도에게 넘겨주었다. 가룟 유다는 죄 없는 예수님을 판 것에 양심의 가책을 느껴 공회에 돈을 돌려주려고 하지만 거절당했다. 이에 유다는 그 돈을 성소에 던져 넣고 나가서 목매어 자살했다. 한편, 대제사장들은 그 돈을 성전고에 두지 않고 토기장이의 밭을 사서 나그네의 묘지로 삼았다.

개역개정

1 새벽에 모든 대제사장과 백성의 장로들이 예수를 죽이려고 함께 의논하고

2 결박하여 끌고 가서 총독 빌라도에게 넘겨주니라

3 그때에 예수를 판 유다가 그의 정죄됨을 보고 스스로 뉘우쳐 그 은 삼십을 대제사장들과 장로들에게 도로 갖다 주며

4 이르되 내가 무죄한 피를 팔고 죄를 범하였도다 하니 그들이 이르되 그것이 우리에게 무슨 상관이냐 네가 당하라 하거늘

5 유다가 은을 성소에 던져 넣고 물러가서 스스로 목매어 죽은지라

6 대제사장들이 그 은을 거두며 이르되 이것은 핏값이라 성전고에 넣어 둠이 옳지 않다 하고

7 의논한 후 이것으로 토기장이의 밭을 사서 나그네의 묘지를 삼았으니

8 그러므로 오늘날까지 그 밭을 피밭이라 일컫느니라

9 이에 선지자 예레미야를 통하여 하신 말씀이 이루어졌나니 일렀으되 ㄱ그들이 그 가격 매겨진 자 곧 이스라엘 자손 중에서 가격 매긴 자의 가격 곧 은 삼십을 가지고

10 토기장이의 밭 값으로 주었으니 이는 주께서 내게 명하신 바와 같으니라 하였더라

ㄱ. 슥 11:12,13

1. 오늘 하나님께서 나에게 주신 깨달음은 무엇입니까?

2. 말씀을 어떻게 내 삶에 구체적으로 적용해야 합니까?

절별 해설

2 총독 빌라도 본디오 빌라도는 AD 26-36년까지 유대에 파견되어 통치를 관장한 로마 총독이었다. 로마의 티베리우스 황제 때에 임명되었고, 폭동을 일으킨 갈릴리 사람들을 잔인하게 진압한 것으로 성경은 기록한다(눅 13:1). 한편, 산헤드린 공회가 예수님을 빌라도에게 보낸 것은 그가 사형 집행권을 가지고 있었기 때문이다.

3 스스로 뉘우쳐 여기의 '스스로 뉘우쳐'라는 것은 단순히 과거에 저지른 자신의 잘못을 후회한다는 뜻이다. 성경이 말하는 '회개'는 잘못을 뉘우치고 실제 행동의 변화까지를 의미한다. 그러나 가룟 유다는 자신의 잘못을 후회하는 수준에 머물렀으며 이후에 자살을 선택한다. 이는 베드로가 회개하고 다시 세움을 받아 예수님의 일을 감당한 것과 대조를 이룬다.

4 그것이 우리에게 무슨 상관이냐 네가 당하라 하거늘 가룟 유다는 뒤늦게 후회하고 대제사장들과 장로들에게 받은 돈을 돌려주려 했다. 그러나 그들은 처음에 예수님을 잡기 위해 유다와 결탁할 때의 호의적인 태도와는 다르게(눅 22:5) 모든 책임을 유다에게 떠넘긴다. 유다의 행동은 예수님이 무죄하심을 증명한다.

5 유다가 은을 성소에 던져 넣고 물러가서 스스로 목매어 죽은지라 '성소'는 제사장들만 들어갈 수 있었다. 유다는 자신의 잘못을 만회하려고 돈을 돌려주려 했다. 그러나 모든 책임이 자신에게 돌아오자 그 죄책감을 이기지 못하고, 돈을 하나님의 거룩한 성소에 던져 넣음으로써 해결하려 했던 것 같다. 그럼에도 죄책감에서 헤어나지 못한 유다는 자살을 선택한다. 자신의 부족함을 하나님께 나아가 회개하지 않고 끝까지 인간적인 방법으로 해결하려는 어리석은 모습이다.

6 이것은 핏값이라 성전고에 넣어 둠이 옳지 않다 신명기 23장 18절에 의하면, 창기가 번 돈이나 개 같은 자의 소득, 즉 옳지 않은 소득은 하나님께 드릴 수 없었다. 대제사장들은 이에 근거하여 가룟 유다가 던진 돈을 성전고에 보관해서는 안 된다고 판단했다. 당시 보통 이런 돈들은 성전을 위해서가 아니라 구제 등을 위해 쓰였다고 한다(7절).

9-10 이스라엘 자손 중에서 가격 매긴 자의 가격 곧 은 삼십을 가지고 토기장이의 밭 값으로 주었으니 이는 주께서 내게 명하신 바와 같으니라 내용상으로는 슥 11:12-13의 인용으로 보인다. 그러나 이것은 렘 18:2-4, 19:2-6(토기장이의 집이 위치한 '힌놈의 아들의 골짜기'가 '피밭'과 거의 같은 뜻인 '죽임의 골짜기'라는 이름으로 바뀜), 19:11(이곳이 유명한 매장지가 됨) 등에 나타난 상징적인 요소들을 끌어다가 스가랴서와 종합한 것이었다. 그러면서 소예언서 스가랴보다는 대예언서 예레미야를 대표적으로 언급한 것이다.

쉬운성경

1 다음 날 아침이 되자, 모든 대제사장과 백성의 장로들이 예수님을 죽이려고 논의를 하였습니다.

2 그들은 예수님을 묶어, 총독인 빌라도에게 데려가, 그에게 넘겨주었습니다.

3 예수님을 배반한 유다는 예수님이 유죄 판결을 받은 것을 보고, 양심에 가책을 느꼈습니다. 그래서 은 삼십 개를 대제사장과 장로들에게 돌려주었습니다.

4 유다가 말했습니다. "내가 죄없는 피를 팔아넘기는 죄를 지었습니다." 그들이 대답하였습니다. "그게 우리와 무슨 상관이냐? 그것은 너의 문제다."

5 유다는 은화를 성전 안에 내던지고 나가서 목매어 자살했습니다.

6 대제사장들이 성전에서 그 돈을 거두고 말했습니다. "이 돈은 피값이니, 성전에 두는 것은 안 될 일이다."

7 그들은 서로 의논하여 그 돈으로 토기장이의 밭을 사, 나그네들의 묘지로 삼기로 결정했습니다.

8 그 밭은 지금까지 피밭이라고 불립니다.

9 그래서 예언자 예레미야가 말한 것이 이루어졌습니다. "그들이 은화 삼십 개, 즉 이스라엘 사람들이 몸값이라고 정한 값을 받았다.

10 그리고 토기장이의 밭을 샀는데 밭값으로 그 돈을 주었다. 이것은 주께서 내게 지시하신 그대로이다."

저자의 묵상

가룟 유다는 진정으로 회개하는 대신에 자신의 잘못을 후회만 하며 끝내 자살을 선택했다. 유다는 죄가 없으신 예수님을 죽음의 자리로 몰아넣은 것을 후회했으며 돈을 돌려주고 모든 것을 되돌리려 했다. 그러나 때는 이미 늦었고, 그와 모든 일을 결탁했던 사람들은 이것을 가룟 유다의 전적인 잘못으로 몰아갔다. 이처럼 세상은 달면 삼키고 쓰면 뱉는 곳이다. 당시 종교지도자들은 자신들의 이익과 함께 갈 때는 유다를 환영했으나, 이제 목적을 다 이루고 나니 그에게서 싸늘하게 돌아섰던 것이다. 세상을 지나치게 신뢰하면 안 되는 이유가 여기 있다.

한편, 가룟 유다에게 있어 안타까운 점은, 자신의 힘으로 모든 것을 돌이키려다가 실패하자 자살을 선택했다는 것이다. 만약 유다가 베드로처럼 울며 하나님께 회개했다면 얼마든지 새로운 인생을 시작할 수 있었을 것이다.

무릎 기도 | 하나님, 후회가 아닌 진정한 변화가 있는 회개의 삶을 살기 원합니다. 또한 세상을 지나치게 믿다가 배신당하는 어리석음을 범치 않게 하소서.

NLT - Matthew 27

1 Very early in the morning the leading priests and the elders of the people met again to lay plans for putting Jesus to death.
2 Then they bound him, led him away, and took him to Pilate, the Roman governor.
3 When Judas, who had betrayed him, realized that Jesus had been condemned to die, he was filled with remorse. So he took the thirty pieces of silver back to the leading priests and the elders.
4 "I have sinned," he declared, "for I have betrayed an innocent man." "What do we care?" they retorted. "That's your problem."
5 Then Judas threw the silver coins down in the Temple and went out and hanged himself.
6 The leading priests picked up the coins. "It wouldn't be right to put this money in the Temple treasury," they said, "since it was payment for murder."*
7 After some discussion they finally decided to buy the potter's field, and they made it into a cemetery for foreigners.
8 That is why the field is still called the Field of Blood.
9 This fulfilled the prophecy of Jeremiah that says, "They took* the thirty pieces of silver—the price at which he was valued by the people of Israel,
10 and purchased the potter's field, as the LORD directed.*"

*27:6 Greek *since it is the price for blood.*
*27:9 Or *I took.*
*27:9–10 Greek *as the LORD directed me.* Zech 11:12–13; Jer 32:6–9.

1 put ~ to death ~를 죽이다 2 lead ~ away ~를 데려가다 3 betray 배반하다 condemn 정죄하다 be filled with ~ ~으로 가득 차다 remorse 후회 4 innocent 무죄인 retort 반박하다 5 hang oneself 목매어 죽다 6 pick up 줍다 treasury 국고 payment 지불 7 discussion 토론 potter 토기장이 cemetery 묘지

113

월 일

빌라도의 재판

마태복음 27:11-18

새찬송 455장 | 통일 507장

• 먼저 묵상을 위한 기도를 드린 후, 성경 본문을 2번 이상 읽고 묵상하십시오.

본문요약 | 예수님을 재판하는 총독 빌라도가 예수님께 '당신이 유대인의 왕이냐'고 묻자 예수님은 긍정하셨다. 그러나 그 외에 여러 가지 고소에 대해서는 침묵하셨다. 빌라도는 명절이 되면 죄수 한 명을 놓아주는 전례에 따라 백성에게 바라바와 예수 중 선택하라고 말한다.

개역개정

11 예수께서 총독 앞에 섰으매 총독이 물어 이르되 네가 유대인의 왕이냐 예수께서 대답하시되 네 말이 옳도다 하시고

12 대제사장들과 장로들에게 고발을 당하되 아무 대답도 아니하시는지라

13 이에 빌라도가 이르되 그들이 너를 쳐서 얼마나 많은 것으로 증언하는지 듣지 못하느냐 하되

14 한 마디도 대답하지 아니하시니 총독이 크게 놀라워하더라

15 명절이 되면 총독이 무리의 청원대로 죄수 한 사람을 놓아주는 전례가 있더니

16 그때에 바라바라 하는 유명한 죄수가 있는데

17 그들이 모였을 때에 빌라도가 물어 이르되 너희는 내가 누구를 너희에게 놓아주기를 원하느냐 [1]바라바냐 그리스도라 하는 예수냐 하니

18 이는 그가 그들의 시기로 예수를 넘겨준 줄 앎이더라

1) 어떤 사본에, 바라바라 하는 예수냐

1. 오늘 하나님께서 나에게 주신 깨달음은 무엇입니까?

2. 말씀을 어떻게 내 삶에 구체적으로 적용해야 합니까?

절별 해설

11 네가 유대인의 왕이냐 대제사장과 산헤드린 공회를 거쳐 예수님은 이제 당시 총독이었던 빌라도에게 보내진다. 사형 집행권이 없는 산헤드린은 예수님을 사형 시키기 위해 차근차근 순서를 밟아 가고 있었다. 산헤드린 공회는 예수님 자신이 하나님의 아들 메시아라고 주장했다며 신성모독죄를 선언했으나(26:65), 그 이유만으로는 예수님을 죽일 수 없다는 것을 깨닫는다. 그래서 빌라도에게 보낼 때는 좀 더 정치적 요소를 가미하여 예수님을 '유대인의 왕'으로 몰아갔다. 그래야 백성을 선동한다는 정치적인 이유로 로마가 사형을 선고할 것이라고 판단했기 때문이다.

12 예수님은 산헤드린에서 재판받으실 때나 빌라도에게 재판받으실 때 자신이 하나님의 아들 그리스도임을 분명히 인정하셨다(11절; 26:64). 그러나 그 외에 산헤드린 공회가 고발한 수많은 거짓 증언에 대해서는 한 마디도 대답하지 않으셨다.

14 총독이 크게 놀라워하더라 빌라도의 입장에서는 수많은 고소 내용을 듣고도 한 마디도 대답하지 않으시는 예수님이 매우 이상했을 것이다. 보통 사람들은 이런 거짓 고소에 적극적으로 대응하여 자신의 무죄를 증명하려 했을 것이다. 그런데 죽음 앞에서도 초연하신 예수님의 모습에 빌라도는 놀랐을 것이다. 한편, 이때 빌라도는 예수님을 헤롯에게 보내어 유대인의 입장에서 판결해 주기를 바랐다(눅 23:7).

15 명절 유대인의 가장 큰 명절인 '유월절'을 가리킨다. 이때의 유월절은 금요일 저녁에 시작되어 안식일과 겹쳤기 때문에 '큰 날'로 불렸다(요 19:31). 금요일 오전쯤에 이 재판이 진행되었다. 한편, 당시 유월절에는 총독이 죄수 한 명을 방면하는 전례가 있었다. 그 기원은 분명하지 않으나 유대를 통치하는 로마가 일종의 민심 유화책으로 사용한 방법이었던 것 같다.

16 바라바 '아버지의 아들'이란 뜻이다. 바라바는 성안에서 민란과 살인죄를 지어 복역 중이었던 유명한 죄수였다(눅 23:19). 빌라도가 이처럼 무겁고 확실한 죄를 지은 자를 예수님의 상대로 지목한 것은, 예수님을 죽음으로 몰아가려는 유대 지도자들의 의중을 알고 예수님을 놓아주려는 의도로 보인다(18절).

17-18 너희는 내가 누구를 너희에게 놓아주기를 원하느냐 바라바냐 그리스도라 하는 예수냐 빌라도는 대제사장들과 장로들이 예수님으로 말미암아 자신들의 종교적 입지가 좁아지는 것에 시기하여 예수님을 죽이려 한다는 사실을 알았다. 그럼에도 빌라도는 예수님에 대해 당연히 취해야 할 석방 대신 백성의 눈치를 살피며 예수님과 바라바 중 선택하라고 한다.

쉬운성경

11 예수님께서 총독 앞에 서셨습니다. 총독이 예수님께 물었습니다. "당신이 유대인의 왕이오?" 예수님께서 "네가 말하였다"라고 대답하셨습니다.

12 대제사장과 장로들이 예수님을 고발하였지만, 예수님께서는 아무 대답도 하지 않으셨습니다.

13 그래서 빌라도가 예수님께 말했습니다. "이 사람들이 너를 여러 가지로 고발하는 것이 들리지 않느냐?"

14 그러나 예수님께서는 빌라도에게 단 한 마디도 대답하지 않으셨습니다. 빌라도는 이것을 보고 이상하게 생각했습니다.

15 명절이 되면, 백성들이 원하는 죄수 한 명을 총독이 사면해 주는 관례가 있었습니다.

16 당시 감옥에는 바라바라고 하는 아주 악명 높은 죄수가 한 명 있었습니다.

17 사람들이 모였을 때, 빌라도가 말했습니다. "너희는 누구를 놓아주기를 원하느냐? 바라바냐, 아니면 그리스도라고 하는 예수냐?"

18 빌라도가 이렇게 말한 것은 사람들이 예수님을 시기해서, 자기에게 넘겨준 것을 알고 있었기 때문이었습니다.

저자의 묵상

빌라도는 예수님이 잡혀 오신 이유를 알았다. 빌라도는 유대 종교지도자들이 예수님에 대한 백성의 사랑을 시기하여 자신들의 기득권을 지키고자 예수님을 죽이려 하는 것을 누구보다도 잘 알고 있었다. 그럼에도 빌라도는 용기 있게 예수님을 놓아주지 못했다. 유대 지도자들과 백성의 요구를 무시하면 총독으로서 자신의 정치적 입지 또한 어려워질 것을 알았기 때문이다. 옳은 판단을 하려면 먼저 자신의 이익을 떠나 생각해야 한다. 그렇지 않으면 빌라도처럼 바른 판단을 하기 어렵다.

반면에, 예수님은 자신이 '유대인의 왕'이라고 대답하면 죽음에 이를 것을 아시면서도 분명하고 짧게 그렇다고 대답하셨다. 그러나 거짓 고발에는 조금도 응대하지 않으셨다. 예수님은 성도로서 우리가 어떤 자세로 이 세상을 살아가야 하는지를 몸소 보여주셨다.

무릎 기도 | 하나님, 아무리 일이 다급해도 거짓에는 침묵하게 하시고 손해를 보아도 진실에는 분명하게 반응하는 주님 같은 신앙을 주소서. 진실한 성도로 살아가기 원합니다.

NLT - Matthew 27

11 Now Jesus was standing before Pilate, the
Roman governor. "Are you the king of the
Jews?" the governor asked him. Jesus replied,
"You have said it."
12 But when the leading priests and the elders
made their accusations against him, Jesus
remained silent.
13 "Don't you hear all these charges they are
bringing against you?" Pilate demanded.
14 But Jesus made no response to any of the
charges, much to the governor's surprise.
15 Now it was the governor's custom each year
during the Passover celebration to release one
prisoner to the crowd—anyone they wanted.
16 This year there was a notorious prisoner, a man
named Barabbas.*
17 As the crowds gathered before Pilate's house
that morning, he asked them, "Which one do
you want me to release to you—Barabbas, or
Jesus who is called the Messiah?"
18 (He knew very well that the religious leaders
had arrested Jesus out of envy.)

*27:16 Some manuscripts read *Jesus Barabbas;* also in 27:17.

11 governor 총독　12 make accusation against ~ ~를 고소(고발)하다　remain silent 침묵을 지키다　14 make no response 대답하지 않다, 응답이 없다　15 custom 관례　release 석방하다　16 notorious 악명 높은　18 out of envy 질투한 나머지

114

월 일

십자가형을 선고받으시는 예수님

마태복음 27:19-26

새찬송 265장 | 통일 199장

• 먼저 묵상을 위한 기도를 드린 후, 성경 본문을 2번 이상 읽고 묵상하십시오.

본문요약 | 빌라도의 아내는 사람을 보내 예수님이 죄가 없다는 말을 전한다. 대제사장들과 장로들은 백성에게 예수님을 죽이도록 요청하라고 충동질한다. 이에 빌라도가 백성에게 바라바와 예수님 중 누구를 놓아줄지 선택하라고 하자, 백성은 바라바를 석방하고 예수님은 십자가에 매달라고 대답한다.

개역개정

19 총독이 재판석에 앉았을 때에 그의 아내
가 사람을 보내어 이르되 저 옳은 사람에
게 아무 상관도 하지 마옵소서 오늘 꿈에
내가 그 사람으로 인하여 애를 많이 태웠
나이다 하더라
20 대제사장들과 장로들이 무리를 권하여 바
라바를 달라 하게 하고 예수를 죽이자 하
게 하였더니
21 총독이 대답하여 이르되 둘 중의 누구를
너희에게 놓아주기를 원하느냐 이르되 바
라바로소이다
22 빌라도가 이르되 그러면 그리스도라 하는
예수를 내가 어떻게 하랴 그들이 다 이르
되 십자가에 못 박혀야 하겠나이다
23 빌라도가 이르되 어찜이냐 무슨 악한 일을
하였느냐 그들이 더욱 소리 질러 이르되
십자가에 못 박혀야 하겠나이다 하는지라
24 빌라도가 아무 성과도 없이 도리어 민란
이 나려는 것을 보고 물을 가져다가 무리
앞에서 손을 씻으며 이르되 [1]이 사람의 피
에 대하여 나는 무죄하니 너희가 당하라
25 백성이 다 대답하여 이르되 그 피를 우리
와 우리 자손에게 돌릴지어다 하거늘
26 이에 바라바는 그들에게 놓아주고 예수는
채찍질하고 십자가에 못 박히게 넘겨주니
라

1) 어떤 사본에, 이 옳은 사람의

1. 오늘 하나님께서 나에게 주신 깨달음은 무엇입니까?

2. 말씀을 어떻게 내 삶에 구체적으로 적용해야 합니까?

절별 해설

19 그의 아내 본절은 마태복음에만 나타나는 기록이다. 외경인 니고데모 복음서에 의하면, 그녀의 이름은 '클라우디아 프로클라'였으며 유대교로 귀의하였고 나중에 그리스도인이 되었다고 한다. 동방교회에서는 그녀를 성자로 받들었다고 전해진다.

20-21 백성의 뒤에서 바라바를 놓아주고 예수를 죽이라고 충동질한 주체는 대제사장들과 장로들, 곧 산헤드린 공회의 종교지도자들이었다. 이들이 군중 전체를 대상으로 음모를 꾸미기는 현실적으로 어려웠을 것이다. 그래서 군중 가운데 적극적인 세력을 심어 넣음으로써 백성을 선동했을 것이다.

22 그러면 그리스도라 하는 예수를 내가 어떻게 하랴 빌라도는 예수님을 죽이고 싶지 않았고, 유대인들의 의도가 순수하지 못한 것도 알고 있었다(18절). 그러나 빌라도는 죄 없으신 예수님을 공정하게 재판하려는 적극적인 의지 또한 없었다. 그래서 모든 것을 백성의 요구에 따라 집행하는 모습을 보여준다.

23 십자가에 못 박혀야 하겠나이다 실로 사람들의 요구는 엄청난 것이었다. 이는 당시의 십자가형에 대해 이해하면 알 수 있다. 십자가 형벌은 고대 근동과 그리스·로마 시대에 행해졌던 형벌로, 주로 반역자와 같은 극악한 죄수들에게 내리는 잔인한 형벌이었다. 그 때문에 자유인이나 로마 시민은 이 형벌을 받지 않았으며, 주로 노예들만 받았다. 또 여기에는 심한 채찍질이 수반되는데(26절), 이는 죄수가 십자가에 매달렸을 때 빨리 죽게 하기 위한 조치 중 하나였다고 한다. 이러한 십자가 형벌을 예수님께 내리라고 한 것은, 예수님과 그 추종 세력을 완전히 제압하려는 종교지도자들의 의도가 깔린 요구였다.

24 물을 가져다가 무리 앞에서 손을 씻으며 이르되 신명기에 의하면(21:1-9), 어떤 사람을 죽인 살인자를 알 수 없을 경우 그 부근에 있는 성읍 사람들은 책임이 없다는 의미로 손을 씻는 법이 있었다. 빌라도는 유대 총독으로 이것을 알고 있었기에 손을 씻음으로 자신의 책임을 면하려 한 것이다. 그러나 빌라도는 모든 내막을 알면서도 사형을 선고했기 때문에 책임이 있다.

25 그 피를 우리와 우리 자손에게 돌릴지어다 이 말은 역사적으로 이루어진다. 선동자들은 그저 예수님을 죽이려고 책임질 생각 없이 한 말이었을 것이다. 그러나 유대인의 후손은 예루살렘 함락과(110만 명 사망) 나치의 학살로(600만 명 사망) 역사적으로 전례 없는 피해를 보게 된다.

쉬운성경

19 빌라도가 재판석에 앉아 있을 때, 그의 아내가 사람을 보내 말했습니다. "저 죄 없는 사람에게 아무 일도 하지 마세요. 어젯밤 꿈속에서 제가 이 사람 때문에 몹시 고통을 받았습니다."

20 그러나 대제사장들과 장로들은 군중들에게 바라바를 놓아주고, 예수님을 죽이도록 요청하라고 시켰습니다.

21 빌라도가 사람들에게 말했습니다. "이 두 사람 중에 누구를 석방시켜 주길 원하느냐?" 사람들이 대답했습니다. "바라바요!"

22 빌라도가 물었습니다. "그러면 그리스도라고 하는 예수는 어떻게 해야 하겠느냐?" 그들이 모두 대답했습니다. "그를 십자가에 매달아 죽이시오!"

23 빌라도가 물었습니다. "그 이유가 무엇이냐? 그가 무슨 악한 일을 했느냐?" 그러자 사람들은 더 크게 소리쳤습니다. "그를 십자가에 매달아 죽이시오!"

24 빌라도는 자기로서는 어찌할 도리가 없다는 것을 깨달았습니다. 그리고 잘못하면 폭동이 일어날지도 모른다고 생각하였습니다. 그래서 그는 물을 떠다가 사람들 앞에서 손을 씻으며 말했습니다. "나는 이 사람의 피에 대하여 아무런 책임이 없다. 너희가 알아서 해라."

25 사람들이 한결같이 대답했습니다. "그의 피에 대한 책임은 우리와 우리 아이들이 지겠습니다."

26 결국 빌라도는 바라바를 풀어 주었습니다. 그리고 예수님을 채찍으로 때리게 한 후, 십자가에 매달도록 내어 주었습니다.

저자의 묵상

빌라도는 예수님을 죽이려는 마음도 없었지만 선에 대한 적극적인 의지도 없는 인물이었다. 그는 예수님을 가급적 풀어 주려고 노력은 했지만 그렇다고 적극적으로 보호하려는 의지도 없었다. 이를 통해 우리는 죄는 나쁜 일을 하지 않는 소극적인 것만이 아니라, 해야 할 일을 행하지 않는 적극적인 것도 포함한다는 교훈을 배워야 한다.

한편, 유대 종교지도자들은 예수님께 도저히 적용할 수 없는 십자가형을 내리라고 요구했다. 그렇게 함으로써 예수님이 매우 질이 나쁜 죄인이라는 것을 사람들에게 부각하려 했다. 그들은 자신들의 기득권을 지키기 위해 의로우신 예수님을 혹독한 죽음의 현장으로 내몰았던 것이다. 그러나 자신을 위해 남에게 못할 짓을 하면 결국 그 책임을 반드시 지게 된다는 것은 역사가 증명하는 사실이다.

무릎 기도 하나님, 적극적으로 당신의 선을 이루는 삶을 살기 원합니다. 삶으로 본을 보이며 행동하는 그리스도인이 되게 하소서.

NLT - Matthew 27

19 Just then, as Pilate was sitting on the judgment seat, his wife sent him this message: "Leave that innocent man alone. I suffered through a terrible nightmare about him last night."
20 Meanwhile, the leading priests and the elders persuaded the crowd to ask for Barabbas to be released and for Jesus to be put to death.
21 So the governor asked again, "Which of these two do you want me to release to you?" The crowd shouted back, "Barabbas!"
22 Pilate responded, "Then what should I do with Jesus who is called the Messiah?" They shouted back, "Crucify him!"
23 "Why?" Pilate demanded. "What crime has he committed?" But the mob roared even louder, "Crucify him!"
24 Pilate saw that he wasn't getting anywhere and that a riot was developing. So he sent for a bowl of water and washed his hands before the crowd, saying, "I am innocent of this man's blood. The responsibility is yours!"
25 And all the people yelled back, "We will take responsibility for his death—we and our children!"*
26 So Pilate released Barabbas to them. He ordered Jesus flogged with a lead-tipped whip, then turned him over to the Roman soldiers to be crucified.

*27:25 Greek *"His blood be on us and on our children."*

19 leave ~ alone ~를 혼자 내버려 두다, 간섭하지 않다 innocent 죄 없는 23 crime 죄, 죄악 commit (죄를) 저지르다 roar 고함치다 24 get anywhere 무엇인가 성과를 거두다, 잘 되다 riot 폭동 develop 전개하다 bowl 그릇 25 yell 소리치다 26 flog 채찍질하다 whip 채찍

115

월 일

십자가에 못 박히신 예수님

마태복음 27:27-37

새찬송 151장 | 통일 138장

• 먼저 묵상을 위한 기도를 드린 후, 성경 본문을 2번 이상 읽고 묵상하십시오.

본문요약 | 총독의 군병들이 예수님을 총독의 관저로 끌고 가서 수치를 주고 조롱한다. 그들은 구레네 시몬에게 강제로 예수님의 십자가를 지게 하고 골고다로 간 후 예수님을 십자가에 못 박고 예수님의 옷을 제비 뽑아 나눈다. 그리고 예수님의 머리 위에는 '유대인의 왕'이라는 죄패가 걸렸다.

개역개정

27 이에 총독의 군병들이 예수를 데리고 관정 안으로 들어가서 온 군대를 그에게로 모으고
28 그의 옷을 벗기고 홍포를 입히며
29 가시관을 엮어 그 머리에 씌우고 갈대를 그 오른손에 들리고 그 앞에서 무릎을 꿇고 희롱하여 이르되 유대인의 왕이여 평안할지어다 하며
30 그에게 침 뱉고 갈대를 빼앗아 그의 머리를 치더라
31 희롱을 다 한 후 홍포를 벗기고 도로 그의 옷을 입혀 십자가에 못 박으려고 끌고 나가니라
32 나가다가 시몬이란 구레네 사람을 만나매 그에게 예수의 십자가를 억지로 지워 가게 하였더라
33 골고다 즉 해골의 곳이라는 곳에 이르러
34 쓸개 탄 포도주를 예수께 주어 마시게 하려 하였더니 예수께서 맛보시고 마시고자 하지 아니하시더라
35 그들이 예수를 십자가에 못 박은 후에 그 옷을 제비 뽑아 나누고
36 거기 앉아 지키더라
37 그 머리 위에 이는 유대인의 왕 예수라 쓴 죄패를 붙였더라

1. 본문에 나타난 예수님은 어떤 분이십니까?

2. 오늘 하나님께서 나에게 주신 깨달음은 무엇입니까?

3. 말씀을 어떻게 내 삶에 구체적으로 적용해야 합니까?

절별 해설

28 홍포 당시 왕들은 붉은색 계통의 옷을 입었다고 한다. 그 때문에 군인들은 유대인의 왕으로 불리신 예수님을 조롱하기 위해 붉은색 옷을 찾아 입혔다.

29 유대인의 왕이여 평안할지어다 군병들은 예수님을 왕으로 만들기 위해 붉은 옷에 이어 가시로 엮은 왕관과 갈대로 만든 지팡이를 쥐여 주며 만세를 외쳤다. 물론 진심이 아닌 조롱이었다. 그러나 이방인 로마 군병들의 이 조롱 섞인 말이 후에는 실제가 되어 이방인들이 예수님을 온 인류의 왕으로 섬기게 되는 것을 볼 때, 하나님의 역사가 얼마나 신비한가를 깨닫게 된다.

32 시몬이란 구레네 사람 '구레네'는 북아프리카 해안 지방에 위치한 도시로, 지금의 리비아 지역이다. 예루살렘에서는 상당히 먼 곳에 위치했다. 보통 십자가는 처형당하는 죄수가 지고 가는 것이 일반적이다. 그러나 당시 예수님이 너무 많은 채찍을 맞아(26절) 도저히 십자가를 질 상황이 아닌 것을 본 군병들은, 유월절을 지키기 위해 예루살렘에 와 있던 시몬을 강제로 징집했다. 한편, 구레네 시몬은 마가에 의해 알렉산더와 루포의 아버지로 소개된다(막 15:21). 시몬은 십자가를 진 일로 예수님을 믿게 되었고, 그 가족도 당시 초대교회의 독자들에게 잘 알려진 성도가 되었다(롬 16:13).

33 골고다 라틴어로 '갈보리'라고 불리는 단어다. 히브리어로는 '해골'이란 뜻을 가진다. 그 위치는 여러 설이 있으나, 예루살렘 성 밖에 위치한다는 성경의 기록을 토대로 볼 때(히 13:12) 성문 밖의 장소였던 것 같다.

34 쓸개 탄 포도주 당시 쓸개즙을 섞은 포도주는 십자가 처형의 끔찍한 고통을 잊게 하는 마취제 역할을 했다. 죽음을 앞둔 죄수에 대한 마지막 관용이었던 셈이다. 그러나 예수님은 이를 거절하셨다. 이는 온전히 하나님의 진노를 감당하시고 죄인을 구원하시려는 예수님의 의지 때문이다.

37 유대인의 왕 예수 요한복음에 보면 이 죄패는 히브리어, 로마어(라틴어), 헬라어로 기록되었다(요 19:20)고 한다. 물론 이것은 예수님을 조롱하고, 유월절에 모인 다양한 문화적 배경을 가진 유대인들에게 로마에 대항하지 못하도록 경각심을 심어 주기 위한 조치였을 것이다. 그러나 예수님은 실제로 다양한 언어를 가진 모든 인류의 왕이 되셨다.

쉬운성경

27 총독의 군인들이 예수님을 총독의 관저로 끌고 들어갔습니다. 그러자 모든 부대원이 예수님 주위로 모였습니다.

28 그들은 예수님의 옷을 벗기고, 대신 붉은색 옷을 입혔습니다.

29 그리고 가시로 왕관을 엮어, 예수님의 머리 위에 씌웠습니다. 그들은 예수님의 오른손에 지팡이를 쥐여 주었습니다. 그리고 "유대인의 왕, 만세!"라고 말하며 예수님께 무릎 꿇고 절하면서 놀렸습니다.

30 그들은 예수님께 침을 뱉고 지팡이를 빼앗아 예수님의 머리를 쳤습니다.

31 예수님을 실컷 조롱한 후에, 붉은색 옷을 벗기고, 원래의 옷으로 다시 입혔습니다. 그리고 예수님을 십자가에 매달아 죽이려고 끌고 갔습니다.

32 군인들이 나가다가 구레네 출신의 시몬이라는 사람을 만났습니다. 군인들은 그에게 강제로 예수님의 십자가를 지고 가게 하였습니다.

33 그들은 골고다라는 곳으로 갔습니다. 골고다는 '해골의 땅'이라는 뜻입니다.

34 군인들은 예수님께 쓸개즙을 섞은 포도주를 주어 마시게 하였습니다. 그러나 예수님께서는 맛을 보시고는 마시려고 하지 않으셨습니다.

35 군인들이 예수님을 십자가에 못 박고, 제비를 뽑아 예수님의 옷을 나누어 가졌습니다.

36 그리고 거기 앉아서, 예수님을 계속 지켜보았습니다.

37 그들은 예수님의 머리 위에 "이 사람은 유대인의 왕 예수다"라고 쓴 죄패를 걸어 놓았습니다.

저자의 묵상

총독의 군병들은 예수님을 십자가에 못 박기 전에 왕 놀이를 하면서 예수님이 유대인의 왕, 곧 메시아 되심을 조롱했다. 또한 십자가 위에도 여러 나라 말로 예수님을 '유대인의 왕'이라 죄패를 써 붙이며 희롱했다. 그러나 역사적으로 그들의 조롱과 희롱은 곧 그대로 이루어진다. 즉, 예수님이 유대인뿐만 아니라 이방인의 왕이 되셨기 때문이다. 하나님의 역사는 인간의 눈에 조롱거리나 웃음거리로 보이는 것을 현실로 만들어 놓는다. 그 때문에 우리는 하나님의 일을 우습게 여기면 안 된다. 비록 인간의 눈에는 너무도 어리석어 보이는 십자가이지만, 하나님은 그것으로 온 인류를 구원하셨다. 오늘 당신이 그리스도인으로 살아가며 만나는 말도 안 되는 현실들이 능력 있는 하나님의 뜻 안에 있음을 기억하라.

무릎 기도 하나님, 인간의 어리석음을 역으로 조롱거리가 되게 하시는 당신께 영광을 돌립니다. 모든 것에 완벽하신 하나님의 뜻과 생각에 따라 살게 하소서.

NLT - Matthew 27

27 Some of the governor's soldiers took Jesus into their headquarters* and called out the entire regiment.

28 They stripped him and put a scarlet robe on him.

29 They wove thorn branches into a crown and put it on his head, and they placed a reed stick in his right hand as a scepter. Then they knelt before him in mockery and taunted, "Hail! King of the Jews!"

30 And they spit on him and grabbed the stick and struck him on the head with it.

31 When they were finally tired of mocking him, they took off the robe and put his own clothes on him again. Then they led him away to be crucified.

32 Along the way, they came across a man named Simon, who was from Cyrene,* and the soldiers forced him to carry Jesus' cross.

33 And they went out to a place called Golgotha (which means "Place of the Skull").

34 The soldiers gave him wine mixed with bitter gall, but when he had tasted it, he refused to drink it.

35 After they had nailed him to the cross, the soldiers gambled for his clothes by throwing dice.*

36 Then they sat around and kept guard as he hung there.

37 A sign was fastened above Jesus' head, announcing the charge against him. It read: "This is Jesus, the King of the Jews."

*27:27 *Or into the Praetorium.*
*27:32 *Cyrene was a city in northern Africa.*
*27:35 Greek *by casting lots. A few late manuscripts* add *This fulfilled the word of the prophet: "They divided my garments among themselves and cast lots for my robe."* See Ps 22:18.

27 headquarter 본부, 관저 regiment (군대의) 연대 28 strip 벗기다 29 scepter (왕이 지니는) 홀(笏) kneel before ~ ~앞에 무릎 꿇다 taunt 비웃다, 조롱하다 hail 만세 30 spit on ~ ~에게 침 뱉다 grab 가로채다 31 be tired of ~ ~에 싫증을 느끼다 crucify 십자가에 못 박다 32 come across ~ ~와 우연히 마주치다 force … to ~ ~에게 강제로 … 하게 시키다 33 skull 해골 34 gall 쓸개즙 35 nail 못 박다 gamble 노름하다 dice 주사위

116

월 일

예수님을 희롱하는 사람들

마태복음 27:38-44

새찬송 259장 | 통일 193장

• 먼저 묵상을 위한 기도를 드린 후, 성경 본문을 2번 이상 읽고 묵상하십시오.

본문요약 | 예수님은 두 강도와 함께 십자가에 달리셨다. 지나가던 사람들과 종교지도자들은 한결같이 예수님을 모욕하며 희롱했다. 그들은 예수님이 하나님의 아들이면 자신을 구원하라고 요구했으며, 그러면 믿겠다고 말했다. 함께 십자가에 못 박힌 강도들 역시 예수님께 욕을 했다.

개역개정

38 이때에 예수와 함께 강도 둘이 십자가에
못 박히니 하나는 우편에, 하나는 좌편에
있더라
39 지나가는 자들은 자기 머리를 흔들며 예
수를 모욕하여
40 이르되 성전을 헐고 사흘에 짓는 자여 네
가 만일 하나님의 아들이어든 자기를 구원
하고 십자가에서 내려오라 하며
41 그와 같이 대제사장들도 서기관들과 장로
들과 함께 희롱하여 이르되
42 그가 남은 구원하였으되 자기는 구원할
수 없도다 그가 이스라엘의 왕이로다 지
금 십자가에서 내려올지어다 그리하면 우
리가 믿겠노라
43 그가 하나님을 신뢰하니 하나님이 원하시
면 이제 그를 구원하실지라 그의 말이 나
는 하나님의 아들이라 하였도다 하며
44 함께 십자가에 못 박힌 강도들도 이와 같
이 욕하더라

1. 오늘 하나님께서 나에게 주신 깨달음은 무엇입니까?

2. 말씀을 어떻게 내 삶에 구체적으로 적용해야 합니까?

38 강도 둘이 십자가에 못 박히니 십자가 처형은 인류가 만들어 낸 가장 잔인한 형벌로 알려져 있다. 예수님의 경우 양손과 합쳐진 두 발에 각각 굵은 못을 박아 고정하고 십자가에 매달았다. 이렇게 십자가에 달리면 온몸이 중력에 의하여 아래로 처지기 때문에, 살이 찢기는 아픔과 고통은 가히 형언할 수 없고, 피가 빠져 나가서 극심한 갈증을 느끼다 죽게 된다. 한편, 예수님의 십자가 양편에는 두 강도가 십자가에 달리게 되는데, 이것은 이사야 53장 12절 말씀이 성취된 것이다.

39 사람들이 '머리를 흔들며' 욕을 하는 행위는 당시에 심한 멸시의 표현이었다(시 109:25).

40 네가 만일 하나님의 아들이어든 자기를 구원하고 십자가에서 내려오라 사람들은 예수님이 성전에 대해 하셨던 말씀을 비꼬며 만일 하나님의 아들이라면 자신을 구원하라고 조롱한다. 그런데 '만일 하나님의 아들이어든'은 마귀가 공생애 초기에 예수님을 시험할 때 사용했던 표현이다(4:6). 이로써 조롱하는 군중의 배후에 사탄이 역사하고 있음을 알 수 있다.

42 그가 남은 구원하였으되 자기는 구원할 수 없도다 '그가 남은 구원하였으되'라는 말은 예수님이 이 땅에 계실 때 행하셨던 수많은 기적을 염두에 둔 표현이다. 저들은 예수님이 그렇게 많은 기적을 행했으니 이제 자신을 위해 십자가에서 내려오는 기적을 보이라고 요구하며, 그러면 믿겠다고 조롱한다. 그러나 그들의 말처럼 수많은 기적을 행하셨고 행하실 수 있는 예수님이 왜 이처럼 순순히 십자가형을 받아들이는지를 사람들은 이상히 여기고 생각해 보았어야 했다.

43 하나님이 원하시면 이제 그를 구원하실지라 대제사장들과 서기관들, 장로들이라고 하는 소위 당시 종교지도자들의 잘못된 신앙관을 읽을 수 있는 대목이다. 예수님이 하나님의 아들이면 하나님이 당장 구해 주셔야 마땅하다는 것이다. 순전히 자신들이 생각하고 싶은 대로 해석하는 믿음이다. 하나님은 얼마든지 인간의 생각과 다르게 행동하실 수 있는 분이다(사 55:8). 그러므로 당장 구원하실 수도 있지만 안 하실 수도 있는 분이다.

44 함께 십자가에 못 박힌 강도들도 이와 같이 욕하더라 누가복음에 의하면, 한 강도는 예수님을 욕했지만 다른 강도는 예수님을 옹호하며 욕하는 강도를 꾸짖고 예수님에 대한 믿음을 가졌다(23:39–43). 아마 그도 처음에는 예수님을 욕하다가 차츰 예수님에 대한 믿음과 확신을 갖게 되었던 것 같다.

쉬운성경

38 그때, 두 강도가 예수님과 함께 십자가에 못박혔습니다. 한 사람은 오른쪽에, 다른 한 사람은 왼쪽에 매달렸습니다.

39 지나가던 사람들이 고개를 저으면서 예수님께 욕을 하였습니다.

40 "성전을 헐고 삼 일 만에 다시 세운다는 사람아! 네 자신이나 구원하여라. 만일 하나님의 아들이라면, 십자가에서 내려와 보아라!"

41 이와 같이 대제사장들도 율법학자들과 장로들과 함께 예수님을 조롱하며 말했습니다.

42 "이 사람이 다른 사람들은 구하면서, 자기 자신은 구하지 못하는구나! 그는 이스라엘의 왕이니, 지금 십자가에서 내려오라지. 그러면 우리가 그를 믿겠다.

43 그가 하나님을 믿는다는데, 하나님께서 원하신다면 그를 당장 구원해 주시라고 그래라. 자신이 '나는 하나님의 아들이라'고 했으니까 말이다."

44 예수님과 함께 십자가에 못 박힌 강도들도 똑같은 욕을 예수님께 했습니다.

저자의 묵상

예수님이 십자가에 처형되실 때 군중과 종교지도자들, 그리고 함께 십자가에 매달린 강도들까지 예수님을 비방하고 조롱했음을 본문은 기록한다. 예수님은 이런 수모와 멸시를 받을 이유가 없는 분이셨으나 우리의 죄를 사하시기 위해 이 모든 것을 감당하셨다. 그러므로 우리도 예수님을 위하여 필요하다면 기꺼이 조롱과 수모를 감당할 마음과 태도를 가져야 한다. 예수 그리스도를 전하다 보면 신앙을 조롱하고 비웃는 사람들이 많다. 그럴 때 예수님도 당하신 일임을 기억하고 낙심하거나 좌절하지 말자.

한편, 당시 예수님을 못 박고 조롱한 사람들의 배후에는 사탄이 역사하고 있었다. 오늘날도 사탄은 사람들을 이용해서 성도를 시험한다. 그러므로 믿음 없는 사람들의 생각 없는 말들에 너무 큰 의미를 둘 필요가 없다. 낙심하지 말고 오히려 그들을 불쌍히 여겨야 한다.

무릎기도 하나님, 우리를 위해 십자가의 고통과 모욕을 감당하신 주님께 찬양과 감사를 드립니다. 주님을 위해 받는 작은 희롱이라도 기꺼이 감수할 수 있는 믿음을 주소서.

NLT - Matthew 27

38 Two revolutionaries* were crucified with him, one on his right and one on his left.
39 The people passing by shouted abuse, shaking their heads in mockery.
40 "Look at you now!" they yelled at him. "You said you were going to destroy the Temple and rebuild it in three days. Well then, if you are the Son of God, save yourself and come down from the cross!"
41 The leading priests, the teachers of religious law, and the elders also mocked Jesus.
42 "He saved others," they scoffed, "but he can't save himself! So he is the King of Israel, is he? Let him come down from the cross right now, and we will believe in him!
43 He trusted God, so let God rescue him now if he wants him! For he said, 'I am the Son of God.' "
44 Even the revolutionaries who were crucified with him ridiculed him in the same way.

*27:38 Or *criminals;* also in 27:44.

39 pass by 옆을 지나다 abuse 욕설 shake one's head 고개를 가로젓다 mockery 조롱, 모욕 40 yell 소리치다
41 religious 종교의 42 scoff 비웃다 43 rescue 구하다 44 ridicule 욕하다, 조롱하다 in the same way 같은 방법으로

117

월 일

예수님이 운명하심

마태복음 27:45-56

새찬송 255장 | 통일 187장

• 먼저 묵상을 위한 기도를 드린 후, 성경 본문을 2번 이상 읽고 묵상하십시오.

본문요약 | 십자가상에서 예수님은 '어찌하여 나를 버리셨나이까' 하고 큰 소리로 외치신 후 곧 운명하신다. 그때 성전의 휘장이 위로부터 아래까지 찢어졌으며 지진이 일어나고, 무덤에서 잠자던 성도들이 다시 살아나는 일들이 일어난다.

개역개정

45 제육 시로부터 온 땅에 어둠이 임하여 제구 시까지 계속되더니
46 제구 시쯤에 예수께서 크게 소리 질러 이르시되 ㄱ엘리 엘리 라마 사박다니 하시니 이는 곧 나의 하나님, 나의 하나님, 어찌하여 나를 버리셨나이까 하는 뜻이라
47 거기 섰던 자 중 어떤 이들이 듣고 이르되 이 사람이 엘리야를 부른다 하고
48 그중의 한 사람이 곧 달려가서 해면을 가져다가 신 포도주에 적시어 갈대에 꿰어 마시게 하거늘
49 그 남은 사람들이 이르되 가만두라 엘리야가 와서 그를 구원하나 보자 하더라[1)]
50 예수께서 다시 크게 소리 지르시고 영혼이 떠나시니라
51 이에 성소 휘장이 위로부터 아래까지 찢어져 둘이 되고 땅이 진동하며 바위가 터지고
52 무덤들이 열리며 자던 성도의 몸이 많이 일어나되
53 예수의 부활 후에 그들이 무덤에서 나와서 거룩한 성에 들어가 많은 사람에게 보이니라
54 백부장과 및 함께 예수를 지키던 자들이 지진과 그 일어난 일들을 보고 심히 두려워하여 이르되 이는 진실로 하나님의 아들이었도다 하더라
55 예수를 섬기며 갈릴리에서부터 따라온 많은 여자가 거기 있어 멀리서 바라보고 있으니
56 그중에는 막달라 마리아와 또 야고보와 요셉의 어머니 마리아와 또 세베대의 아들들의 어머니도 있더라

1) 어떤 사본에, 49절 끝에 요 19:34와 같은 말이 있음 ㄱ. 시 22:1

1. 본문에 나타난 예수님은 어떤 분이십니까?

2. 오늘 하나님께서 나에게 주신 깨달음은 무엇입니까?

3. 말씀을 어떻게 내 삶에 구체적으로 적용해야 합니까?

절별 해설

45 제육 시로부터 온 땅에 어둠이 임하여 제구 시까지 계속되더니 예수님이 십자가에 달리신 시간은 오전 9시였고(막 15:25), 12시부터 오후 3시까지 유대 지역에 어둠이 임했다. 이는 하나님의 특별하신 섭리였다. 예수님은 오후 3시에 십자가에서 운명하셨으므로 총 6시간을 십자가에 달려 있으셨다. 한편, 당시 십자가형은 긴 시간 고통을 겪다가 죽는 형벌이었으나, 예수님은 빨리 운명하셨다. 이는 모진 채찍질로 인한 결과로 보인다.

46 나의 하나님, 나의 하나님, 어찌하여 나를 버리셨나이까 예수님이 십자가에서 남기신 '가상칠언' 중 네 번째에 해당하는 말씀으로, 시편 22편 1절의 성취이기도 하다. 예수님은 십자가에서 하나님과 단절되는 고통을 겪으셨다. 특히 '나의 하나님'이란 표현은 누구보다도 하나님과 가까운 예수님의 독특한 관계를 전제로 한 표현이다(요 3:16). 이처럼 하나님의 아들이신 예수님이 아버지와 단절을 느끼셔야 할 정도로 죄의 대가는 무섭다.

49 엘리야가 와서 그를 구원하나 보자 예수님이 '나의 하나님'이라고 말씀하신 '엘리'를 사람들은 엘리야를 부르는 것으로 잘못 알아듣는다. 엘리야는 고통당하는 자들을 구원할 인물로 당시 사람들이 메시아로 생각해 온 인물이었다(참고. 말 4:5–6).

51 성소 휘장이 위로부터 아래까지 찢어져 둘이 되고 이 휘장은 성전의 가장 중요한 성소와 지성소를 구분하는 것이었다. 지성소는 대제사장만 들어갈 수 있으며, 일 년에 한 차례 대속죄일에 들어가서 백성의 죄를 속하여 정결하게 하는 의식을 행하던 거룩한 곳이었다. 그 때문에 이곳을 막고 있던 휘장은 매우 두꺼운 천으로 만들어졌으며 외부인의 출입을 엄격히 금했다. 이제 그런 휘장이 위로부터 아래까지 찢어졌다는 것은 예수님의 죽음으로 하나님의 공의가 이루어져서 죄인 모두가 그분께 나아가도록 하나님이 친히 행하신 일임을 알 수 있다(히 10:19–20).

52–53 성경에서 해석하기 어려운 난제 가운데 한 부분이다. 본문을 있는 그대로 받아들여서 예수님이 죽으실 때 많은 사람의 부활이 실제로 있었던 것으로 해석해야 한다. 죽은 사람이 살아나는 사건은 구약과(사르밧 과부의 아들, 수넴 여인의 아들) 신약에도(야이로의 딸, 나인 성 과부의 아들, 나사로) 이미 언급된 말씀이므로 이상할 것이 없다.

54 백부장은 예수님의 십자가형을 주관했던 로마 관리였다. 그런 백부장이 주변에서 일어나는 모든 현상을 보며 예수님에 대한 진실한 고백을 한 것으로도 예수님이 하나님의 아들이심을 증거한다.

쉬운성경

45 낮 12시부터 오후 3시까지 온 땅이 어둠에 덮였습니다.

46 오후 3시쯤에 예수님께서 "엘리, 엘리, 라마 사박다니" 하고 큰 소리로 외치셨습니다. 이 말은 "나의 하나님, 나의 하나님, 어찌하여 나를 버리셨습니까?"라는 뜻입니다.

47 거기 서 있던 사람들이 이 말을 듣고 말했습니다. "이 사람이 엘리야를 부른다."

48 그러자 얼른 한 사람이 뛰어가서 해면을 가져다, 신 포도주를 적셨습니다. 그리고 예수님께서 마시도록 지팡이에 매달아 주었습니다.

49 나머지 사람들이 말했습니다. "가만 놔두어라. 엘리야가 그를 구원하러 오나 보자."

50 다시 예수님께서 큰 소리로 외치셨습니다. 그리고 숨을 거두셨습니다.

51 그때, 성전 휘장이 위에서부터 아래까지 두 조각으로 갈라졌습니다. 땅이 흔들리고, 바위들이 쪼개졌으며,

52 무덤이 열리고, 잠자던 많은 성도들의 몸이 다시 살아났습니다.

53 예수님께서 부활하신 후, 그들은 무덤에서 나와 거룩한 성으로 들어가서, 많은 사람들에게 나타나 보였습니다.

54 예수님을 지키던 백부장과 병사들이, 지진과 일어난 모든 일들을 보고 매우 놀라면서 말했습니다. "이 사람은 정말로 하나님의 아들이었다!"

55 많은 여자들이 멀리 떨어진 곳에서 이를 지켜보고 있었습니다. 이들은 갈릴리에서부터 예수님을 섬기려고 따라온 사람들이었습니다.

56 그중에는 막달라 마리아와, 야고보와 요셉의 어머니 마리아, 그리고 세베대의 아들들의 어머니가 있었습니다.

저자의 묵상

예수님이 십자가에 달리신 지 6시간 만에 운명하신다. 사람들은 여전히 예수님을 조롱하고 있었고, 예수님은 삼위일체이신 아버지 하나님께 버림받는 것으로 이루 말로 다할 수 없는 혹독한 대가를 치르셨다. 그것은 십자가에서 겪는 육체적 고통 때문이 아니라 자신과 하나이신 아버지 하나님과 단절되는 아픔으로 말미암은 것이었다. 이는 우리가 이해하기 어려운 성자 예수님만이 느끼시는 고통이다. 이를 통해 죄의 대가가 얼마나 무섭고 혹독한 것인가를 느끼게 된다. 성도가 죄짓는 것을 미워해야 하는 이유도 여기에 있다. 이미 예수님이 죽음을 통하여 죄의 무서움을 가르치셨기에 우리는 죄 가까이에도 가지 말아야 한다. 또한 성경이 말하는 죄는 도덕적·윤리적인 죄뿐만이 아니라, 하나님을 하나님으로 인정하지 않고 자기 마음대로 살아가는 상태임도 잊지 말자.

무릎기도 하나님, 우리의 죄를 위해 아버지 하나님께 버림받는 고통을 감수하신 주님께 감사드립니다. 주님이 치르신 대가를 헛되이 하지 않는 삶을 살게 하소서.

NLT - Matthew 27

45 At noon, darkness fell across the whole land
until three o'clock.
46 At about three o'clock, Jesus called out with a
loud voice, "Eli, Eli,* lema sabachthani?" which
means "My God, my God, why have you aban-
doned me?"*
47 Some of the bystanders misunderstood and
thought he was calling for the prophet Elijah.
48 One of them ran and filled a sponge with sour
wine, holding it up to him on a reed stick so he
could drink.
49 But the rest said, "Wait! Let's see whether Elijah
comes to save him."*
50 Then Jesus shouted out again, and he released
his spirit.
51 At that moment the curtain in the sanctuary of
the Temple was torn in two, from top to bottom.
The earth shook, rocks split apart,
52 and tombs opened. The bodies of many godly
men and women who had died were raised
from the dead.
53 They left the cemetery after Jesus' resurrection,
went into the holy city of Jerusalem, and app-
eared to many people.
54 The Roman officer* and the other soldiers at the
crucifixion were terrified by the earthquake and
all that had happened. They said, "This man truly
was the Son of God!"
55 And many women who had come from Galilee
with Jesus to care for him were watching from a
distance.
56 Among them were Mary Magdalene, Mary (the
mother of James and Joseph), and the mother
of James and John, the sons of Zebedee.

*27:46a Some manuscripts read *Eloi, Eloi.* 27:46b Ps 22:1.
*27:49 Some manuscripts add *And another took a spear and pierced his side, and out flowed water and blood.* Compare John 19:34.
*27:54 Greek *The centurion.*

46 call out 큰소리를 지르다 46 abandon 버리다 47 bystander 구경꾼 misunderstand 오해하다 48 sponge 해면 sour (맛이) 신 hold up 들어 올리다 reed 갈대 51 sanctuary 성소 bottom 바닥 spilt 쪼개다 52 godly 경건한 raise from the dead 부활하다, (죽었다가) 살아나다 53 resurrection 부활

118

월 일

예수님의 장례

마태복음 27:57-66

새찬송 143장 | 통일 141장

• 먼저 묵상을 위한 기도를 드린 후, 성경 본문을 2번 이상 읽고 묵상하십시오.

본문요약 | 예수님이 운명하신 그날 저녁에 아리마대 출신의 요셉이 빌라도에게 예수님의 시신을 달라고 요청한다. 요셉은 예수님의 시신을 장례법에 따라 처리한 후 자신의 새 무덤에 모신다. 대제사장들과 바리새인들은 빌라도에게 예수님의 시체를 삼 일 동안 지킬 것을 요구했다.

개역개정

57 저물었을 때에 아리마대의 부자 요셉이라
하는 사람이 왔으니 그도 예수의 제자라
58 빌라도에게 가서 예수의 시체를 달라 하니
이에 빌라도가 내주라 명령하거늘
59 요셉이 시체를 가져다가 깨끗한 세마포
로 싸서
60 바위 속에 판 자기 새 무덤에 넣어 두고 큰
돌을 굴려 무덤 문에 놓고 가니
61 거기 막달라 마리아와 다른 마리아가 무덤
을 향하여 앉았더라
62 그 이튿날은 준비일 다음 날이라 대제사
장들과 바리새인들이 함께 빌라도에게 모
여 이르되
63 주여 저 속이던 자가 살아 있을 때에 말하
되 내가 사흘 후에 다시 살아나리라 한 것
을 우리가 기억하노니
64 그러므로 명령하여 그 무덤을 사흘까지 굳
게 지키게 하소서 그의 제자들이 와서 시
체를 도둑질하여 가고 백성에게 말하되 그
가 죽은 자 가운데서 살아났다 하면 후의
속임이 전보다 더 클까 하나이다 하니
65 빌라도가 이르되 너희에게 경비병이 있으
니 가서 힘대로 굳게 지키라 하거늘
66 그들이 경비병과 함께 가서 돌을 인봉하고
무덤을 굳게 지키니라

1. 오늘 하나님께서 나에게 주신 깨달음은 무엇입니까?

2. 말씀을 어떻게 내 삶에 구체적으로 적용해야 합니까?

절별 해설

57 저물었을 때에 예수님은 오후 3시에 운명하셨고, 유대인의 안식일은 그날(금요일) 저녁 해진 후부터 시작했으므로, 요셉이 시체를 달라고 요구한 시간은 예수님이 돌아가시고 안식일이 시작되기 전이었을 것이다. 유대인은 안식일에 시체를 옮기지 않았기 때문에 속히 장례를 치러야 했을 것이다.
요셉 그는 아리마대 출신의 부자로 예수님의 제자로 소개된다. '아리마대'는 사무엘의 고향인 에브라임 산지 라마다임 소빔으로 추정된다. 요셉은 선하고 의로운 사람으로 유대의 산헤드린 공회 의원이었으며, 공회가 예수님을 죽이려 할 때 반대했던 사람이다(눅 23:50-51).

58 예수의 시체를 달라 하니 이에 빌라도가 내주라 명령하거늘 저명한 공회 의원이었던 요셉의 요청을 받고 빌라도는 이를 수락한다. 빌라도 자신도 예수님이 죄 없이 희생된 것을 알았기에 허락했을 것이다. 율법에 따르면 나무에 달아 죽인 시체를 밤새도록 나무 위에 방치하지 말아야 했다(신 21:22-23). 그러므로 요셉의 행동은 용기 있는 행동이자 율법을 지키는 행동이었다.

59 요셉이 시체를 가져다가 깨끗한 세마포로 싸서 유대인의 장례법은 먼저 시체를 깨끗이 닦은 후 향유를 바르고 옷을 입히고 세마포로 감싸는 것이다. 요셉은 이 과정을 따랐을 것이다. 요한복음에 의하면, 이때 니고데모라는 또 다른 공회 의원이자 제자가 많은 향료를 가지고 와서 장례를 도왔다고 한다(요 19:39). 시체에 향료를 바르는 것은 부패를 방지하려는 목적이다.

60 바위 속에 판 자기 새 무덤에 넣어 두고 유대인은 바위를 파서 굴을 만들고 그 안에 시체를 장사하였다. 보통 한 개의 무덤에는 가족들이 함께 장사되었으나, 요셉이 만든 무덤은 새 무덤이었기에 예수님 외에 다른 시체는 없었다. 무덤의 입구는 짐승들이 접근하지 못하게 큰 돌로 막았다.

62 이튿날은 준비일 다음 날 안식일이 되었다는 의미다. 그때의 안식일은 유월절과 겹친 날이었으므로, 이날은 유월절이 시작되는 날이기도 했다.

63-64 대제사장들과 바리새인들은 철저했다. 예수님의 제자들은 예수님이 죽자 부활을 기대하지 않고 모두 흩어지고 도망갔다. 그러나 유대 종교지도자들은 예수님이 평소에 하셨던 말씀을 근거로 무덤을 사흘 동안 지켜 달라고 빌라도에게 요청했다. 이 조치는 나중에 예수님의 부활을 더욱 확실하게 만드는 요소가 된다.

쉬운성경

57 그날 저녁에, 요셉이라는 아리마대 출신의 한 부자가 왔습니다. 그도 역시 예수님의 제자였습니다.

58 요셉은 빌라도에게 가서, 예수님의 시신을 달라고 요청했습니다. 그러자 빌라도는 요셉에게 넘겨주라고 군인들에게 명령하였습니다.

59 요셉은 그 시체를 가져다가 깨끗한 천으로 둘렀습니다.

60 그리고 바위를 뚫어 만든, 자신의 새 무덤에 예수님의 시신을 모셨습니다. 그는 큰 돌을 굴려 무덤의 입구를 막고 돌아갔습니다.

61 막달라 마리아와 다른 마리아가 무덤 맞은편에 앉아 있었습니다.

62 이튿날, 곧 준비일이 지난 후에 대제사장들과 바리새파 사람들이 빌라도에게 왔습니다.

63 그들은 말했습니다. "각하, 그 거짓말쟁이가 살아 있을 때, '내가 삼 일 뒤에 살아날 것이다'라고 한 말이 기억납니다.

64 그러니 명령을 내리셔서 삼 일째 되는 날까지 그 무덤을 꼭 지키게 하십시오. 그의 제자들이 와서 시체를 훔쳐 간 후 사람들에게 '그가 다시 살아났다'고 할 수도 있습니다. 그러면 이번 속임수는 처음 것보다 더 나쁜 결과를 가져올 것입니다."

65 빌라도가 말했습니다. "경비병들을 데리고 가서, 당신들이 할 수 있는 대로 무덤을 지키시오."

66 그렇게 해서 그들은 무덤에 가서 돌을 봉인하고, 경비병들을 시켜 입구를 지키게 하였습니다.

저자의 묵상

예수님이 운명하신 후 그분의 시신의 장례를 치른 사람은 아리마대 사람 요셉이었다. 당시 요셉은 공회 의원이었음에도 범죄자로 처벌을 받은 예수님의 장례를 주관한다. 이는 단순히 용기 있는 행동만이 아니라 당시 유대인의 안식일 율법과 나무에 달아 죽인 시체에 대한 율법을 이행하는 것이기도 했다. 아마도 이런 이유 때문에 요셉은 다른 공격이나 비난을 피할 수 있었을 것이다. 하나님은 오래전부터 미리 율법을 준비하시어 아리마대 요셉의 행동을 보호하셨던 것이다. 이를 통해 하나님의 말씀은 언제나 우리를 지켜 주고 보호한다는 사실을 깨닫게 해 준다. 말씀을 지키는 것은 사실 희생이 아니다. 하나님이 우리에게 말씀을 지키라고 주신 이유는 우리를 시험하기 위해서가 아니라, 그것이 인간이 살아가야 하는 가장 합당한 방법이기 때문이다.

무릎기도 하나님, 예수님의 장례를 주관했던 아리마대 요셉처럼 의로운 삶을 살기 원합니다. 사람들의 시선이 아니라 주님의 말씀을 지키는 것이 인생을 가장 복되게 하는 것임을 믿습니다.

NLT - Matthew 27

57 As evening approached, Joseph, a rich man
from Arimathea who had become a follower of
Jesus,
58 went to Pilate and asked for Jesus' body. And
Pilate issued an order to release it to him.
59 Joseph took the body and wrapped it in a long
sheet of clean linen cloth.
60 He placed it in his own new tomb, which had
been carved out of the rock. Then he rolled a
great stone across the entrance and left.
61 Both Mary Magdalene and the other Mary were
sitting across from the tomb and watching.
62 The next day, on the Sabbath,* the leading
priests and Pharisees went to see Pilate.
63 They told him, "Sir, we remember what that
deceiver once said while he was still alive: 'After
three days I will rise from the dead.'
64 So we request that you seal the tomb until the
third day. This will prevent his disciples from
coming and stealing his body and then telling
everyone he was raised from the dead! If that
happens, we'll be worse off than we were at
first."
65 Pilate replied, "Take guards and secure it the
best you can."
66 So they sealed the tomb and posted guards to
protect it.

*27:62 Or *On the next day, which is after the Preparation.*

58 ask for 청하다 issue an order to ~ ~하라고 명령을 내리다 59 wrap 두르다 linen cloth 세마포 60 tomb 무덤 61 across from ~ ~의 맞은편에 59 Sabbath 안식일 63 deceiver 사기꾼, 거짓말쟁이 64 seal 봉쇄하다 prevent … from ~ing …가 ~하지 못하게 하다 be worse off than ~ ~보다 형편이 나쁘다 65 secure 지키다 66 protect 지키다

119

월 일

예수님의 부활

마태복음 28:1-10

새찬송 160장 | 통일 150장

• 먼저 묵상을 위한 기도를 드린 후, 성경 본문을 2번 이상 읽고 묵상하십시오.

본문요약 | 안식일 다음 날 아침 여인들이 예수님의 무덤을 찾았을 때 지진과 같은 초자연적인 현상과 함께 천사가 나타나 예수님의 부활 소식과 갈릴리로 가신 사실을 전한다. 여자들이 제자들에게 이 소식을 전하러 갈 때에 예수님이 나타나셨고 그들에게 두려워하지 말라고 하신다.

개역개정

1 안식일이 다 지나고 [1]안식 후 첫날이 되려는 새벽에 막달라 마리아와 다른 마리아가 무덤을 보려고 갔더니
2 큰 지진이 나며 주의 천사가 하늘로부터 내려와 돌을 굴려 내고 그 위에 앉았는데
3 그 형상이 번개 같고 그 옷은 눈같이 희거늘
4 지키던 자들이 그를 무서워하여 떨며 죽은 사람과 같이 되었더라
5 천사가 여자들에게 말하여 이르되 너희는 무서워하지 말라 십자가에 못 박히신 예수를 너희가 찾는 줄을 내가 아노라
6 그가 여기 계시지 않고 그가 말씀하시던 대로 살아나셨느니라 와서 그가 누우셨던 곳을 보라
7 또 빨리 가서 그의 제자들에게 이르되 그가 죽은 자 가운데서 살아나셨고 너희보다 먼저 갈릴리로 가시나니 거기서 너희가 뵈오리라 하라 보라 내가 너희에게 일렀느니라 하거늘
8 그 여자들이 무서움과 큰 기쁨으로 빨리 무덤을 떠나 제자들에게 알리려고 달음질할새
9 예수께서 그들을 만나 이르시되 평안하냐 하시거늘 여자들이 나아가 그 발을 붙잡고 경배하니
10 이에 예수께서 이르시되 무서워하지 말라 가서 내 형제들에게 갈릴리로 가라 하라 거기서 나를 보리라 하시니라

1) 헬, 그 주간의

1. 본문에 나타난 예수님은 어떤 분이십니까?

2. 오늘 하나님께서 나에게 주신 깨달음은 무엇입니까?

3. 말씀을 어떻게 내 삶에 구체적으로 적용해야 합니까?

절별 해설

1 안식일이 다 지나고 안식 후 첫날이 되려는 새벽에 유대인의 하루는 해질 때 시작하여 다음 날 해질 때까지다. 그러므로 안식일 다음 날 동틀 무렵은 오늘날로 말하면 주일 새벽이 되는 것이다. 예수님은 이날 부활하셨다. 그 때문에 초대교회는 자연스럽게 예수님이 부활하신 날을 '주의 날'이라 부르며 모이기 시작했고(행 20:7; 계 1:10), 오늘날 주일의 기원이 되었다. 원래 구약의 안식일은 창조와 함께 구속의 의미를 가지는데(신 5:14-15), 이것은 예수 그리스도로 말미암는 진정한 구원을 가리킨 것이다. 그 때문에 초대교회는 토요일이었던 안식일을 자연스럽게 주일로 옮겨 지키게 된 것이다.

2-5 천사가 초자연적인 모습으로 나타났다. 이를 본 무덤을 지키던 경비병들은 두려워 마치 죽은 사람처럼 되었으나, 천사는 여자들에게 두려워하지 말라고 말한다. 마지막 심판 때의 모습도 이와 같다. 예수님을 믿는 자들에게는 예수님의 재림이 영광과 승리의 날이 될 것이지만, 믿지 않는 자들에게는 두려움과 슬픔의 시간일 수밖에 없다.

6 여자들이 예수님의 무덤을 주일 새벽 일찍 방문한 이유는 예수님의 몸에 향유를 바르기 위해서다(막 16:1). 아마도 안식일 전에 급히 예수님의 장례를 치른 것이 아쉬웠던 여자들이 재차 무덤을 방문해서 시신에 향유를 더 바르려고 했던 것 같다. 이미 장사된 시신에 향유를 바르는 것은 당시 일반적인 관행은 아니었다. 이를 통해 예수님을 향한 여자들의 헌신된 마음을 엿볼 수 있다.

7 그가 죽은 자 가운데서 살아나셨고 너희보다 먼저 갈릴리로 가시나니 천사는 예수님의 부활 소식과 함께 제자들에게 말씀하신 대로 먼저 갈릴리로 가셨다는 소식을 여자들에게 알렸다. 예수님은 부활하신 후 갈릴리로 갈 것이라고 말씀하셨지만(26:32), 예수님의 죽음에 흩어진 제자들은 그 말씀을 온전히 기억하지 못했을 것이다. 한편, 갈릴리는 대부분의 제자들의 고향이자 예수님이 그들을 부르셔서 사역을 시작한 장소였다(4:18). 부활하신 후 예수님은 처음 사역을 시작하셨던 곳에서 다시 제자들을 새롭게 시작하게 하신 것이다.

9 여자들이 나아가 그 발을 붙잡고 경배하니 여자들은 예수님을 만나 기뻐 경배했다. 요한복음에는 예수님이 붙잡고 있지 말라고 말씀하신 내용이 나오는데(20:17) 두 본문은 상충되지 않는다. 요한복음 말씀은 예수님을 이 땅에 붙잡아 두려는 마음을 버리라는 것으로 해석해야 한다. 즉, 부활하신 예수님과의 새로운 관계를 요청하신 것이다.

쉬운성경

1 안식일 다음 날, 즉 한 주의 첫날 동틀 무렵에, 막달라 마리아와 다른 마리아가 무덤을 보러 갔습니다.

2 그때, 강한 지진이 일어나고, 하나님의 천사가 하늘에서 내려왔습니다. 그 천사는 돌을 굴려 치우고, 그 위에 앉았습니다.

3 그 모습은 번개와 같았고, 옷은 눈처럼 희었습니다.

4 경비병들이 그 천사를 보고 두려워 떨었고, 마치 죽은 사람처럼 되었습니다.

5 천사가 그 여자들에게 말했습니다. "두려워하지 마라. 너희가 십자가에 못 박히신 예수님을 찾고 있다는 것을 알고 있다.

6 예수님은 여기 계시지 않다. 말씀하신 대로 다시 살아나셨다. 와서 예수님이 누우셨던 곳을 보아라.

7 그리고 빨리 가서 제자들에게 이렇게 말하여라. '예수님께서 죽음에서 다시 살아나셨습니다. 그리고 먼저 갈릴리로 가셨습니다. 거기서 예수님을 뵐 수 있을 것입니다.' 보아라, 이것이 내가 너희에게 전할 말이다."

8 여자들은 재빨리 무덤을 떠났습니다. 그들은 두려우면서도 매우 기뻤습니다. 그들은 제자들에게 이 소식을 전해 주려고 달려갔습니다.

9 그때, 갑자기 예수님께서 여자들에게 나타나셔서 말씀하셨습니다. "잘 있었느냐?" 여자들은 예수님께 다가가서 그분의 발을 붙잡고 절했습니다.

10 그러자 예수님께서 말씀하셨습니다. "두려워하지 마라. 가서 내 형제들에게 갈릴리로 가라고 말하여라. 거기서 그들이 나를 볼 것이다."

저자의 묵상

본문은 역사상 가장 위대한 사건인 예수님의 부활에 대한 기록이다. 천사가 여자들에게 나타나 예수님의 부활 소식과 그 의미를 알렸으며, 예수님은 제자들을 위해 갈릴리로 가셨다. 많은 사람들은 부활이 사실임을 믿지 못하지만, 성경은 부활을 분명한 사실로 기록한다. 이 같은 기록은 단순히 예수님의 제자들과 신자들에 의해서만이 아니라 무덤을 지키던 경비병들에 의해서도 확인된다. 누구도 시신을 가져갈 수 없게 병사들이 지키고 있었기 때문에 예수님이 부활하신 것이 아니고는 무덤이 텅 빈 것을 설명할 수 없다.

이처럼 성경은 부활을 말할 때 단순히 신앙적이고 환상적인 것으로 기록하지 않고 분명한 역사적 현실로 기록한다. 우리의 부활신앙도 그래야 한다. 막연한 종교성에 의한 신앙이 아니라 분명한 역사적 사실에 입각한 부활신앙을 가질 때 우리 삶이 더욱 힘을 갖게 될 것이다.

무릎 기도 하나님, 주님의 부활을 역사적 사실로 확신하고 어떤 경우에도 흔들리지 않는 신앙생활을 할 수 있게 해 주소서. 부활하신 주님께만 소망을 둡니다.

NLT - Matthew 28

1 Early on Sunday morning,* as the new day was dawning, Mary Magdalene and the other Mary went out to visit the tomb.

2 Suddenly there was a great earthquake! For an angel of the Lord came down from heaven, rolled aside the stone, and sat on it.

3 His face shone like lightning, and his clothing was as white as snow.

4 The guards shook with fear when they saw him, and they fell into a dead faint.

5 Then the angel spoke to the women. "Don't be afraid!" he said. "I know you are looking for Jesus, who was crucified.

6 He isn't here! He is risen from the dead, just as he said would happen. Come, see where his body was lying.

7 And now, go quickly and tell his disciples that he has risen from the dead, and he is going ahead of you to Galilee. You will see him there. Remember what I have told you."

8 The women ran quickly from the tomb. They were very frightened but also filled with great joy, and they rushed to give the disciples the angel's message.

9 And as they went, Jesus met them and greeted them. And they ran to him, grasped his feet, and worshiped him.

10 Then Jesus said to them, "Don't be afraid! Go tell my brothers to leave for Galilee, and they will see me there."

*28:1 Greek *After the Sabbath, on the first day of the week.*

1 dawn 동트다 tomb 무덤 2 earthquake 지진 4 shake 벌벌 떨다 fall into a dead faint 기절하다 5 look for ~ ~를 찾다 crucify 십자가에 못 박다 6 just as ~ 꼭 ~처럼 7 ahead of ~ ~보다 먼저 8 frighen 놀라게 하다 9 grasp 꽉 쥐다, 단단히 붙잡다 10 leave for ~ ~로 떠나다

120

월 일

예수님의 당부

마태복음 28:11-20

새찬송 502장 | 통일 259장

• 먼저 묵상을 위한 기도를 드린 후, 성경 본문을 2번 이상 읽고 묵상하십시오.

본문요약 | 경비병들은 자신들에게 일어난 모든 일을 대제사장들에게 보고했다. 이에 대제사장들과 장로들은 경비병들을 매수하여 거짓 소문을 퍼뜨린다. 한편, 갈릴리로 가신 예수님은 이전에 지시하신 산에 제자들이 모이자 그들에게 사명을 주신다. 예수님은 그들과 세상 끝날까지 함께하겠다고 약속하신다.

개역개정

11 여자들이 갈 때 경비병 중 몇이 성에 들어
가 모든 된 일을 대제사장들에게 알리니
12 그들이 장로들과 함께 모여 의논하고 군인
들에게 돈을 많이 주며
13 이르되 너희는 말하기를 그의 제자들이 밤
에 와서 우리가 잘 때에 그를 도둑질하여
갔다 하라
14 만일 이 말이 총독에게 들리면 우리가 권
하여 너희로 근심하지 않게 하리라 하니
15 군인들이 돈을 받고 가르친 대로 하였으
니 이 말이 오늘날까지 유대인 가운데 두
루 퍼지니라
16 열한 제자가 갈릴리에 가서 예수께서 지시
하신 산에 이르러
17 예수를 뵈옵고 경배하나 아직도 의심하는
사람들이 있더라
18 예수께서 나아와 말씀하여 이르시되 하늘
과 땅의 모든 권세를 내게 주셨으니
19 그러므로 너희는 가서 모든 민족을 제자
로 삼아 아버지와 아들과 성령의 이름으로
[1]세례를 베풀고
20 내가 너희에게 분부한 모든 것을 가르쳐
지키게 하라 볼지어다 내가 세상 끝날까
지 너희와 항상 함께 있으리라 하시니라

1) 헬, 또는 침례

1. 본문에 나타난 예수님은 어떤 분이십니까?

2. 오늘 하나님께서 나에게 주신 깨달음은 무엇입니까?

3. 말씀을 어떻게 내 삶에 구체적으로 적용해야 합니까?

절별 해설

11 경비병 중 몇이 성에 들어가 모든 된 일을 대제사장들에게 알리니 경비병들은 자신들에게 나타난 초자연적인 역사와 천사를 본 일(2-4절)을 가감 없이 대제사장들에게 전하였다. 그러나 대제사장들과 장로들은 그 모든 보고를 듣고도 경비병들에게 돈을 주어 이 사실을 은폐하려 했다. 그들에게 중요한 것은 사실이 아니라 자신들의 입장이었기 때문이다.

13 너희는 말하기를 그의 제자들이 밤에 와서 우리가 잘 때에 그를 도둑질하여 갔다 하라 군인들이 잠든 사이에 제자들이 시체를 훔쳐 달아난다는 것은 불가능한 일이다. 제자들이 훈련이 잘된 병사들을 뚫고 갈 수도 없을뿐더러 무덤을 막은 큰 돌을 병사들 몰래 옮기는 것은 불가능했기 때문이다.

14 만일 이 말이 총독에게 들리면 우리가 권하여 너희로 근심하지 않게 하리라 군인들이 공회의 요구대로 시체를 도둑맞았다는 소문을 내면 결국 자신들의 근무 태만을 인정하는 꼴이기에 총독에게 벌을 받을 것이 자명했다. 그래서 공회는 자신들이 보호해 주겠다고 약속하며 경비병들을 회유했다. 경비병들은 어차피 시체가 없어져서 자신들이 책임을 져야 하는 상황이었기에 대제사장들과 장로들의 요구를 들어줄 수밖에 없었을 것이다.

15 이 말이 오늘날까지 유대인 가운데 두루 퍼지니라 이런 상황 때문에 소위 예수님의 시체 '도적설'이 역사 가운데 등장하게 된다. 본절의 '오늘날'은 본서가 기록되고 있는 당시를 의미한다(대략 AD 60-70년 사이).

16 지시하신 산 어디인지는 알려져 있지 않다. 다만 '지시하신'이란 표현을 볼 때, 예수님이 부활하신 후 갈릴리로 가셔서 제자들과 만날 곳으로 이미 말씀하신 장소라는 것은 알 수 있다. 이처럼 예수님은 구체적인 장소까지 미리 알려 주심으로 제자들에게 부활을 분명한 사실로 말씀하셨던 것이다.

17 아직도 의심하는 사람들이 있더라 마태는 예수님이 부활하신 후 제자들에게 나타나신 40일 동안 10여 차례의 기록을 간단하게 요약해서 설명하고 있다. 여기서의 '의심'은 처음 그들이 부활하신 예수님을 봤을 때 가졌던 의심을 말한다(참고. 요 20:25). 한편, 성경은 부활에 대한 제자들의 의심까지도 있는 그대로 기록함으로써 부활의 놀라움을 전하고 있다.

18-20 예수님은 '대위임령'(지상명령: The Great Commission)이라고 알려진 사명을 제자들에게 주신다. 주목할 것은 예수님은 명령만 하시는 것이 아니라, 하늘과 땅의 모든 권세를 가지신 분이 제자들과 세상 끝까지 함께하시며 그들에게 능력을 주겠다고 약속하셨다는 사실이다.

쉬운성경

11 여자들이 가고 있는 동안, 몇몇 경비병들도 성으로 들어가, 대제사장들에게 일어난 모든 것을 말하였습니다.

12 대제사장들은 장로들과 함께 모여 의논하였습니다. 이들은 경비병들에게 많은 돈을 주었습니다.

13 그리고 "사람들에게는 '밤에 예수의 제자들이 찾아와, 우리가 잠든 사이에 그 시체를 훔쳐 갔다'고 말하여라.

14 만일 이 이야기가 총독의 귀에 들어가더라도, 우리가 잘 말해서 너희들을 구해 주겠다"라고 말했습니다.

15 돈을 받은 경비병들은 그들이 시킨 대로 했습니다. 그래서 이런 소문이 유대인들 사이에 널리 퍼지게 되었고, 오늘날까지 그렇게들 알고 있습니다.

16 열한 명의 제자들이 갈릴리로 가서, 예수님께서 지시하신 산에 이르렀습니다.

17 그들은 예수님을 뵙고 절을 했습니다. 그러나 몇 명은 의심하기도 했습니다.

18 예수님께서 오셔서 말씀하셨습니다. "하늘과 땅의 모든 권세가 내게 주어졌다.

19 그러므로 너희는 가서, 모든 민족을 제자로 삼아라. 아버지와 아들과 성령의 이름으로 세례를 주어라.

20 내가 너희에게 말한 모든 것을 지키도록 가르쳐라. 보아라, 내가 너희와 세상 끝날까지 항상 함께 있겠다."

저자의 묵상

제자들은 처음에는 예수님의 부활을 의심하기도 하였다. 그만큼 부활은 인간이 믿기 어려운 사실이다. 눈으로 예수님을 보면서도 의심할 수밖에 없었던 것이다. 그럼에도 성경은 있는 사실을 숨김없이 기록함으로써 부활의 진실성을 더욱 부각한다. 예수님의 부활을 의심했던 제자들이 나중에는 순교하면서까지 부활의 증인이 되었던 것은 예수님 부활의 진실성을 확증해 준다.

한편, 부활하신 예수님은 제자들에게 사명[지상명령]을 주신다. 모든 민족을 제자 삼아 세례를 주고 예수님의 명령을 가르쳐 지키게 하라는 것이었다. 예수님은 이런 사명을 주면서 그들에게 능력과 함께 끝까지 함께하겠다는 약속도 주셨다. 사명은 우리의 힘만으로 완수할 수 있는 것이 아니다. 예수님의 도우심과 능력 주심이 없다면 감당할 수 없다. 그래서 우리는 늘 예수님의 능력과 함께하심을 구해야 한다.

무릎기도 하나님, 맡겨 주신 사명을 감당할 수 있게 함께해 주시며 능력을 더해 주소서. 날마다 담대히 복음을 들고 전하는 부활의 증인으로 살아갈 수 있게 하소서.

NLT - Matthew 28

11 As the women were on their way, some of the guards went into the city and told the leading priests what had happened.
12 A meeting with the elders was called, and they decided to give the soldiers a large bribe.
13 They told the soldiers, "You must say, 'Jesus' disciples came during the night while we were sleeping, and they stole his body.'
14 If the governor hears about it, we'll stand up for you so you won't get in trouble."
15 So the guards accepted the bribe and said what they were told to say. Their story spread widely among the Jews, and they still tell it today.
16 Then the eleven disciples left for Galilee, going to the mountain where Jesus had told them to go.
17 When they saw him, they worshiped him—but some of them doubted!
18 Jesus came and told his disciples, "I have been given all authority in heaven and on earth.
19 Therefore, go and make disciples of all the nations,* baptizing them in the name of the Father and the Son and the Holy Spirit.
20 Teach these new disciples to obey all the commands I have given you. And be sure of this: I am with you always, even to the end of the age."

*28:19 Or *all peoples.*

11 on one's way 도중에 priest 제사장 12 elder 장로 bribe 뇌물 13 steal 훔치다 14 governor 총독 stand up for ~ ~을 지지하다, 편을 들다 15 accept (기꺼이) 받아들이다 widely 널리 17 worship 경배하다 doubt 의심하다 18 authority 권위, 권세 19 baptize 세례를 주다 in the name of ~ ~의 이름으로 20 obey 따르다, 지키다 command 명령하다 be sure of ~ ~을 확신하다, ~을 믿다

권 별 주 삶

아가페

주삶 GBS

- 1주(61회-65회) _ 마태복음 15:32-39
  사천 명을 먹이신 기적 사건
- 2주(66회-70회) _ 마태복음 16:13-20
  베드로의 신앙고백
- 3주(71회-75회) _ 마태복음 18:21-35
  일곱 번씩 일흔 번까지라도 용서하라
- 4주(76회-80회) _ 마태복음 20:1-16
  포도원 품꾼들의 비유에 담긴 하나님의 은혜
- 5주(81회-85회) _ 마태복음 21:1-11
  왕의 입성
- 6주(86회-90회) _ 마태복음 22:15-22
  세상의 것과 하나님의 것
- 7주(91회-95회) _ 마태복음 24:1-14
  종말에 대한 가르침
- 8주(96회-100회) _ 마태복음 24:36-44
  항상 깨어 있어 종말을 준비하라
- 9주(101회-105회) _ 마태복음 25:31-46
  어느 편에 설 것인가
- 10주(106회-110회) _ 마태복음 26:47-56
  예언의 성취를 위해 체포되신 예수님
- 11주(111회-115회) _ 마태복음 27:15-26
  바라바냐, 예수님이냐
- 12주(116회-120회) _ 마태복음 28:1-15
  예수님의 부활

* GBS 해설서는 뒷면에 있습니다

주간 그룹성경공부 • GBS

1주차 (61회~65회)

사천 명을 먹이신 기적 사건

마태복음 15:32-39 | 새찬송 213장 • 통일 348장

주간 말씀묵상 나눔

1 지난 한 주 동안 말씀묵상하면서 깨달은 말씀을 그룹원들과 함께 나누어 봅시다.

2 깨달은 것을 실천함으로 삶의 변화를 가져온 것이 있다면 서로 나누어 봅시다.

• 오늘의 성경공부 목표

예수님이 오병이어 사건에 이어 이 사건을 일으키신 배경과 이유를 생각해 봅니다.

32 예수께서 제자들을 불러 이르시되 내가
무리를 불쌍히 여기노라 그들이 나와 함
께 있은 지 이미 사흘이매 먹을 것이 없
도다 길에서 기진할까 하여 굶겨 보내지
못하겠노라
33 제자들이 이르되 광야에 있어 우리가 어
디서 이런 무리가 배부를 만큼 떡을 얻
으리이까
34 예수께서 이르시되 너희에게 떡이 몇 개
나 있느냐 이르되 일곱 개와 작은 생선 두
어 마리가 있나이다 하거늘
35 예수께서 무리에게 명하사 땅에 앉게 하
시고
36 떡 일곱 개와 그 생선을 가지사 축사하시
고 떼어 제자들에게 주시니 제자들이 무
리에게 주매
37 다 배불리 먹고 남은 조각을 일곱 광주리
에 차게 거두었으며
38 먹은 자는 여자와 어린이 외에 사천 명
이었더라
39 예수께서 무리를 흩어 보내시고 배에 오
르사 마가단 지경으로 가시니라

• **함께 읽어보기**

성경에는 비슷한 사건이 많이 기록되어 있습니다. 그래서 때로는 같은 사건으로 오해를 받기도 합니다. 본문에 기록된 예수님이 사천 명을 먹이신 기적 사건은 재료가 되는 떡과 생선의 수나 나중에 남겨진 떡 광주리의 개수에서 오병이어 사건과는 분명히 차이가 나는 다른 사건입니다(참고. 마 14:13-21). 그럼 성경은 왜 비슷한 사건을 기록하는 것일까요? 비슷해 보이지만 전혀 다른 사건의 반복을 통해서 또 다른 의미를 전달하려는 것입니다.

도입 질문

3 당신이 일상생활 중에 가까운 사람들에게 말을 반복할 때 왜 그렇게 한다고 생각됩니까?

함께 나누기

4 예수님이 사람들을 보며 느끼신 감정은 무엇입니까? 32절

5 이에 대해 제자들의 반응은 어떠했습니까? 33절. 비교. 마 14:15절

6 당신은 오병이어 사건을 경험한 제자들이 마땅히 어떻게 반응해야 된다고 생각합니까?

7 믿음은 잘 쌓이지 않는 것 같습니다. 당신의 삶에서 예수님의 은혜로 살았다고 하면서 다음에 비슷한 문제를 만나면 또 믿음이 무너지는 영역은 무엇입니까? 믿음과 확신이 잘 생기지 않거나 흔들리는 이유는 무엇이라고 생각됩니까?

8 예수님이 제자들에게 물으신 것은 무엇입니까? 34절

9 제자들이 가져온 것으로 얻은 결과는 무엇입니까? 37절

10 왜 예수님은 제자들이 가진 것으로 기적을 행하셨을까요? 오늘날 우리도 주의 일에 핑계를 대기 쉽습니다. 예수님이 당신에게 먹이라고 명하시는 일은 무엇입니까?

주간 그룹성경공부 • GBS

2주차 (66회~70회)

베드로의 신앙고백

마태복음 16:13-20 | 새찬송 94장 • 통일 102장

주간 말씀묵상 나눔

1 지난 한 주 동안 말씀묵상하면서 깨달은 말씀을 그룹원들과 함께 나누어 봅시다.

2 깨달은 것을 실천함으로 삶의 변화를 가져온 것이 있다면 서로 나누어 봅시다.

• 오늘의 성경공부 목표

예수님이 베드로의 확고하고 분명한 신앙고백을 들으시고 칭찬하신 것을 보면서, 오늘 우리도 베드로처럼 확실한 신앙고백을 통해 예수님께 칭찬받는 사람이 됩시다.

13 예수께서 빌립보 가이사랴 지방에 이르러 제자들에게 물어 이르시되 사람들이 인자를 누구라 하느냐
14 이르되 더러는 세례 요한, 더러는 엘리야, 어떤 이는 예레미야나 선지자 중의 하나라 하나이다
15 이르시되 너희는 나를 누구라 하느냐
16 시몬 베드로가 대답하여 이르되 주는 그리스도시요 살아 계신 하나님의 아들이시니이다
17 예수께서 대답하여 이르시되 바요나 시몬아 네가 복이 있도다 이를 네게 알게 한 이는 혈육이 아니요 하늘에 계신 내 아버지시니라
18 또 내가 네게 이르노니 너는 베드로라 내가 이 반석 위에 내 교회를 세우리니 음부의 권세가 이기지 못하리라
19 내가 천국 열쇠를 네게 주리니 네가 땅에서 무엇이든지 매면 하늘에서도 매일 것이요 네가 땅에서 무엇이든지 풀면 하늘에서도 풀리리라 하시고
20 이에 제자들에게 경고하사 자기가 그리스도인 것을 아무에게도 이르지 말라 하시니라

• **함께 읽어보기**

제자들은 가나의 혼인 잔치에서 물이 포도주가 되는 기적을 시작으로 오병이어를 비롯하여 물 위를 걸으시는 예수님의 기적 등 수많은 기적과 표적들을 경험했음에도 불구하고, 예수님이 누구신가에 대한 분명한 신앙고백을 하지 못했습니다. 그러나 베드로는 예수님이 제자들에게 자신이 누구인가를 물으셨을 때 이제까지 누구도 대답하지 못한 확실하고 분명한 신앙고백을 합니다. 예수님은 그 고백을 칭찬하시며 놀라운 축복을 약속하십니다. 그렇다면 여러분은 예수님에 대한 분명하고 확실한 신앙고백이 있습니까? 오늘 말씀을 통해 자신의 신앙고백을 점검해 보는 계기로 삼기 바랍니다.

도입 질문

3 당신이 받은 가장 인상적인 고백은 무엇이며, 그렇게 생각하는 이유는 무엇입니까?

함께 나누기

4 예수님이 제자들에게 "사람들이 인자를 누구라 하느냐?"라고 물으셨을 때 제자들은 뭐라고 대답했습니까? 13-14절

5 예수님이 다시 제자들에게 "너희는 나를 누구라 하느냐?"라고 물으실 때 베드로는 뭐라고 대답했습니까? 15-16절

6 베드로의 신앙고백을 들으신 예수님은 그 고백을 베드로에게 누가 알려 주셨다고 말씀하십니까? 17절

7 예수님 당시에 일반 백성들은 예수님을 선지자로 여겼습니다. 오늘날의 사람들에게 "예수 그리스도를 누구라고 생각합니까?"라고 물으면 뭐라고 대답할까요? 다음 보기들을 보며 각자의 생각을 이야기해 봅시다.

□기독교의 창시자 □위대한 성인 □하나님의 아들 □성인(聖人) □영적인 스승
□탁월한 교사 □시대를 변화시킨 혁명가 □구세주

8 베드로의 신앙고백을 들으신 예수님은 크게 두 가지 축복을 약속하십니다. 무엇입니까? 18–19절

(1) 첫 번째 축복(18절):

(2) 두 번째 축복(19절):

9 베드로의 탁월한 신앙고백과 예수님의 놀라운 축복 약속 이후에, 예수님은 무엇을 경고하셨습니까? 20절

10 만약 예수님이 지금 당신에게 "너는 나를 누구라 하느냐?"라고 물으신다면 당신은 뭐라고 대답하겠습니까? 당신의 고백을 적고, 그렇게 고백한 이유를 함께 나누어 봅시다.

주간 그룹성경공부 • GBS

3주차 (71회~75회)

일곱 번씩 일흔 번까지라도 용서하라

마태복음 18:21–35 | 새찬송 311장 • 통일 185장

주간 말씀묵상 나눔

1 지난 한 주 동안 말씀묵상하면서 깨달은 말씀을 그룹원들과 함께 나누어 봅시다.

2 깨달은 것을 실천함으로 삶의 변화를 가져온 것이 있다면 서로 나누어 봅시다.

• 오늘의 성경공부 목표

갚을 수 없는 큰 빚을 탕감받고도 동료의 적은 빚을 탕감해 주지 못하는 어리석은 종의 모습을 통해 우리 자신의 모습을 돌아봅시다. 또한 예수님의 용서를 본받아 다른 사람을 용서하는 삶을 삽시다.

21 그때에 베드로가 나아와 이르되 주여 형제가 내게 죄를 범하면 몇 번이나 용서하여 주리이까 일곱 번까지 하오리이까
22 예수께서 이르시되 네게 이르노니 일곱 번뿐 아니라 일곱 번을 일흔 번까지라도 할지니라
23 그러므로 천국은 그 종들과 결산하려 하던 어떤 임금과 같으니
24 결산할 때에 만 달란트 빚진 자 하나를 데려오매
25 갚을 것이 없는지라 주인이 명하여 그 몸과 아내와 자식들과 모든 소유를 다 팔아 갚게 하라 하니
26 그 종이 엎드려 절하며 이르되 내게 참으소서 다 갚으리이다 하거늘
27 그 종의 주인이 불쌍히 여겨 놓아 보내며 그 빚을 탕감하여 주었더니
28 그 종이 나가서 자기에게 백 데나리온 빚진 동료 한 사람을 만나 붙들어 목을 잡고 이르되 빚을 갚으라 하매
29 그 동료가 엎드려 간구하여 이르되 나에게 참아 주소서 갚으리이다 하되
30 허락하지 아니하고 이에 가서 그가 빚을 갚도록 옥에 가두거늘
31 그 동료들이 그것을 보고 몹시 딱하게 여겨 주인에게 가서 그 일을 다 알리니
32 이에 주인이 그를 불러다가 말하되 악한 종아 네가 빌기에 내가 네 빚을 전부 탕감하여 주었거늘
33 내가 너를 불쌍히 여김과 같이 너도 네 동료를 불쌍히 여김이 마땅하지 아니하냐 하고
34 주인이 노하여 그 빚을 다 갚도록 그를 옥졸들에게 넘기니라
35 너희가 각각 마음으로부터 형제를 용서하지 아니하면 나의 하늘 아버지께서도 너희에게 이와 같이 하시리라

• **함께 읽어보기**

※ 이 글은 2014년 1월 기준으로 작성된 글입니다.

2013년 기준 우리나라 가구당 평균 부채는 5,818만원에 달한다고 합니다. 이런 급증하는 가계부채로 고통받는 가구들이 늘어났을 뿐만 아니라, 개인파산을 신청하는 사람들도 줄을 잇고 있다고 합니다. 영적인 면에서도 이런 현상은 크게 다르지 않습니다. 많은 사람들이 신앙과 현실 사이에서 갈등하며 무거운 죄의 짐으로 인해 고통하는 모습을 봅니다. 교회를 통해, 목회자를 통해, 성도들을 통해 위로와 용기와 소망을 얻고자 하지만, 한편으로 교회의 문턱이 높다는 탄식이 들려옵니다. 지금이야말로 교회가 영성을 회복하고 많은 사람들에게 진정한 구원의 자유를 보여주어야 할 때입니다.

도입 질문

3 살면서 가장 고마움을 느꼈던 일은 무엇입니까? 왜 그랬는지 각자의 경험들을 이야기해 봅시다.

함께 나누기

4 용서의 횟수에 대한 베드로와 예수님의 생각에는 매우 큰 차이가 있었습니다. 베드로는 몇 번을 제안했고, 예수님은 몇 번을 용서하라고 말씀하셨습니까? 21-22절

5 예수님은 진정한 용서를 가르치시기 위해 천국을 무엇에 비유하여 말씀하셨습니까? 23절

6 이 비유에 등장하는 종이 임금에게 진 빚은 얼마입니까? 그것을 오늘날의 금액으로 환산하면 대략 얼마입니까? 24절

7 이 비유에 비추어 볼 때, 당신이 하나님께 탕감(용서)받은 빚(죄)을 금액으로 환산하면 얼마나 된다고 생각합니까? 하나님이 당신의 빚을 탕감해 주셨다고 믿습니까? 그렇다면 지금 당신은 하나님께 어떤 감정을 느끼고 있습니까?

8 만 달란트를 탕감받은 종이 자기 동료에게 받아야 할 빚은 얼마였습니까? 그 빚은 자신이 탕감받은 빚의 양에 비해 어느 정도에 해당했습니까? 그리고 그 빚을 갚지 못하는 동료에 대한 그의 반응은 어떠했습니까? 28–30절

9 이 비유의 결론에서 예수님은 어떤 용서의 원리를 가르쳐 주고 계십니까? 35절

10 이 비유를 묵상할 때, 지금 당신이 용서하거나 용서받아야 할 사람으로 제일 먼저 누가 떠오릅니까? 그 이유는 무엇입니까? 어떻게 그 사람과 용서와 화해를 시도할지 생각해 보십시오.

주간 그룹성경공부 • GBS

4주차 (76회~80회)

포도원 품꾼들의 비유에 담긴 하나님의 은혜

마태복음 20:1-16 | 새찬송 496장 • 통일 260장

주간 말씀묵상 나눔

1 지난 한 주 동안 말씀묵상하면서 깨달은 말씀을 그룹원들과 함께 나누어 봅시다.

2 깨달은 것을 실천함으로 삶의 변화를 가져온 것이 있다면 서로 나누어 봅시다.

• 오늘의 성경공부 목표

다른 사람과의 비교의식을 버리고, 자신에게 주어진 하나님의 은혜에 깊이 감사하며 서로 세워 주는 아름다운 공동체를 이루는 자리로 나아갑시다.

1 천국은 마치 품꾼을 얻어 포도원에 들여보내려고 이른 아침에 나간 집주인과 같으니
2 그가 하루 한 데나리온씩 품꾼들과 약속하여 포도원에 들여보내고
3 또 제삼 시에 나가 보니 장터에 놀고 서 있는 사람들이 또 있는지라
4 그들에게 이르되 너희도 포도원에 들어가라 내가 너희에게 상당하게 주리라 하니 그들이 가고
5 제육 시와 제구 시에 또 나가 그와 같이 하고
6 제십일 시에도 나가 보니 서 있는 사람들이 또 있는지라 이르되 너희는 어찌하여 종일토록 놀고 여기 서 있느냐
7 이르되 우리를 품꾼으로 쓰는 이가 없음이니이다 이르되 너희도 포도원에 들어가라 하니라
8 저물매 포도원 주인이 청지기에게 이르되 품꾼들을 불러 나중 온 자로부터 시작하여 먼저 온 자까지 삯을 주라 하니
9 제십일 시에 온 자들이 와서 한 데나리온씩을 받거늘
10 먼저 온 자들이 와서 더 받을 줄 알았더니 그들도 한 데나리온씩 받은지라
11 받은 후 집주인을 원망하여 이르되
12 나중 온 이 사람들은 한 시간밖에 일하지 아니하였거늘 그들을 종일 수고하며 더위를 견딘 우리와 같게 하였나이다
13 주인이 그중의 한 사람에게 대답하여 이르되 친구여 내가 네게 잘못한 것이 없노라 네가 나와 한 데나리온의 약속을 하지 아니하였느냐
14 네 것이나 가지고 가라 나중 온 이 사람에게 너와 같이 주는 것이 내 뜻이니라
15 내 것을 가지고 내 뜻대로 할 것이 아니냐 내가 선하므로 네가 악하게 보느냐
16 이와 같이 나중 된 자로서 먼저 되고 먼저 된 자로서 나중 되리라

• 함께 읽어보기

오늘날 많은 사람이 정의로운 사회, 공정한 기회, 공평한 분배 등을 원하고 있습니다. 하지만 세상은 점점 더 양극화되고 상대적인 빈곤감에 시달리고 있는 것 같습니다. 그러다 보니 가장 기본적으로 지켜져야 할 윤리적·도덕적 가치들마저 외면당하고, 사람들의 감정도 갈수록 메말라 가고 있습니다. 진정으로 하나님의 구원의 은혜가 우리 모두에게 흘러넘쳐서 영적인 갈증을 채워 주고, 세상의 갈등을 치유해 주어야 할 때입니다. 그리고 이 일이 바로 교회와 성도들이 감당해야 할 사명입니다.

도입 질문

3 최근에 당신이 크게 불공평하다고 느낀 것은 무엇이며, 그 이유는 무엇입니까? 자신이 생각하는 공평함에 대해 서로 나누어 봅시다.

함께 나누기

4 포도원 주인은 아침 일찍부터 자신의 포도원에서 일할 품꾼을 찾아 나섰습니다. 그는 품꾼들에게 하루 품삯으로 얼마를 약속했습니까? 1–2절

5 이후에 포도원 주인은 몇 차례나 더 품꾼들을 고용했습니까? 또 품삯으로 얼마를 약속했습니까? 3, 5, 6절

6 일과가 끝난 뒤 포도원 주인은 품꾼들에게 품삯으로 얼마를 지불했습니까? 거기에 대해 제일 처음 고용되었던 품꾼들은 어떻게 반응했습니까? 8, 11절

7 만약 당신이 그 포도원의 품꾼이었다면 주인의 품삯 지급 방식에 대해 어떻게 반응했을것 같습니까? 그 이유는 무엇입니까?

8 불평하는 품꾼들을 향해 주인은 뭐라고 대답합니까? 13–15절

9 이 비유의 결론에서 예수님은 어떤 원리를 말씀하십니까? 16절

10 이 비유는 천국에 관한 비유입니다. 이 비유를 통해 당신은 하나님과 그분의 나라에 대해무엇을 배우게 되었습니까?

주간 그룹성경공부 • GBS

5주차 (81회~85회)

왕의 입성

마태복음 21:1-11 | 새찬송 141장 • 통일 132장

주간 말씀묵상 나눔

1 지난 한 주 동안 말씀묵상하면서 깨달은 말씀을 그룹원들과 함께 나누어 봅시다.

2 깨달은 것을 실천함으로 삶의 변화를 가져온 것이 있다면 서로 나누어 봅시다.

• 오늘의 성경공부 목표

왕으로 이 땅에 오신 예수님의 모습을 통해 오늘의 교회의 모습을 점검합니다.

1 그들이 예루살렘에 가까이 가서 감람산
벳바게에 이르렀을 때에 예수께서 두 제
자를 보내시며
2 이르시되 너희는 맞은편 마을로 가라 그
리하면 곧 매인 나귀와 나귀 새끼가 함께
있는 것을 보리니 풀어 내게로 끌고 오라
3 만일 누가 무슨 말을 하거든 주가 쓰시겠
다 하라 그리하면 즉시 보내리라 하시니
4 이는 선지자를 통하여 하신 말씀을 이루
려 하심이라 일렀으되
5 시온 딸에게 이르기를 네 왕이 네게 임
하나니 그는 겸손하여 나귀, 곧 멍에
메는 짐승의 새끼를 탔도다 하라
하였느니라
6 제자들이 가서 예수께서 명하신 대로 하여
7 나귀와 나귀 새끼를 끌고 와서 자기들의
겉옷을 그 위에 얹으매 예수께서 그 위
에 타시니
8 무리의 대다수는 그들의 겉옷을 길에 펴
고 다른 이들은 나뭇가지를 베어 길에 펴
고
9 앞에서 가고 뒤에서 따르는 무리가 소리
높여 이르되 호산나 다윗의 자손이여 찬
송하리로다 주의 이름으로 오시는 이여
가장 높은 곳에서 호산나 하더라
10 예수께서 예루살렘에 들어가시니 온 성
이 소동하여 이르되 이는 누구냐 하거늘
11 무리가 이르되 갈릴리 나사렛에서 나온
선지자 예수라 하니라

• **함께 읽어보기**

예수님께서 이 땅에 오셔서 3년간의 공생애를 마치시고 십자가를 지시기 위해 예루살렘에 입성하십니다. 사람들은 열광하지만 예수님은 또 다른 계획이 있으셨기에 나귀 새끼를 타시고 평화의 왕의 모습으로 예루살렘에 들어가십니다. 이 모습은 오늘을 살아가고 있는 우리에게도 귀중한 깨달음을 줍니다. 오늘의 본문을 자세히 살펴보면서 우리 기독교인들이 세상에서 취해야 할 모습들을 생각해 보도록 하겠습니다.

도입 질문

3 살아오면서 당신의 의도와는 달리 남에게 크게 오해를 받았던 경험이 있으면 나누어 보십시오.

함께 나누기

4 예수님께서 예루살렘 입성을 위해 제자들에게 준비시킨 것은 무엇입니까? 2–3절

5 예수님께서 왜 나귀 새끼를 타셨다고 생각합니까? 5절

6 이러한 예수님의 모습과 대조적으로 예루살렘에 입성할 때 사람들의 반응은 어떠했습니까? 8–10절

7 사람들이 왜 이토록 열광적인 반응을 보였다고 생각합니까?

8 이 세상의 왕으로 오신 예수님께서 겸손하게 나귀 새끼를 타셨습니다. 예수님은 사람들의 기대가 아니라 하나님의 뜻을 이루셔야 했기 때문입니다. 교회와 성도가 이 세상의 영광을 취하는 것이 하나님의 일을 하는 데 왜 방해가 된다고 생각합니까?

9 당신이 하나님의 일을 이루기 위해서 예수님처럼 포기해야 하는 일에는 구체적으로 어떤 것이 있는지 나누어 보십시오.

10 더 나아가 오늘날 교회가 예수님의 모습에서 배워야 할 구체적인 모습은 무엇이라고 생각합니까?

세상의 것과 하나님의 것

마태복음 22:15-22 | 새찬송 94장 • 통일 102장

주간 말씀묵상 나눔

1 지난 한 주 동안 말씀묵상하면서 깨달은 말씀을 그룹원들과 함께 나누어 봅시다.

2 깨달은 것을 실천함으로 삶의 변화를 가져온 것이 있다면 서로 나누어 봅시다.

• 오늘의 성경공부 목표

우리는 비록 세상 속에 살고 있지만 하나님의 자녀요 하나님 나라의 백성입니다. 그러므로 세상의 것과 하나님의 것을 바르게 구별하여 하나님께 충성하는 삶을 삽시다.

15 이에 바리새인들이 가서 어떻게 하면 예
수를 말의 올무에 걸리게 할까 상의하고
16 자기 제자들을 헤롯 당원들과 함께 예수
께 보내어 말하되 선생님이여 우리가 아
노니 당신은 참되시고 진리로 하나님의
도를 가르치시며 아무도 꺼리는 일이 없
으시니 이는 사람을 외모로 보지 아니하
심이니이다
17 그러면 당신의 생각에는 어떠한지 우리
에게 이르소서 가이사에게 세금을 바치는
것이 옳으니이까 옳지 아니하니이까 하니
18 예수께서 그들의 악함을 아시고 이르시
되 외식하는 자들아 어찌하여 나를 시험
하느냐
19 세금 낼 돈을 내게 보이라 하시니 데나리
온 하나를 가져왔거늘
20 예수께서 말씀하시되 이 형상과 이 글이
누구의 것이냐
21 이르되 가이사의 것이니이다 이에 이르
시되 그런즉 가이사의 것은 가이사에게,
하나님의 것은 하나님께 바치라 하시니
22 그들이 이 말씀을 듣고 놀랍게 여겨 예수
를 떠나가니라

• **함께 읽어보기**

유대 백성 사이에서 예수님의 인기가 높아지고 그분을 신뢰하며 존경하는 분위기가 확산되자 종교지도자들은 이것을 바람직하게 여기지 않았습니다. 오히려 자신들의 지위에 대한 위협으로 여기고 예수님을 함정에 빠뜨리기 위해 서로 공모하기에 이르렀습니다. 심지어 서로 원수지간처럼 여기던 바리새인들과 헤롯 당원들이 예수님을 공격하는 일에는 한마음이 될 정도였습니다. 이처럼 지금도 사탄은 수단과 방법을 가리지 않고 예수님과 그분을 따르는 성도들을 넘어뜨리기 위해 우는 사자처럼 달려듭니다. 그럴수록 성도는 세상과 구별된 삶을 통해 하나님께 더욱 충성해야 할 것입니다.

도입 질문

3 당신이 그리스도인이 된 이후에 불신자들로부터 들었던 가장 곤란한 질문은 무엇입니까? 왜 곤란하게 느꼈습니까? 그리고 어떻게 대답했습니까?

함께 나누기

4 본문에서 바리새인들은 무엇을 공모하였습니까? 15절

5 바리새인들과 헤롯 당원들은 표면적으로는 예수님을 칭찬하는 듯한 말을 했지만 본심은 달랐습니다. 그들은 예수님을 함정에 빠뜨리기 위해 어떤 질문을 던졌습니까? 16–17절

6 예수님은 그들의 질문에 뭐라고 되물으셨습니까? 그렇게 말씀하신 이유는 무엇입니까? 18절

7 만약 당신이 예수님과 같은 질문을 받았다면 어떻게 대답하겠습니까? 우리는 이처럼 '옳다' 혹은 '옳지 않다'라고 확실하게 대답하기 어려운 질문들에 어떤 태도를 취해야 합니까?

8 예수님이 그들의 질문에 대답하시기 위해 가져오라고 하신 것은 무엇입니까? 19절

9 세금과 관련한 질문에 대한 예수님의 최종적인 대답은 무엇입니까? 그 속에 담긴 의미는 무엇이라고 생각합니까? 21절

10 당신의 삶에서 가이사의 것과 하나님의 것은 각각 무엇입니까? 그리고 각각에 대해 얼마나 바르게 바치고 있습니까? 함께 나누어 봅시다.

종말에 대한 가르침

마태복음 24:1-14 | 새찬송 180장 • 통일 168장

주간 말씀묵상 나눔

1 지난 한 주 동안 말씀묵상하면서 깨달은 말씀을 그룹원들과 함께 나누어 봅시다.

2 깨달은 것을 실천함으로 삶의 변화를 가져온 것이 있다면 서로 나누어 봅시다.

• 오늘의 성경공부 목표

예수님의 가르침을 통해 올바른 종말론에 대한 견해를 갖도록 합니다.

1 예수께서 성전에서 나와서 가실 때에 제자들이 성전 건물들을 가리켜 보이려고 나아오니
2 대답하여 이르시되 너희가 이 모든 것을 보지 못하느냐 내가 진실로 너희에게 이르노니 돌 하나도 돌 위에 남지 않고 다 무너뜨려지리라
3 예수께서 감람 산 위에 앉으셨을 때에 제자들이 조용히 와서 이르되 우리에게 이르소서 어느 때에 이런 일이 있겠사오며 또 주의 임하심과 세상 끝에는 무슨 징조가 있사오리이까
4 예수께서 대답하여 이르시되 너희가 사람의 미혹을 받지 않도록 주의하라
5 많은 사람이 내 이름으로 와서 이르되 나는 그리스도라 하여 많은 사람을 미혹하리라
6 난리와 난리 소문을 듣겠으나 너희는 삼가 두려워하지 말라 이런 일이 있어야 하되 아직 끝은 아니니라
7 민족이 민족을, 나라가 나라를 대적하여 일어나겠고 곳곳에 기근과 지진이 있으리니
8 이 모든 것은 재난의 시작이니라
9 그때에 사람들이 너희를 환난에 넘겨주겠으며 너희를 죽이리니 너희가 내 이름 때문에 모든 민족에게 미움을 받으리라
10 그때에 많은 사람이 실족하게 되어 서로 잡아 주고 서로 미워하겠으며
11 거짓 선지자가 많이 일어나 많은 사람을 미혹하겠으며
12 불법이 성하므로 많은 사람의 사랑이 식어지리라
13 그러나 끝까지 견디는 자는 구원을 얻으리라
14 이 천국 복음이 모든 민족에게 증언되기 위하여 온 세상에 전파되리니 그제야 끝이 오리라

• **함께 읽어보기**

지금까지 가장 많은 기독교 이단들이 생겨난 부분이 종말론이라 해도 과언이 아닙니다. 그만큼 세상 마지막에 관한 종말론은 사람들의 관심을 끌며 또한 미혹되기가 쉽습니다. 우선 사람들은 그 때가 언제인지에 관심이 높습니다. 그러나 예수님은 분명히 때와 기한은 하나님만이 아신다고 선을 그으셨습니다(행 1:7). 그럼에도 온갖 추측이 난무하는 것이 사실입니다. 게다가 자신이 재림 예수라고 떠드는 사람들도 수없이 등장하고 있습니다. 이번 공부를 통해 예수님이 가르치신 성경적인 종말론에 대해 배워 보도록 하겠습니다.

도입 질문

3 이 세상을 떠날 때가 임박했다고 가정하면, 마지막으로 해 보고 싶은 세 가지 버킷리스트는 무엇입니까?

함께 나누기

4 제자들은 종말에 대해 질문합니다(3절). 이에 대해 예수님이 자세한 종말의 현상을 말씀하시기 전에 당부하신 것은 무엇입니까? 4절

5 예수님이 왜 종말을 말씀하시면서 이 말씀부터 하셨다고 생각됩니까? 참고. 5, 11절

6 당신은 기독교 종말론 가운데 무엇이 가장 궁금합니까? 또한 이단의 가르침에 대항하기 위해 가장 조심할 부분은 무엇이라고 생각합니까?

7 예수님이 재난의 시작이라고 말씀하신 종말의 현상들은 무엇입니까? 5–7절

8 예수님이 먼저 말씀하신 난리, 전쟁, 기근 등과 같은 현상 외에 특별히 종말에 그리스도인들에게 닥칠 위기는 무엇입니까? 9–12절

9 예수님은 이 모든 일을 대하는 우리에게 어떤 자세를 주문하셨습니까? 13–14절

10 교회와 성도는 어떤 이단들의 가르침처럼 환난을 피하는 것이 아니라 환난을 통과하게 되어 있습니다. 우리가 어떻게 크고 작은 신앙적 박해를 이겨 낼 수 있을지 나누어 보십시오.

주간 그룹성경공부 • GBS

8주차
(96회~10회)

항상 깨어 있어 종말을 준비하라

마태복음 24:36-44 | 새찬송 176장 • 통일 163장

주간 말씀묵상 나눔

1 지난 한 주 동안 말씀묵상하면서 깨달은 말씀을 그룹원들과 함께 나누어 봅시다.

2 깨달은 것을 실천함으로 삶의 변화를 가져온 것이 있다면 서로 나누어 봅시다.

• 오늘의 성경공부 목표

예수님의 재림은 아무도 예상하지 못한 때에 이루어진다는 사실을 기억하고, 그리스도인으로서 항상 깨어서 준비하는 삶을 삽시다.

36 그러나 그 날과 그 때는 아무도 모르나니 하늘의 천사들도, 아들도 모르고 오직 아버지만 아시느니라
37 노아의 때와 같이 인자의 임함도 그러하리라
38 홍수 전에 노아가 방주에 들어가던 날까지 사람들이 먹고 마시고 장가들고 시집가고 있으면서
39 홍수가 나서 그들을 다 멸하기까지 깨닫지 못하였으니 인자의 임함도 이와 같으리라
40 그때에 두 사람이 밭에 있으매 한 사람은 데려가고 한 사람은 버려둠을 당할 것이요
41 두 여자가 맷돌질을 하고 있으매 한 사람은 데려가고 한 사람은 버려둠을 당할 것이니라
42 그러므로 깨어 있으라 어느 날에 너희 주가 임할는지 너희가 알지 못함이니라
43 너희도 아는 바니 만일 집주인이 도둑이 어느 시각에 올 줄을 알았더라면 깨어 있어 그 집을 뚫지 못하게 하였으리라
44 이러므로 너희도 준비하고 있으라 생각하지 않은 때에 인자가 오리라

• 함께 읽어보기

과거에 이단들 중에 예수님의 재림 시기를 예언했다가 커다란 사회적 물의를 일으킨 사건이 여러 번 있었습니다. 휴거를 준비하다가 집단 자살이라는 비극으로 끝을 맺었던 심각한 사건도 있었습니다. 최근에는 고대 마야의 달력에 기인한 종말설이 회자되기도 했습니다. 이 모든 일들은 오늘 본문의 말씀을 바르게 이해하고 믿지 못한 무지의 결과입니다. 종말을 의미하는 예수님의 재림은 아무도 예상하지 못한 때에 일어난다는 사실을 깨닫고 항상 깨어서 준비하는 성도가 됩시다.

도입 질문

3 만약 내일 지구에 종말이 온다면 오늘 당신이 꼭 하고 싶은 일들은 무엇입니까? 각자가 하고 싶은 일들을 서로 나누며 이야기해 봅시다.

함께 나누기

4 예수님이 언급하신 '그 날과 그 때'는 무엇을 의미합니까? 그리고 '그 날과 그 때'를 누구만 아신다고 말씀합니까? 36절

5 예수님은 인자가 다시 올 때가 어느 때와 비슷할 것이라고 말씀하셨습니까? 37절

6 노아의 때에 홍수가 나기 전 사람들이 전혀 준비되지 않은 모습은 어떻게 나타났습니까? 38-39절

(1) 38절:

(2) 39절:

7 만약 예수님이 다시 오실 날을 우리가 알 수 없다면, 예수님의 재림을 준비한다는 것은실제적으로 무엇을 의미합니까? 예수님의 재림을 위해 당신은 어떻게 준비하고 있습니까?

8 인자가 올 때에 일상적인 생활이 갑자기 예측할 수 없는 모습으로 중단될 것을 보여주는 사례로 두 가지를 언급하고 있습니다. 무엇과 무엇입니까? 40-41절

(1) 40절:

(2) 41절:

9 인자가 생각지도 않은 때에 오실 것임으로 예수님은 제자들에게 어떻게 하라고 권면하십니까? 42-44절

(1) 42절:

(2) 43-44절:

10 일상생활 속에서 예수님의 재림을 준비하며 항상 깨어 있기 위하여 구체적으로 실천해야 할 일들이 있다면 어떤 일들이 있습니까?

주간 그룹성경공부 • GBS

9주차 (101회~105회)

어느 편에 설 것인가

마태복음 25:31-46 | 새찬송 526장 • 통일 316장

주간 말씀묵상 나눔

1 지난 한 주 동안 말씀묵상하면서 깨달은 말씀을 그룹원들과 함께 나누어 봅시다.

2 깨달은 것을 실천함으로 삶의 변화를 가져온 것이 있다면 서로 나누어 봅시다.

• 오늘의 성경공부 목표

마지막 때에 예수님이 사람들을 양과 염소로 구분하여 각각 행한 대로 칭찬과 상급, 책망과 형벌을 주신다는 사실을 기억하고 섬기는 삶을 살도록 힘씁시다.

31 인자가 자기 영광으로 모든 천사와 함께 올 때에 자기 영광의 보좌에 앉으리니

32 모든 민족을 그 앞에 모으고 각각 구분하기를 목자가 양과 염소를 구분하는 것 같이 하여

33 양은 그 오른편에 염소는 왼편에 두리라

34 그때에 임금이 그 오른편에 있는 자들에게 이르시되 내 아버지께 복 받을 자들이여 나아와 창세로부터 너희를 위하여 예비된 나라를 상속받으라

35 내가 주릴 때에 너희가 먹을 것을 주었고 목마를 때에 마시게 하였고 나그네 되었을 때에 영접하였고

36 헐벗었을 때에 옷을 입혔고 병들었을 때에 돌보았고 옥에 갇혔을 때에 와서 보았느니라

37 이에 의인들이 대답하여 이르되 주여 우리가 어느 때에 주께서 주리신 것을 보고 음식을 대접하였으며 목마르신 것을 보고 마시게 하였나이까

38 어느 때에 나그네 되신 것을 보고 영접하였으며 헐벗으신 것을 보고 옷 입혔나이까

39 어느 때에 병드신 것이나 옥에 갇히신 것을 보고 가서 뵈었나이까 하리니

40 임금이 대답하여 이르시되 내가 진실로 너희에게 이르노니 너희가 여기 내 형제 중에 지극히 작은 자 하나에게 한 것이 곧 내게 한 것이니라 하시고

41 또 왼편에 있는 자들에게 이르시되 저주를 받은 자들아 나를 떠나 마귀와 그 사자들을 위하여 예비된 영원한 불에 들어가라

42 내가 주릴 때에 너희가 먹을 것을 주지 아니하였고 목마를 때에 마시게 하지 아니하였고

43 나그네 되었을 때에 영접하지 아니하였고 헐벗었을 때에 옷 입히지 아니하였고 병

들었을 때와 옥에 갇혔을 때에 돌보지 아
니하였느니라 하시니
44 그들도 대답하여 이르되 주여 우리가 어
느 때에 주께서 주리신 것이나 목마르신
것이나 나그네 되신 것이나 헐벗으신 것
이나 병드신 것이나 옥에 갇히신 것을 보
고 공양하지 아니하더이까
45 이에 임금이 대답하여 이르시되 내가 진
실로 너희에게 이르노니 이 지극히 작은
자 하나에게 하지 아니한 것이 곧 내게 하
지 아니한 것이니라 하시리니
46 그들은 영벌에, 의인들은 영생에 들어가
리라 하시니라

• 함께 읽어보기

예수님은 하나님 나라에 관한 많은 교훈과 비유를 말씀하신 후에 마지막으로 오늘 본문에 나오는 '양과 염소 비유'를 결론으로 제시하십니다. 예수님이 다시 오실 때에는 모든 사람들이 예수님 앞에서 각자의 신앙과 삶에 따라 칭찬과 상급, 혹은 책망과 형벌을 받게 될 것입니다. 세상에서는 일과 업적으로 사람을 평가하지만, 오히려 예수님은 작은 자에게 베푼 사랑과 관심을 평가의 기준으로 삼으십니다. 그런 의미에서 예수님께 칭찬받는 양과 같은 성도가 될 수 있게 늘 말씀을 통해 자신을 살펴보는 기회를 가지기 바랍니다.

도입 질문

3 당신이 이제까지 들었던 칭찬 중에서 가장 기억에 남는 것은 무엇입니까? 그 이유를 서로 나누며 이야기해 봅시다.

함께 나누기

4 이 비유에서 양과 염소는 각각 누구를 가리킵니까? 32-33, 37, 41절

(1) 양:

(2) 염소:

5 인자이신 예수님이 사람들을 양과 염소로 구분하신 기준은 무엇입니까? 40, 45절

6 예수님은 심판의 기준으로 여섯 가지 행위를 구체적으로 언급하셨습니다. 그 내용들은 각각무엇입니까? 35–36, 42–43절

(1)

(2)

(3)

(4)

(5)

(6)

7 당신이 배고플 때, 목마를 때, 나그네였을 때, 헐벗었을 때, 병들었을 때, 감옥에 갇혔을 때 도와준 사람이 있었습니까?

8 인자가 이런 여섯 가지 행위들을 언급할 때 양에 속한 사람들과 염소에 속한 사람들의 반응이 전혀 달랐습니다. 각각 어떤 반응을 보였습니까? 37–39, 44절

(1) 양의 반응(37–39절):

(2) 염소의 반응(44절):

9 양과 염소에게 주어지는 상과 벌은 각각 무엇이라고 말씀합니까? 34, 41, 46절

(1) 양에게 주어지는 상(34, 46절):

(2) 염소에게 주어지는 벌(41, 46절):

10 당신이 지금 선행을 베풀어야 할 대상은 누구인지 생각해 봅시다.

예언의 성취를 위해 체포되신 예수님

마태복음 26:47–56 | 새찬송 135장 • 통일 133장

주간 말씀묵상 나눔

1 지난 한 주 동안 말씀묵상하면서 깨달은 말씀을 그룹원들과 함께 나누어 봅시다.

2 깨달은 것을 실천함으로 삶의 변화를 가져온 것이 있다면 서로 나누어 봅시다.

• 오늘의 성경공부 목표

가룟 유다의 배신으로 예수님이 체포되시고 제자들은 무서워 도망하였습니다. 그러나 이 모든 일이 구원에 대한 예언을 이루어 가는 과정이었음을 배우고 믿음을 바르게 이해하는 시간을 가집시다.

47 말씀하실 때에 열둘 중의 하나인 유다가
왔는데 대제사장들과 백성의 장로들에게
서 파송된 큰 무리가 칼과 몽치를 가지고
그와 함께하였더라
48 예수를 파는 자가 그들에게 군호를 짜 이
르되 내가 입 맞추는 자가 그이니 그를 잡
으라 한지라
49 곧 예수께 나아와 랍비여 안녕하시옵니까
하고 입을 맞추니
50 예수께서 이르시되 친구여 네가 무엇을
하려고 왔는지 행하라 하신대 이에 그들
이 나아와 예수께 손을 대어 잡는지라
51 예수와 함께 있던 자 중의 하나가 손을
펴 칼을 빼어 대제사장의 종을 쳐 그 귀
를 떨어뜨리니
52 이에 예수께서 이르시되 네 칼을 도로 칼
집에 꽂으라 칼을 가지는 자는 다 칼로
망하느니라
53 너는 내가 내 아버지께 구하여 지금 열두
군단 더 되는 천사를 보내시게 할 수 없
는 줄로 아느냐
54 내가 만일 그렇게 하면 이런 일이 있으
리라 한 성경이 어떻게 이루어지겠느냐
하시더라
55 그때에 예수께서 무리에게 말씀하시되 너
희가 강도를 잡는 것같이 칼과 몽치를 가
지고 나를 잡으러 나왔느냐 내가 날마다
성전에 앉아 가르쳤으되 너희가 나를 잡
지 아니하였도다
56 그러나 이렇게 된 것은 다 선지자들의 글
을 이루려 함이니라 하시더라 이에 제자
들이 다 예수를 버리고 도망하니라

• 함께 읽어보기

'표리부동'이란 말이 있습니다. 마음이 음흉하여 겉과 속이 다른 것을 일컫는 말입니다. 오늘 본문에 나오는 가룟 유다의 모습이 바로 그렇습니다. 비록 친근한 입맞춤으로 예수님께 인사를 올렸지만, 실상은 예수님을 배반하는 입맞춤이었습니다. 실로 두 얼굴을 가진 자의 입맞춤인 셈입니다. 지금 이 시대에도 겉으로는 거룩하고 경건한 모습을 하고 있지만, 속으로는 세속주의와 쾌락을 추구하는 가룟 유다와 같은 이들이 있습니다. 과연 나의 모습은 어떠한지 돌아보는 시간을 가져봅시다.

도입 질문

3 혹 배신감을 느낀 적이 있다면 누구 또는 무엇 때문이었습니까? 그런 배신감을 어떻게 극복했는지 서로의 경험을 나누어 봅시다.

함께 나누기

4 열두 제자 가운데 하나인 가룟 유다는 대제사장들과 백성의 장로들이 보낸 사람들과 함께예수님께 왔습니다. 그들은 손에 무엇을 들고 있었습니까? 그리고 이는 무엇을 의미합니까? 47절

5 예수님을 본 가룟 유다는 어떤 행동을 취했습니까? 그리고 이 행동에는 어떤 의미가 담겨 있습니까? 48-49절

6 사람들이 와서 예수님을 붙잡자 제자 중의 한 사람이 어떤 행동을 취했습니까? 51절

7 당신은 칼을 휘두른 제자의 행동에 대해 어떻게 생각합니까? 그리고 만약 당신이라면 이런 위기 상황에서 어떻게 대처할 것 같습니까?

8 예수님은 칼을 휘두른 제자에게 책망조로 세 가지 말씀을 하셨습니다. 각각의 말씀과 그 속에 담긴 의미는 무엇입니까? 52–54절

(1) 52절:

(2) 53절:

(3) 54절:

9 예수님은 많은 사람들이 칼과 몽치를 가지고 자신을 체포하러 온 이 모든 일들을 어떤 관점으로 보셨습니까? 55–56절

10 결국 예수님이 저항 없이 체포되자 제자들은 모두 예수님을 버리고 도망쳤습니다. 현재 예수님에 대한 당신의 충성심은 어떠한지 생각해 봅시다.

주간 그룹성경공부 • GBS

11주차 (111회~115회)

바라바냐, 예수님이냐

마태복음 27:15-26 | 새찬송 457장 • 통일 510장

주간 말씀묵상 나눔

1 지난 한 주 동안 말씀묵상하면서 깨달은 말씀을 그룹원들과 함께 나누어 봅시다.

2 깨달은 것을 실천함으로 삶의 변화를 가져온 것이 있다면 서로 나누어 봅시다.

• 오늘의 성경공부 목표

나쁜 짓을 저지르지 않는 것뿐만 아니라 마땅히 해야 할 일을 하지 않는 것도 죄가 된다는 사실을 깨닫고, 개인적인 이해를 초월하여 하나님이 기뻐하시는 바른 선택을 합시다.

15 명절이 되면 총독이 무리의 청원대로 죄
수 한 사람을 놓아주는 전례가 있더니
16 그때에 바라바라 하는 유명한 죄수가 있는데
17 그들이 모였을 때에 빌라도가 물어 이르
되 너희는 내가 누구를 너희에게 놓아주
기를 원하느냐 바라바냐 그리스도라 하
는 예수냐 하니
18 이는 그가 그들의 시기로 예수를 넘겨준
줄 앎이더라
19 총독이 재판석에 앉았을 때에 그의 아내
가 사람을 보내어 이르되 저 옳은 사람에
게 아무 상관도 하지 마옵소서 오늘 꿈에
내가 그 사람으로 인하여 애를 많이 태웠
나이다 하더라
20 대제사장들과 장로들이 무리를 권하여 바
라바를 달라 하게 하고 예수를 죽이자 하
게 하였더니
21 총독이 대답하여 이르되 둘 중의 누구를
너희에게 놓아주기를 원하느냐 이르되 바
라바로소이다
22 빌라도가 이르되 그러면 그리스도라 하는
예수를 내가 어떻게 하랴 그들이 다 이르
되 십자가에 못 박혀야 하겠나이다
23 빌라도가 이르되 어찜이냐 무슨 악한 일
을 하였느냐 그들이 더욱 소리 질러 이
르되 십자가에 못 박혀야 하겠나이다 하
는지라
24 빌라도가 아무 성과도 없이 도리어 민란
이 나려는 것을 보고 물을 가져다가 무리
앞에서 손을 씻으며 이르되 이 사람의 피
에 대하여 나는 무죄하니 너희가 당하라
25 백성이 다 대답하여 이르되 그 피를 우
리와 우리 자손에게 돌릴지어다 하거늘
26 이에 바라바는 그들에게 놓아주고 예수
는 채찍질하고 십자가에 못 박히게 넘겨
주니라

• 함께 읽어보기

혼자가 아니라 많은 사람이 함께 있을 때, 어떤 자극에 대해 이성적으로 행동하지 않고 남의 말이나 행동을 무비판적으로 따라하거나 필요 이상으로 흥분하는 것을 가리켜 '군중심리'라고 합니다. 이것이 선의로 작용하면 큰 시너지를 창출하지만, 부정적으로 작용하면 엄청난 문제를 낳기도 합니다. 그 대표적인 예가 바로 예수님의 사형 선고입니다. 빌라도는 예수님의 유죄를 확신하지 못한 상황에서 흥분한 군중의 압박에 굴복하여 결국 바라바를 놓아주고 예수님께 사형을 선고하게 됩니다. 오늘 우리도 잘못된 군중심리에 미혹되지 말고 하나님이 기뻐하시는 바른 선택을 할 수 있게 영적으로 깨어 있어야 합니다.

도입 질문

3 우리는 매 순간 양자택일 내지는 여러 길 중에 하나를 선택해야 하는 어려움에 직면하게 됩니다. 최근에 당신을 가장 힘들게 했던 선택은 무엇입니까?

함께 나누기

4 명절이 되면 총독이 죄수 한 명을 특별 사면해 주는 전례가 있었습니다. 총독 빌라도는 누구와 누구 중에서 양자택일을 하라고 했습니까? 15–17절

5 빌라도가 재판석에 앉아 있을 때 그의 아내가 사람을 보내어 무슨 말을 전했습니까? 19절

6 군중들은 누구를 사면해 달라고 요청했습니까? 그리고 그들의 배후에는 누가 있었습니까? 20–21절

7 만약 예수님을 재판하는 자리에 당신이 있었다면 당신은 누구를 선택했을까요? 예수님을 선택했을 것이라고 확신합니까?

8 예수님의 무죄를 알면서도 군중의 폭동을 두려워한 빌라도는 예수님의 사형 선고와 관련하여 자신의 책임을 면하기 위해 어떤 행동을 취했습니까? 24절

9 빌라도가 예수님의 사형 선고에 대해 '너희가 당하라'라고 말하자 사람들은 한결같이 무엇이라고 대답했습니까? 25절

10 이 상황을 보면서, 지금 당신의 모습이나 처지는 누구와 가깝다고 생각합니까? 그리고 그렇게 생각하는 이유는 무엇입니까? 자신의 정체성에 대해 서로 이야기하며 나누어 봅시다.

□ 예수님

□ 빌라도

□ 빌라도의 아내

□ 군중들

□ 대제사장들과 장로들

□ 바라바

주간 그룹성경공부 • GBS

12주차 (116회~120회)

예수님의 부활

마태복음 28:1-15 | 새찬송 165장 • 통일 155장

주간 말씀묵상 나눔

1 지난 한 주 동안 말씀묵상하면서 깨달은 말씀을 그룹원들과 함께 나누어 봅시다.

2 깨달은 것을 실천함으로 삶의 변화를 가져온 것이 있다면 서로 나누어 봅시다.

• 오늘의 성경공부 목표

예수님의 부활의 진실성을 확인해 보도록 합니다.

1 안식일이 다 지나고 안식 후 첫날이 되려는 새벽에 막달라 마리아와 다른 마리아가 무덤을 보려고 갔더니
2 큰 지진이 나며 주의 천사가 하늘로부터 내려와 돌을 굴려 내고 그 위에 앉았는데
3 그 형상이 번개 같고 그 옷은 눈같이 희거늘
4 지키던 자들이 그를 무서워하여 떨며 죽은 사람과 같이 되었더라
5 천사가 여자들에게 말하여 이르되 너희는 무서워하지 말라 십자가에 못 박히신 예수를 너희가 찾는 줄을 내가 아노라
6 그가 여기 계시지 않고 그가 말씀하시던 대로 살아나셨느니라 와서 그가 누우셨던 곳을 보라
7 또 빨리 가서 그의 제자들에게 이르되 그가 죽은 자 가운데서 살아나셨고 너희보다 먼저 갈릴리로 가시나니 거기서 너희가 뵈오리라 하라 보라 내가 너희에게 일렀느니라 하거늘
8 그 여자들이 무서움과 큰 기쁨으로 빨리 무덤을 떠나 제자들에게 알리려고 달음질할새
9 예수께서 그들을 만나 이르시되 평안하냐 하시거늘 여자들이 나아가 그 발을 붙잡고 경배하니
10 이에 예수께서 이르시되 무서워하지 말라 가서 내 형제들에게 갈릴리로 가라 하라 거기서 나를 보리라 하시니라
11 여자들이 갈 때 경비병 중 몇이 성에 들어가 모든 된 일을 대제사장들에게 알리니
12 그들이 장로들과 함께 모여 의논하고 군

인들에게 돈을 많이 주며
13 이르되 너희는 말하기를 그의 제자들이
밤에 와서 우리가 잘 때에 그를 도둑질하
여 갔다 하라
14 만일 이 말이 총독에게 들리면 우리가 권
하여 너희로 근심하지 않게 하리라 하니
15 군인들이 돈을 받고 가르친 대로 하였으
니 이 말이 오늘날까지 유대인 가운데 두
루 퍼지니라

• 함께 읽어보기

예수님의 부활만큼 기독교 역사 가운데 도전을 많이 받은 것이 없습니다. 부활은 세상 사람들이 가장 믿지 못하는 기독교의 진리입니다. 그러나 부활은 십자가와 함께 기독교 신앙의 근간입니다. 바울의 고백처럼 부활이 없다면 우리 신앙은 헛되며, 기독교인들이야말로 이 세상에서 가장 불쌍한 사람들입니다(고전 15:17-19절). 이번 공부를 통해서 사람들이 가장 믿지 못하는 부활이 왜 믿을 수밖에 없는 역사적 사실인지를 확인해 보도록 하겠습니다.

도입 질문

3 당신이 살아가면서 가장 믿기 어려운 일이 있다면 무엇입니까?

함께 나누기

4 안식 후 첫날에 예수님의 무덤에서 일어난 일은 무엇입니까? 2–3절

5 이때 예수님의 부활 사건을 목격한 사람들은 누구누구였습니까? 1, 4절

6 천사가 사람들에게 전한 내용은 무엇입니까? **5–7절**

7 예수님의 부활 사건은 예수님을 존경한 여자들과 무덤을 지킨 경비병들 모두가 확인한 사건입니다(참고. 11–15절). 반대파의 주장처럼 예수님의 시체를 훔치는 일은 불가능한 일입니다(참고. 마 27:62–66). 부활은 진정한 사실입니다. 이 확신이 당신의 삶에는 어떤 영향을 끼치고 있습니까?

8 부활의 기쁨을 안고 뛰어가는 여자들 앞에 누가 나타났으며 무엇이라 말씀하셨습니까? **9–10절**

9 예수님이 왜 갈릴리로 가셨을 것이라 생각됩니까? **참고. 마 26:32**

10 부활하신 예수님이 당신에게 주신 사명은 무엇입니까? 당신은 오늘 그것을 이루기 위해 어떤 노력과 헌신을 기울이고 있습니까?

권별주삶

아가페 주삶 GBS 해설서

- 1주(61회–65회) _ 마태복음 15:32–39
  사천 명을 먹이신 기적 사건
- 2주(66회–70회) _ 마태복음 16:13–20
  베드로의 신앙고백
- 3주(71회–75회) _ 마태복음 18:21–35
  일곱 번씩 일흔 번까지라도 용서하라
- 4주(76회–80회) _ 마태복음 20:1–16
  포도원 품꾼들의 비유에 담긴 하나님의 은혜
- 5주(81회–85회) _ 마태복음 21:1–11
  왕의 입성
- 6주(86회–90회) _ 마태복음 22:15–22
  세상의 것과 하나님의 것
- 7주(91회–95회) _ 마태복음 24:1–14
  종말에 대한 가르침
- 8주(96회–100회) _ 마태복음 24:36–44
  항상 깨어 있어 종말을 준비하라
- 9주(101회–105회) _ 마태복음 25:31–46
  어느 편에 설 것인가
- 10주(106회–110회) _ 마태복음 26:47–56
  예언의 성취를 위해 체포되신 예수님
- 11주(111회–115회) _ 마태복음 27:15–26
  바라바냐, 예수님이냐
- 12주(116회–120회) _ 마태복음 28:1–15
  예수님의 부활

3 가이드》 예를 들어, 우리는 자녀들에게 왜 같은 말을 반복합니까? 잘 되지 않는 일을 명확하게 전달해서 그렇게 하도록 하기 위한 경우가 많을 것입니다. 성경도 비슷한 내용을 반복하는 이유는 반복을 통해 우리의 믿음을 더욱 공고히 하기 위한 경우가 많습니다.

4 답》 불쌍히 여기셨다

해설》 무리가 예수님과 함께 있은 지 사흘이 되어서 먹을 것이 없을 것을 아시고 불쌍히 여기셨습니다. 그들이 길을 가다가 기진할 수도 있었기 때문입니다. 예수님은 말씀만 전하신 것이 아니라 매우 세밀하게 무리들을 살피고 계셨습니다.

5 답》 광야 어디에서 떡을 구해 사람들을 먹일 수 있냐고 반문함

6 가이드》 본문의 사건 바로 앞에는 오병이어 사건이 기록되어 있습니다. 제자들은 이미 예수님의 비슷한 기적을 경험했기에 이번에는 '예수님이 하시면 됩니다' 정도로 반응했어야 했습니다.

7 가이드》 우리는 늘 예수님의 은혜로 살아왔다고 말하고 그것을 경험하면서도 또다시 같은 일을 만나면 걱정하고 늘 새롭게 느끼는 경향이 있습니다. 왜 그럴까요? 믿음이 잘 자라지 않는 이유가 어디에 있는지 나누어 보십시오.

8 답》 너희에게 떡이 몇 개나 있느냐

해설》 예수님은 제자들의 형편을 아셨습니다. 그들이 군중을 먹일 것을 가지고 계시지 않음도 알았습니다. 그럼에도 주님은 다른 데서 해결책을 찾는 대신 제자들에게 있는 것을 먼저 물으십니다.

9 답》 다 배불리 먹고 남은 조각이 일곱 광주리에 가득 참

해설》 비록 우리가 가진 것이 보잘것없는 것일지라도 예수님께 그것을 드릴 때 예수님은 놀라운 기적을 일으키신다는 영적인 교훈이 본문에 있습니다.

9 가이드》 당신이 다른 핑계를 대면서 미루거나 주저하고 있는 예수님의 일은 무엇입니까? 당신이 그것을 미루고 있는 이유는 무엇입니까? 능력이 부족하다고 생각해서입니까? 예수님은 당신에게 그 일을 하라고 명하십니다.

3 가이드》 고백에는 그 사람에 대한 생각이 들어 있습니다. 그래서 자신에 대한 어떤 평가는 인생을 좌우하기도 합니다. 그런데 그리스도인들이 신앙생활을 오래 했어도 예수님에 대한 신앙고백을 올바로 하기가 쉽지 않습니다. 지금 당신은 예수님께 어떤 고백을 드리고 있습니까?

4 답》 더러는 세례 요한, 더러는 엘리야, 어떤 이는 예레미야나 선지자 중의 하나라 함

해설》 사람들의 대답을 종합해 보면 예수님을 매우 영향력 있는 선지자로 생각했던 것 같습니다. 이것은 분명 호의적인 평가요 이해라고 볼 수 있습니다. 하지만 메시아이신 예수님에 대한 이해로서는 대단히 부족한 것입니다.

5 답》 주는 그리스도시요 살아 계신 하나님의 아들이시니이다

해설》 첫 번째 질문의 대답을 들으신 예수님이 제자들에게 두 번째 질문을 던지신 것은, 제자들이 무리들보다 더 나은 대답을 해 주기를 기대하셨기 때문일 것입니다. 그리고 그 기대에 부응하여 제자들을 대표한 베드로가 놀라운 신앙고백을 합니다. '그리스도'는 히브리어 '메시아'(기름부음 받은 자)를 헬라어로 표현한 것으로, 예수님이 구약에 계시된 이스라엘을 구원할 진정한 다윗 계통의 왕이시자 살아계신 하나님의 아들이라는 뜻입니다.

6 답》 하늘에 계신 내 아버지

해설》 베드로의 훌륭한 신앙고백은 부모님이나 신앙적인 스승으로부터 물려받은 것이 아니라, 하나님이 주신 계시의 결과라고 예수님은 선언하십니다. 그런 의미에서 참된 믿음은 하나님의 선물이며(엡 2:8), 참된 신앙고백은 하나님께로부터 옵니다.

7 가이드》 교회를 다니는 사람들 중에서도 예수님에 대해 분명한 신앙고백을 하지 못하는 사람들이 적지 않습니다. 그들은 예수님을 자기 삶에 도움이 되는 성인이나 스승, 교사 등으로 이해하기도 합니다. 그러나 교회와 영적 지도자들은 그들이 예수님을 하나님의 아들이요 구세주로 고백하는 자리까지 나아갈 수 있게 이끌어 주어야 할 것입니다.

8 답》 (1) 너는 베드로라 내가 이 반석 위에 내 교회를 세우리니 음부의 권세가 이기지 못하리라
(2) 내가 천국 열쇠를 네게 주리니 네가 땅에서 무엇이든지 매면 하늘에서도 매일 것이요 네가 땅에서 무엇이든지 풀면 하늘에서도 풀리리라

해설》 '베드로'(헬. 페트로스)는 남성명사로 돌멩이란 뜻이고, '돌'(헬. 페트라)은 여성명사로 바위라는 뜻입니다. 예수님은 장차 베드로가 교회의 기초인 반석으로서의 역할을 할 것을 내다보신 것입니다. 또한 '천국 열쇠'는 천국 복음을 전파하는 교회의 자격을 의미하며, 나아가 하늘에서 내려진 결정을 이 땅에서 수행하는 입법적 권한을 의미합니다.

9 답》 자기가 그리스도인 것을 아무에게도 이르지 말라고 경고하심

해설》 예수님의 예상 밖의 경고는, 베드로를 비롯한 제자들조차도 아직 '그리스도'라는 호칭의 의미를 제대로 이해하지 못하고 심각하게 오해할 소지가 다분했기 때문에 주어진 것입니다. 여전히 그들은 정치적 메시아에 대한 생각을 가지고 있었습니다. 따라서 고난과 죽음을 통해 자신의 사명을 완수하는 그 날까지 예수님은 자신의 신분을 알리지 말라고 명령하십니다.

10 가이드》 예수님에 대한 신앙고백은 곧 그분에 대한 이해를 전제로 합니다. 즉, 예수님을 누구로 생각하느냐에 따라 고백이 달라집니다. 예수님은 제자들에게 일반 사람들보다는 더 나은 신앙고백을 기대하셨습니다. 오늘도 그분은 당신에게서 다른 사람들보다 더 나은 신앙고백을 기대하고 계십니다.

*서로의 기도 제목을 나누면서 뒤에 있는 기도 노트를 활용하십시오(p.254~255)

3 가이드》 각박한 세상에 살다 보면 서로 상처를 주고받을 때가 많습니다. 하지만 그런 삶 속에서 누군가로부터 필요한 도움을 받거나 큰 잘못에 대해 용서받았을 때, 그 기쁨과 감격은 말로 다 표현할 수 없을 것입니다. 바로 지금 서로의 상처를 고백하고 보듬어 주는 치유를 시작해야 합니다.

4 답》 베드로: 일곱 번, 예수님: 일곱 번씩 일흔 번

해설》 당시 랍비들은 세 번까지 용서해 주라고 가르쳤습니다. 이에 비해 베드로의 일곱 번 용서는 상당히 관대한 것이었습니다. 하지만 예수님은 '일곱 번을 일흔 번까지'(헬. 헤브도메콘타키스 헤프타)라도 용서해 주라고 하셨습니다. 이 횟수는 77회와 490회, 두 가지로 번역이 가능합니다. 그러나 예수님의 진짜 의도는 횟수가 아니라 한없이 용서해 주라는 것입니다.

5 답》 그 종들과 결산하려 하던 어떤 임금

해설》 예수님은 한없는 용서의 중요성을 강조하기 위해 비유를 들어 말씀하셨습니다. 특히 천국을 종들과 결산하는 임금으로 비유하신 것은 마지막 심판 때에 하나님 앞에서 우리 모두가 이 땅에서의 삶을 결산하고 평가받게 될 것을 보여주시기 위함입니다.

6 답》 만 달란트, 오늘날로 환산하면 약 3~6조원에 해당

해설》 '달란트'는 예수님 당시에 가장 높은 화폐 단위였고, '만'은 수를 세는 가장 큰 단위로서 '헤아릴 수 없는 수'를 뜻했습니다. 따라서 '만 달란트'는 계산할 수 없는 어마어마한 금액을 의미합니다. 당시 1달란트는 6,000 데나리온이었고, 1데나리온은 노동자 하루 임금에 해당하는 금액이므로, 계산하기 쉽게 하루 노동자 일당을 5만원으로 치면, 1만 달란트는 3조원이 됩니다. 즉, 이는 개인이 빚질 수도 없고 갚을 수도 없는 막대한 금액을 의미합니다.

7 가이드》 예수님의 제자들은 만 달란트를 탕감해 주었다는 말을 들었을 때, 아마도 숨을 쉴 수 없을 만큼 놀랐거나 거의 기절할 것 같은 감정을 느꼈을 것입니다. 그리고 곧이어 자신들이 받은 용서의 크기가 얼마나 대단한지를 깨달았을 것입니다. 왕이신 하나님이 당신의 죄를 용서해 주셨다고 믿습니까? 그렇다면 지금 당신은 어떤 마음으로 살고 있습니까? 하나님께 용서받은 자신의 마음가짐, 나아가 다른 사람을 향한 마음이 올바른지 점검해 보기 바랍니다.

8 답》 백 데나리온, 자신이 탕감받은 빚의 60만분의 1밖에 되지 않는 액수, 오늘날 약 500~1,000만원에 해당함, 동료를 감옥에 가둠

해설》 만 달란트를 탕감받은 종이 백 데나리온 빚진 동료에게 보인 태도는 주인이 자신에게 보여준 태도와 정반대였습니다. 이것은 하나님께 엄청난 자비와 은혜를 받았음에도 이보다 훨씬 못한 작은 일에도 형제에게 인색하게 구는 인간의 모습을 적나라하게 보여줍니다.

9 답》 너희가 각각 마음으로부터 형제를 용서하지 아니하면 나의 하늘 아버지께서도 너희에게 이와 같이 하시리라

해설》 이 비유는 용서의 주도권이 철저히 하나님께 있고, 하나님이 먼저 놀라운 은혜로 제자들의 엄청난 죄를 용서해 주셨기 때문에, 비로소 제자들도 다른 형제들을 용서할 수 있고 또 용서해야 한다는 것을 보여줍니다. 동시에 마땅히 베풀어야 할 용서를 하지 않을 경우, 원래 하나님께 받은 용서의 은혜가 상실될 위험도 있음을 경고해 주십니다. 아울러 예수님은 참된 용서는 말이 아닌 '마음으로부터' 해야 함을 강조하십니다.

10 가이드》 예수님을 따르는 제자가 되고자 할 때 반드시 해결하고 넘어가야 할 장애물이 바로 용서입니다. 우리는 나에게 잘못한 사람에 대해서는 예민하고 철저하게 따지는 반면에, 내가 다른 사람에게 잘못한 일에 대해서는 두루뭉술하게 넘어가려고 하는 경향이 있습니다. 그러나 하나님은 무엇보다 우리가 마음으로 용서하고 용서받기를 바라시는데, 그것이 곧 하나님의 놀라운 은혜와 용서를 유지하고 더 풍성히 받는 비결입니다.

3 가이드》 뇌성마비 장애인 송명희 시인은 〈나〉라는 시에서 "공평하신 하나님이 나 남이 가진 것 나 없지만, 공평하신 하나님이 나 남이 없는 것 갖게 하셨네"라고 노래했습니다. 시인이 말한 공평함은, 비록 자신이 장애인이고 가난하고 못 배운 사람임에도 불구하고 하나님이 다른 사람들과 조금도 차별하지 않고 예수님의 사랑을 알게 하시고 영원한 생명을 주신 것을 의미합니다. 성경은 인간의 공평함의 원리를 뛰어넘어 관대함과 은혜의 원리를 보여줍니다.

4 답》 한 데나리온

해설》 유대 사회에서는 보통 오전 6시에 일을 시작했는데, 당시 노동자의 하루 품삯은 보통 한 데나리온이었습니다. 따라서 아침 일찍 고용된 일꾼들은 그 금액을 적당하다고 여겼기 때문에 포도원에 일하러 들어갔을 것입니다.

5 답》 제삼 시, 제육 시, 제구 시, 제십일 시로 네 차례임, 상당한 품삯을 주기로 약속함

해설》 주인이 네 차례나 더 일꾼들을 고용한 이유는, 아마도 포도 수확 철에 제시간에 맞춰 당도가 우수한 포도를 따기 위해서 더 많은 일손이 필요했기 때문이었을 것입니다. 그러나 더 큰 이유는 일이 없어 빈둥거리는 사람들을 불쌍히 여겼기 때문일 것입니다. 그리고 그들에게 정확한 액수는 말하지 않았지만 적당한 품삯을 주기로 약속했습니다.

6 답》 한 데나리온씩 지불, 제일 처음 고용되었던 품꾼들은 원망함

해설》 만약 주인이 나중에 들어온 품꾼들에게 한 데나리온보다 적은 품삯을 주었다면, 경제 원리상 당연한 것으로 받아들여졌을 것이고, 아무도 불평하지 않았을 것입니다. 하지만 주인이 일한 시간에 비례해서 보상하지 않고 관대하게 보상하자, 먼저 온 품꾼들은 정당한 보상을 받았음에도 불구하고 불평을 쏟아 놓았습니다.

7 가이드》 제일 처음 고용된 품꾼들이 불평한 이유는 정당한 보상을 받지 못해서가 아니라, 자신들보다 적게 일한 자들이 자신들과 동일한 보상을 받았기 때문입니다. 즉, 다른 사람들과의 비교의식에서 비롯된 불평입니다. 그들은 세상의 상대적인 경제 원리에 너무 익숙한 나머지 주인의 관대한 은혜의 원리를 깨닫지 못했습니다. 이렇듯 하나님의 보상 원리는 자비와 관용에 바탕을 둔 은혜의 원리입니다.

8 답》 '친구여 내가 네게 잘못한 것이 없노라 네가 나와 한 데나리온의 약속을 하지 아니하였느냐 / 네 것이나 가지고 가라 나중 온 이 사람에게 너와 같이 주는 것이 내 뜻이니라 / 내 것을 가지고 내 뜻대로 할 것이 아니냐 내가 선하므로 네가 악하게 보느냐'

해설》 주인은 크게 세 가지로 자신의 정당성을 주장합니다. (1) 약속대로 품삯을 지불했다. (2) 자신의 소유를 가지고 자신의 뜻대로 하였다. (3) 자신은 자비로운 사람이라서 차별 없이 모두에게 똑같이 주고 싶다. 주인의 관점에서 보면 그에게는 잘못이 없습니다. 사실 품꾼의 입장에서도 마찬가지입니다. 그러므로 하나님이 내게 주신 은혜에 감사해야지 내 것과 남의 것을 비교하는 것은 옳지 않습니다. 오직 각자의 부르심에 충실하면 되는 것입니다.

9 답》 나중 된 자로서 먼저 되고 먼저 된 자로서 나중 되리라

해설》 하나님 앞에서 인간의 공로는 보상의 대상이 아닙니다. 우리의 공로로는 결코 받을 수 없는 구원을 값없이 은혜로 받았기 때문입니다. 그러므로 성도가 수고하는 이유는 보상을 위해서가 아니라 이미 주신 은혜에 감사하며 보답하기 위함입니다. 만약 보상을 기대하는 마음을 내려놓지 못하면, 하나님 앞에서 꼴찌로 전락할 수밖에 없습니다.

10 가이드》 이 비유의 결론에서 예수님은 '나중 된 자로서 먼저 되고 먼저 된 자로서 나중 되리라'라고 말씀하셨습니다. 이것은 곧 하나님의 보상 원리가 사람들의 일반적인 기대처럼 수고한 만큼 그에 상응하는 보상을 하는 정비례방식이 아니라, 수고보다 훨씬 더 많은 보상을 해 주는 은혜의 원리임을 보여줍니다. 우리가 아직도 불평하던 품꾼들에게 쉽게 공감한다면 여전히 하나님의 절대적인 은혜의 원리를 온전히 이해하지 못하고 있다는 증거입니다.

*서로의 기도 제목을 나누면서 뒤에 있는 기도 노트를 활용하십시오(p.254~255)

3 가이드》 내가 의도하는 대로 사람들이 내 생각이나 행동을 받아들일 것이라 생각하는 것은 큰 오산입니다. 살면서 느꼈던 내 의도와 남의 해석 사이의 갭[차이]을 나누어 보십시오.

4 답》 맞은편 마을로 가서 나귀 새끼를 끌고 오라 하심

5 답》 예언의 성취이자 예수님께서 평화의 왕으로 예루살렘에 입성하시는 것을 상징하는 것임

해설》 예수님은 의도적으로 나귀 새끼를 준비시키시고 타셨습니다. 이는 예루살렘에 입성하시는 예수님의 의도를 분명히 보여준 것입니다. 예수님은 정복자가 아니라 평화의 왕으로 입성하셨습니다.

6 답》 겉옷과 나뭇가지를 길에 펴고 호산나 다윗의 자손이라고 소리 높임. 온 성이 떠들썩하게 소동함

해설》 '소동했다'는 말은 '지진이 일어나듯이 땅이 진동했다'는 의미입니다. 사람들이 얼마나 열광적으로 예수님의 예루살렘 입성을 바라보았는지를 보여줍니다.

7 가이드》 사람들은 예수님이 이 땅에 오신 의도를 살피는 대신 자신들의 필요를 채워 줄 왕으로 예수님을 맞이하고 있었습니다. 아마도 로마로부터 자신들을 구원해 줄 분으로 기대했을 것입니다.

8 가이드》 보통 하나님의 뜻을 이루는 것과 내 욕심을 이루는 것은 상반된 경우가 많습니다. 그러므로 하나님의 뜻을 이루기 위해서 우리는 우리 육신의 정과 욕심을 십자가에 못 박아야 합니다.

9 가이드》 나에게 주어진 사명과 예수님의 뜻을 이루기 위해서 구체적으로 포기하고 있는 것이 무엇인지 나누는 문제입니다. 예수님을 위해 나에게서 제거되어야 하는 것은 무엇입니까?

10 가이드》 예수님은 위대한 구원을 이루심에도 불구하고 겸손하게 나귀 새끼를 타고 입성하셨습니다. 오늘날 교회가 이것을 배워야 합니다. 교회는 하나님의 일을 한다고 하면서 사실은 자신이 더 영광을 얻고 이름을 내려고 하는 경우가 많습니다. 나귀 새끼를 타신 예수님을 보면서 오늘날 교회가 버려야 할 것들이 무엇인지 나누는 문제입니다.

3 가이드》 불신자들 가운데는 그리스도인들에게 호의적이기보다는 적대적인 사람들이 많습니다. 또 그런 감정을 실어 곤란한 질문들을 쏟아붓기도 합니다. 그러나 이런 현상은 어제 오늘의 일이 아닙니다. 이미 예수님이 수없이 겪으셨던 일입니다. 따라서 성경에서 예수님이 하신 말씀과 지혜를 본받아야 합니다. 그들을 두려워하기보다는 이것이 그리스도인의 삶임을 깨닫고 지혜롭게 대처해야 합니다.

4 답》 예수님을 말의 올무에 걸리게 하려고 공모함

해설》 이는 바리새인들이 예수님을 자기들의 기득권을 빼앗는 위험인물로 여겼기 때문입니다. 이런 일은 전에도 있었습니다. 이렇듯 악인들의 악한 시도는 한 번으로 끝나지 않고 성공할 때까지 집요하게 계속됩니다.

5 답》 가이사에게 세금을 바치는 것이 옳으니이까 옳지 아니하니이까

해설》 당시 로마에 세금을 내는 문제는 민감한 사안이었을 뿐만 아니라, 이 질문에는 교묘한 함정이 숨어 있었습니다. 세금을 바치는 것이 옳다고 하면 예수님은 바리새파 사람들에 의해 당장 반민족주의자로 몰릴 것이고, 반대로 세금을 바치지 말라고 하면 헤롯 당원들에 의해 로마 정부에 고발당할 것이 뻔했습니다.

6 답》 '외식하는 자들아 어찌하여 나를 시험하느냐'라고 물으심, 그 이유는 그들의 악함을 아셨기 때문

해설》 하나님의 아들이신 예수님은 그들의 질문 속에 담긴 악한 의도를 꿰뚫어 보셨습니다. 누구도 예수님을 속일 수 없습니다. 그러나 예수님은 오히려 이들의 계략을 제자들이 세속 정부에 대해 어떤 태도를 가져야 하는지를 가르치시는 기회로 삼으셨습니다.

7 가이드》 예수님은 질문의 표면적인 내용보다 그 속에 담긴 의도를 파악하셨습니다. 불신자들이 때로는 교묘한 질문으로 도전해 올 때가 있습니다. 그럴 때일수록 간단하게 대답하거나 질문을 회피하는 태도보다는 그 질문에 담긴 진의를 파악하고 성령의 지혜를 구하며 대답하는 태도가 중요합니다.

8 답》 세금 낼 돈 – 사람들은 데나리온 하나를 가져옴

해설》 데나리온은 당시 널리 통용되던 로마 화폐였습니다. 한 데나리온은 노동자 한 사람이 받는 하루치 임금이었습니다. 이 동전에는 로마 황제의 초상과 신의 아들이며 대리자인 황제의 이름이 새겨져 있었습니다. 그래서 유대인들은 이 동전을 우상을 만들지 말라는 십계명에 위배되는 것으로 생각하여 세금을 내는 경우를 제외하고는 사용하지 않았습니다.

9 답》 가이사의 것은 가이사에게, 하나님의 것은 하나님께 바치라

해설》 예수님은 세금을 바치는 것이 '옳다, 옳지 않다'라는 흑백 논리적인 대답을 하는 함정에 빠지지 않으시고, 제삼의 답변으로 그들의 나쁜 의도를 타파하셨습니다. 한마디로, 가이사의 것과 하나님의 것을 각각 구별하여 바치라는 것이었습니다. 이것은 국가에 대한 의무와 하나님에 대한 의무가 서로 상충되는 관계가 아니라는 사실뿐만 아니라, 하나님의 백성이 세상 속에 살아갈 때 세상의 기본적인 구조를 부정해서는 안 된다는 것을 알려 주신 것입니다.

10 가이드》 가이사의 것을 바치는 일은 열심히 하면서 하나님의 것을 바치는 일에는 인색한 사람이 있는가 하면, 반대로 하나님의 것은 열심히 드리면서 정작 가이사의 것에는 인색한 사람이 있습니다. 예수님은 성도들이 세상 속에서 균형 있는 삶을 살며 빛과 소금의 사명을 감당하기를 원하십니다.

*서로의 기도 제목을 나누면서 뒤에 있는 기도 노트를 활용하십시오(p.254~255)

3 가이드》 개인적으로나 우주적으로나 종말은 반드시 올 것입니다. 나의 시간이 얼마 남지 않았음을 가정하고 해야 할 일의 우선순위를 생각해 보시기 바랍니다.

4 답》 사람의 미혹을 받지 않도록 주의하라

해설》 예수님이 모든 종말의 가르침에 앞서 사람의 미혹을 언급하신 것에 주의해야 합니다. 그만큼 종말이라는 주제는 사람을 흔들어 혼란하게 만드는 것입니다. 가장 중요한 것이 잘못된 가르침에 미혹되지 않는 것입니다.

5 가이드》 현재에도 이 세상에는 자칭 재림 예수라고 주장하는 사람들이 많습니다. 또한 거짓으로 사람들을 현혹하여 물질적 · 정신적으로 피해를 끼치는 사람들도 많습니다. 예수님께서는 종말을 이용해서 나타날 수많은 거짓 선지자들을 경계하신 것입니다.

6 가이드》 아마도 사람들은 그 시기에 관심이 많을 것입니다. 그 외에도 전조 현상들에도 관심이 많습니다. 각자 궁금증을 나누도록 합니다. 또한 종말론을 이용해서 물질적 · 정신적 착취를 하려는 이단 사상을 효과적으로 경계하기 위한 방법들도 나누십시오.

7 답》 거짓 그리스도의 등장, 난리와 난리 소문, 전쟁, 기근, 지진

해설》 예수님이 이러한 것들이 재난의 시작이라고 말씀하셨으므로 전쟁, 기근 등이 무조건 종말 현상이라고 단정지어서는 안 될 것입니다.

8 답》 박해가 일어난다

해설》 자연현상과 함께 그리스도인들에게는 종말에 각종 어려움과 박해가 닥친다고 하셨습니다. 그리스도인들이 박해를 보지 않고 휴거된다는 이론은 성경적으로 지지를 받지 못합니다. 오히려 박해를 이겨 내고 승리하게 될 것입니다.

9 답》 끝까지 견디고 천국 복음의 전파에 힘쓰라

해설》 그리스도인들은 박해를 이겨 낼 것입니다. 자신들의 그룹에 들어오면 박해를 피하고 휴거된다는 식의 달콤한 가르침에 속지 않아야 합니다.

10 가이드》 마지막 때에 있을 어려움과 박해를 이겨 내기 위해 무엇이 필요한지 생각해 보십시오. 중요한 것은 우리 혼자의 힘으로 이 박해를 이겨 내는 것이 아니라는 사실입니다. 예수님께서 이 세상 끝날까지 우리와 함께하실 것이기 때문입니다.

3 가이드》 '내일 지구의 종말이 온다 할지라도 나는 오늘 한 그루의 사과나무를 심겠다'는 철학자 스피노자의 명언은 종말을 이야기할 때마다 등장합니다. 이는 종말이라는 거대한 변화에 연연하지 않고 자기의 할 일을 하겠다는 의지가 담겨 있습니다. 내일을 종말로 여기고 오늘을 산다면, 인생의 우선순위와 삶의 태도가 분명히 달라질 것입니다. 당신의 인생에서 가장 가치 있는 일, 가장 먼저 해야 할 일이 무엇인지 생각해 보십시오.

4 답》 재림, 오직 하나님 아버지만 아심

해설》 예수님은 재림의 날과 때를 인간으로서는 전혀 알 수 없음을 말씀하시기 위해 천사와 아들, 즉 자기 자신도 모르고 오직 하나님 아버지만 아신다고 하셨습니다. 특히 예수님이 자신까지도 제외시키신 것은 신성의 부족이나 무지를 뜻하는 것이 아니라, 철저히 하나님의 뜻을 신뢰하고 그분께 복종하시는 것을 보여주기 위함입니다(참고. 빌 2:8).

5 답》 노아의 때

해설》 예수님은 인자의 재림의 때가 알려져 있지 않을 뿐만 아니라 전혀 예상하지 못한 시기일 것을 강조하기 위해 노아의 때를 예로 드셨습니다. 홍수에서 노아의 가족이 구원받은 것은 때를 예측했기 때문이 아니라 하나님의 경고에 항상 준비된 모습으로 살았기 때문입니다.

6 답》 (1) 사람들이 먹고 마시고 장가들고 시집감 (2) 홍수가 나서 그들을 다 멸하기까지 깨닫지 못함

해설》 노아의 때에 사람들은 일상적으로 살아가고 있었습니다. 따라서 그런 생활 자체로는 정죄할 수 없습니다. 그러나 이것이 문제가 되는 것은 그들이 일상적인 삶을 영위하는 것에만 관심을 기울일 뿐, 영적으로는 무감각한 삶을 살았기 때문입니다.

7 가이드》 성경에 보면 노아는 방주를 만들면서 사람들을 향하여 경고의 메시지를 전하였습니다(히 11:7; 벧전 3:20; 벧후 2:5). 그러나 사람들은 이를 무시하고 거절하였습니다. 그러므로 재림을 준비한다는 것은 평소에 믿음으로 살며 하나님 앞에서 온전한 신앙생활을 하는 것을 의미합니다. 그런 사람은 특별히 준비할 것 없이 그대로 살면 됩니다. 특별한 삶을 주장하는 잘못된 종말론에 휩쓸리지 말고 항상 신앙을 건강하게 유지하기 바랍니다.

8 답》 (1) 두 사람이 밭에 있으매 한 사람은 데려가고 한 사람은 버려둠을 당할 것 (2) 두 여자가 맷돌질을 하고 있으매 한 사람은 데려가고 한 사람은 버려둠을 당할 것

해설》 주목할 사실은 여기에 등장하는 '두 사람'이 같은 일을 하고 있었다는 것입니다. 즉, 모든 조건은 같은데 두 사람의 운명은 갈리게 되었습니다. 문제는 무슨 일을 하고 있느냐가 아니라, 어떤 일에 종사하든지 준비된 모습이냐 아니냐에 달려 있습니다.

9 답》 (1) 깨어 있으라 (2) 준비하고 있으라

해설》 예수님은 먼저 영적인 각성을 촉구하십니다. 제자의 본분은 인자의 재림의 때를 계산하여 알아내는 것이 아니라 영적으로 깨어 있는 것입니다. 또한 미리 준비되어 있어야 합니다. 도둑이 예고 없이 오듯이 인자도 그렇게 오실 것이라고 말씀합니다.

10 가이드》 예수님은 제자들에게 재림의 날과 때, 즉 정확한 시기를 계산하는 데 헛된 시간을 낭비하지 말라고 권면하셨습니다. 오히려 영적으로 깨어서 준비하라고 말씀하십니다. 개인적으로, 가정에서, 직장과 사업장에서, 교회에서, 각종 모임에서 등 여러분과 관련된 모든 영역에서 영적 각성을 위해 실천해야 할 일들이 무엇인지 생각해 봅시다.

*서로의 기도 제목을 나누면서 뒤에 있는 기도 노트를 활용하십시오(p.254~255)

3 가이드》 '칭찬은 고래도 춤추게 한다'는 말처럼 칭찬은 사람을 변화시키는 힘이 있습니다. 칭찬을 들으려고 무슨 일을 하는 것은 아니지만, 자신이 한 일에 대해 칭찬을 들을 때 힘이 납니다. 우리가 작은 칭찬에도 힘을 얻고 달라질 수 있다면, 예수님의 칭찬은 우리를 변화시키는 가장 큰 힘이 될 것입니다. 그분께 칭찬받는 삶을 위해 하나님께 헌신합시다.

4 답》 (1) 양: 의인들 (2) 염소: 저주를 받은 자들

5 답》 내 형제 중에 지극히 작은 자 하나에게 한 것, 지극히 작은 자 하나에게 하지 아니한 것

해설》 인자의 심판 기준은 믿음에 걸맞은 구체적인 행위가 있었느냐 하는 것입니다. 이것은 행함으로 구원을 얻는다는 율법주의식 구원 교리를 대변하는 것이 아니라, 진정한 믿음은 반드시 그에 따른 열매를 맺는다는 원리에 근거한 것입니다. 특히 그 믿음의 행위가 가장 보잘것없는, 가장 작은 자에게 행해졌는지의 여부를 기준으로 삼으셨습니다.

6 답》 (1) 주릴 때 먹을 것을 주었는지 (2) 목마를 때 마실 것을 주었는지 (3) 나그네 되었을 때 영접해 주었는지 (4) 헐벗었을 때 옷을 입혀 주었는지 (5) 병들었을 때 돌보아 주었는지 (6) 옥에 갇힌 것을 보고 공양하였는지

해설》 여기 언급된 여섯 가지 행위들은 대단히 구체적이고 실제적입니다. 더욱 놀라운 것은 가장 작은 자에게 베푼 이런 행위들이 곧 예수님께 행한 것이 된다는 점입니다. 즉, 예수님은 자기 자신을 형제들 중 지극히 보잘것없는 자와 동일시하고 계십니다.

7 가이드》 과거 어려운 시절을 보낼 때 자신을 도와준 분들과 그 은혜는 평생 잊을 수 없습니다. 특히 자기 자신이 보잘것없는 신분이었을 때 아무런 대가 없이 도와준 분들이야말로 양과 같은 분들입니다. 반대로 가장 힘든 시기에 자신을 박대하고 홀대한 사람들이야말로 염소와 같은 이들입니다. 그들 또한 평생 잊을 수 없을 것입니다.

8 답》 (1) 주여 우리가 어느 때에 그런 일들을 하였나이까
(2) 주여 우리가 어느 때에 그런 일들을 하지 아니하더이까

해설》 양에 속한 의인들은 다시 조목조목 언급하면서 자신들이 언제 그런 행동을 했느냐고 반문합니다. 이것은 그들이 자신들의 선행을 업적으로 여기지 않고 당연히 해야 할 도리로 여겼다는 뜻입니다. 반대로 염소에 속한 자들은 언제 하지 않았느냐고 항변합니다. 그들이 신분과 지위를 차별하며 눈에 보이는 업적을 세우는 데 열중했음을 알 수 있습니다.

9 답》 (1) 하나님 나라를 상속받음, 영생 (2) 영원한 불, 영벌

해설》 양이 받을 복은 하나님이 창세 때부터 성도들을 위하여 준비하신 하나님 나라입니다. 반면에 염소가 받게 될 저주는 악마와 그의 부하들과 함께 영원한 불에 들어가는 형벌입니다. 하나님이 주시는 상과 벌은 일시적이거나 즉흥적인 것이 아니라, 하나님의 철저한 준비 가운데 주어지는 것임을 분명히 기억해야 합니다.

10 가이드》 예수님의 재림의 때를 위한 준비는 예수님과의 관계에 기초한 형제사랑을 실천하는 일입니다. 일상생활 속에서 어려움에 처한 믿음의 형제·자매들을 돌아보고 그들을 돕는 일이야말로 예수님을 돕고 섬기는 일과 같습니다. 다른 사람에게 보이려고 하는 구제와 선행이 아닌, 은밀한 중에 행하는 구제와 선행을 실천합시다.

3 가이드》 외면의 상처는 적절한 치료제를 사용하면 시간이 흐르면서 아물고 치유되지만, 내면의 상처는 쉽게 아물지도 않을 뿐더러 속으로 더 곪을 수도 있습니다. 살면서 겪는 내면의 상처 중 하나가 바로 배신감입니다. 전문가들은 이것을 극복하는 최선의 길은 용서라고 입을 모아 이야기합니다. 가룟 유다의 배신과 예수님의 용서를 보면서, 내면의 상처가 있다면 치유의 은혜를 구합시다.

4 답》 칼과 몽치, 예수님을 무력으로 체포하려 했음을 의미

해설》 칼과 몽치는 무장을 의미합니다. 그들은 무장한 채 예수님을 체포하러 온 것입니다. 아마도 예수님과 그의 제자들이 저항할 것에 대비한 것 같습니다. 하지만 예수님은 결코 무력으로 저항하지 않으셨습니다.

5 답》 입맞춤, 예수님이 누구인지를 알려 주는 신호

해설》 입맞춤은 유대인들에게 매우 친근한 인사법이었습니다. 하지만 유다는 이런 친근한 인사법을 이용하여 예수님을 안심시키고, 다른 한편으로는 체포하러 온 무리에게 신호를 보냈습니다. 유다의 이중성과 배신을 극적으로 보여주는 행위인 셈입니다.

6 답》 칼을 뽑아 대제사장의 종에게 휘둘러 그 종의 귀를 자름

해설》 요한복음에는 칼을 휘두른 제자가 '베드로'이고, 귀가 잘린 대제사장의 종이 '말고'라고 나옵니다(18:10). 베드로는 평소 성격대로 예수님을 보호하려는 차원에서 이런 행동을 취한 것으로 보이지만, 그의 행동은 예수님이 행하시려는 구속 사역의 진정한 의미를 모르는 데서 기인한 것이었습니다.

7 가이드》 사람마다 위기에 대처하는 방식이 각기 다를 수 있습니다. 칼을 휘두른 제자의 행동은 예수님에 대한 충성심과 의리에서 비롯된 것이 분명합니다. 하지만 예수님이 원하시던 방식은 아니었습니다. 중요한 것은 예수님이 원하시는 방식을 따르는 것이 가장 충성스럽다는 사실입니다. 오늘 우리가 선택하는 방식들이 과연 예수님이 기뻐하시는 것인지 살펴봅시다.

8 답》 (1) 네 칼을 도로 칼집에 꽂으라 칼을 가지는 자는 다 칼로 망하느니라 – 비폭력의 원리 (2) 너는 내가 내 아버지께 구하여 지금 열두 군단 더 되는 천사를 보내시게 할 수 없는 줄로 아느냐 – 예수님의 신적인 정체성과 능력 (3) 내가 만일 그렇게 하면 이런 일이 있으리라 한 성경이 어떻게 이루어지겠느냐 – 하나님의 뜻을 성취하기 위해 죽음의 길을 선택하심

해설》 예수님은 체포를 통해 비폭력의 원리와 구원을 위한 구약 예언의 성취를 교훈하는 기회로 삼으셨습니다.

9 답》 이 모든 것은 다 선지자들의 글을 이루기 위해 일어난 일

해설》 무리들은 환한 대낮이 아닌 한밤중에 사람들의 눈을 피하여 예수님을 잡으러 왔습니다. 정말 예수님께 죄가 있다면 성전에서 가르치실 때 떳떳하게 체포했겠지만, 그렇게 하지 않은 것은 이 모든 일이 음모에 의한 것임을 알 수 있습니다. 그러나 예수님은 더 넓은 시야에서 이 사건을 보셨습니다. 바로 선지자의 글이 이루어지는 예언의 성취로 보신 것입니다.

10 가이드》 진정한 충성심은 평온할 때보다 위기 때 나타납니다. 가족이 어려울 때, 친구들이 어려울 때, 교회와 신앙공동체가 어려울 때 당신의 충성심은 어느 정도라고 생각합니까? 무엇보다 예수님에 대한 당신의 충성심은 무엇을 통해 증명할 수 있습니까?

*서로의 기도 제목을 나누면서 뒤에 있는 기도 노트를 활용하십시오(p.254~255)

3 가이드》 인생은 선택의 연속이라고 해도 과언이 아닙니다. 프랑스의 실존주의 철학자 장 폴 사르트르는 '인생은 B(Birth, 탄생)와 D(Death, 죽음) 사이의 C(Choice, 선택)이다'라는 말을 했다고 합니다. 이런 수많은 선택의 기로에서 매 순간 바른 선택을 하기란 결코 쉽지 않습니다. 그럼에도 그리스도인은 성령의 도우심을 의지하여 바른 선택을 하도록 힘써야 합니다. 무엇을 혹은 누구를 선택하느냐에 따라 정반대의 결과가 나올 수 있기 때문입니다.

4 답》 바라바와 예수님

해설》 '바라바'는 아람어로 '아버지의 아들'이란 뜻입니다. 마태복음의 주요 사본에 보면, 그를 '예수 바라바'라고 불렀다는 기록도 있습니다. 결국 '하나님의 아들'이신 예수와, '아버지의 아들'이란 이름의 예수 바라바, 즉 진정한 예수와 유사품 예수 사이의 선택인 셈이었습니다.

5 답》 저 옳은 사람에게 아무 상관도 하지 마옵소서

해설》 빌라도의 아내는 꿈을 통해 예수님이 의인임을 확신했습니다. 이렇듯 이방 여인도 꿈을 통해 하나님의 음성에 귀를 기울임으로 예수님이 의인임을 분별한 반면, 수많은 선지자들이 속해 있었던 이스라엘 군중은 결국 하나님의 음성을 외면함으로 예수님을 죄인으로 매도하고 말았습니다.

6 답》 바라바, 대제사장들과 장로들

해설》 군중의 배후에서 대제사장들과 장로들, 곧 산헤드린 공회의 종교지도자들은 바라바를 놓아주고 예수를 죽이라고 충동질하였습니다. 오히려 예수님을 가장 지지하고 메시아로서 추앙해야 할 종교지도자들이 결국 자신들의 이익에 눈이 멀어 메시아를 죽게 하였습니다.

7 가이드》 비록 우리는 예수님과 바라바 사이에서 양자택일을 해야 하는 일을 겪지는 않지만, 여전히 '하나님을 기쁘시게 할 것인가, 아니면 사람을 기쁘게 할 것인가'라는 양자택일의 기로에 서게 됩니다. 그런 의미에서, 바라바를 상징하는 세상을 선택하지 않고 예수님이 기뻐하시는 삶을 선택하는 성도가 되기 위해 날마다 힘써야 합니다.

8 답》 물을 가져다가 사람들 앞에서 손을 씻으며, '이 사람의 피에 대하여 나는 무죄하니 너희가 당하라'고 말함

해설》 손을 씻음으로 결백을 증명하는 풍습은 유대인들뿐만 아니라(신 21:6-9; 삼하 3:28; 시 26:6; 73:13), 그리스·로마 시대에서도 널리 행해진 풍습이었습니다. 빌라도는 손을 씻음으로 자신의 책임을 면하려 했으나, 모든 내막을 알면서도 사형을 선고했다는 점에서 결코 책임이 없지 않습니다.

9 답》 그 피를 우리와 우리 자손에게 돌릴지어다

해설》 이것은 일종의 자기 저주 선언이라고 말할 수 있습니다. 이방인 총독은 예수님의 사형 선고에 대해 소극적이었던 반면에, 역설적으로 당사자인 이스라엘 백성은 하나님의 아들을 죽이는 일에 너무나 적극적이었다는 사실에 충격을 받지 않을 수 없습니다.

10 가이드》 오늘 본문 말씀에 지금 자신의 모습을 비추어 봅시다. 지금 내 모습이 누구를 가장 많이 닮았는지 생각해 보고, 나아가 하나님이 내게 기대하시는 모습은 무엇인지 생각해 보는 시간을 가지기 바랍니다. 무엇보다 군중심리에 이끌려 과격하고 왜곡된 선택을 하거나, 사람들의 시선을 의식하여 바른 선택과 책임을 회피하는 자리에 서지 않게, 늘 견고한 믿음과 확신을 유지하기 위해 영적으로 힘써야 할 것입니다.

3 가이드》 일반적으로 믿을 수 없는 사실도 괜찮고, 신앙적으로 믿을 수 없는 사실도 괜찮습니다. 허심탄회하게 나누어 보십시오.

4 답》 큰 지진과 함께 주의 천사가 나타나 무덤의 돌을 굴려 그 위에 앉았는데, 그 형상이 번개 같고 그 옷은 눈같이 희었다

해설》 예수님의 부활이 명백한 초자연적인 현상이었음을 소개하고 있습니다.

5 답》 막달라 마리아와 다른 마리아 및 무덤을 지키던 경비병들

해설》 부활은 신자만이 아니라 반대파 사람들에 의해서도 목격된 사실임을 강조한 것입니다.

6 답》 무서워하지 말라, 예수님이 살아나셨다, 제자들에게 가서 그들보다 먼저 갈릴리로 가신다고 전하라

해설》 천사는 하늘의 전령으로 부활의 사실을 여자들에게 알렸으며, 먼저 갈릴리로 가신 예수님의 행방을 알립니다.

7 가이드》 부활이 사실이 아니라면 초대교회가 바로 예루살렘에 형성되고 그렇게 수많은 사람들이 의심 없이 부활을 믿는 것은 불가능했을 것입니다. 이제 부활을 믿는 당신의 삶에 부활이 갖는 영향력을 나누어 보기 바랍니다.

8 답》 부활하신 예수님이 나타나셨고, 평안하냐고 물으신 후, 갈릴리에서 제자들을 만나실 것이라고 하심

해설》 예수님이 부활하신 후 특별히 갈릴리에서 시작하시는 것은, 제자들의 대부분이 그곳 출신이고 예수님의 사역도 그곳에서 시작되었기 때문일 것입니다. 뿔뿔이 흩어진 제자들을 다시 시작하게 하시려는 의도가 담겨 있습니다.

9 가이드》 예수님이 부활하신 후 갈릴리로 가신다는 것은 죽으시기 전에 이미 하신 약속입니다. 또한 십자가 때문에 흩어지고 낙심한 제자들을 다시 회복시키시기 위한 배려 때문이라고 생각됩니다. (참고. 요 21장)

10 가이드》 우리도 예수님으로부터 받은 사명이 있습니다. 그것을 나누어 보고 그 일을 이루기 위해 지금 내가 감당하고 있는 구체적인 삶의 모습들을 나누며 서로 격려하는 시간을 가지기 바랍니다.

*서로의 기도 제목을 나누면서 뒤에 있는 기도 노트를 활용하십시오(p.254~255)

기도 노트 Prayer Note

- 하나님께서 기도에 응답하셨으면 'Yes', 거절하셨으면 'No', 보류 중이시면 'Wait'에 체크해 보세요! 시간이 흐른 뒤, 하나님의 세심한 인도하심을 느낄 수 있습니다.

날짜 Date	기도 대상 Who	기도 제목 Title	응답 여부 Yes	No	Wait

Prayer Note

날짜 Date	기도 대상 Who	기도 제목 Title	응답 여부 Yes	 No	 Wait

권별주삶

아가페 주삶

마태복음 하 개정판

2015년 12월 15일 1판 1쇄 발행
2018년 6월 30일 개정판 1쇄 발행

지은이 오대환

펴낸이 정형철
펴낸곳 ㈜아가페출판사
등록 제21-754호
등록일 1995년 4월 12일
편집장 이수진
편집 강수진, 홍주미
디자인 박지영, 정육남

주소 (06698) 서울시 서초구 효령로8길 5 (방배동)
전화 584-4835(본사)
팩스 586-3078(본사)
홈페이지 www.iagape.co.kr

ISBN 978-89-537-1940-8 (04230)
ISBN 978-89-537-1938-5 (개정판 세트) 04230
ISBN 978-89-537-1934-7 (세트) 04230

이 도서의 국립중앙도서관 출판시도서목록(CIP)은
서지정보유통지원시스템 홈페이지(http://seoji.nl.go.kr)와
국가자료공동목록시스템(http://nl.go.kr/kolisnet)에서 이용하실 수 있습니다.
(CIP제어번호: CIP2018014288)

아가페 출판사